Alex Miller

Liefdeslied

the house of books

Oorspronkelijke titel
Lovesong
Uitgave
Allen & Unwin, Australia
Copyright © 2009 by Alex Miller
Copyright voor het Nederlandse taalgebied © 2011 by The House of Books, Vianen/Antwerpen

Vertaling
Davida van Dijke
Omslagontwerp
Studio Jan de Boer BNO, Amsterdam
Omslagillustratie
Christine Rodin/Trevillion Images
Foto auteur
Vincent Long
Opmaak binnenwerk
ZetSpiegel, Best

ISBN 978 90 443 2978 0
D/2011/8899/16
NUR 302

www.thehouseofbooks.com

Voor Stephanie
en voor onze kinderen
Ross en Kate.

En voor Erin

Meisjes van Jeruzalem,
ik bezweer jullie bij de gazellen
en bij de hinden in het veld:
wek de liefde niet,
maar laat haar sluimeren
zolang ze wil.

HOOGLIED VAN SALOMO

Een

*T*oen wij in de jaren zeventig in deze buurt kwamen wonen, zat er een stomerij vlak naast de slijter. De stomerij werd gerund door een Maltees echtpaar, Andrea en Tumas Galasso. Mijn vrouw en ik hebben ze goed gekend. Een paar jaar geleden sloten de Galasso's hun zaak. Het was niet bekend waarom ze de stomerij hadden opgedoekt. Geen briefje op de deur met uitleg voor teleurgestelde klanten, niets wat ons geruststelde dat de zaak snel weer open zou zijn. Het pand waar de stomerij al die jaren in gevestigd was geweest bleef heel lang leegstaan, en achter de winkeldeur hoopten reclamefolders en onbetaalde rekeningen zich op.

Mijn dochter woont bij me in. Ze is achtendertig. Toen haar huwelijk strandde, zocht ze tijdelijk onderdak bij mij. Het zou voor een week of twee zijn, tot ze alles weer op een rijtje had voor zichzelf. Dat is nu vijf jaar geleden. De afgelopen Australische winter heb ik in Venetië doorgebracht, en toen ik thuiskwam in Melbourne wachtte me een lege koelkast. Ik zou niet weten waar-

óm Clare nooit boodschappen doet. Ze is een succesvol ontwerp-
ster en heeft geld genoeg, dus dat is het niet. Als ik haar vraag
waarom ze geen eten koopt, zegt ze: 'Ik koop wél eten, hoor.'
Maar ze doet het niet. Waar is dat eten dan? Ik had een taxi genomen vanaf het vliegveld, ging mijn huis binnen en liep regel-
recht de keuken in, naar de koelkast. Geen melk! Ik was uitgeput
door de eindeloos lange vlucht uit Venetië en ik deed waarschijnlijk een beetje nors tegen Clare. Maar zij barst altijd nóg sneller in
tranen uit dan haar moeder al deed. Ik zei dat het me speet, en
dus huilde ze nog even door. 'O, dat zit wel goed, papa. Ik weet
dat je het niet zo bedoelde.' Soms kan ik haar niet volgen.

Ongeacht onze moderne, gigantische passagiersvliegtuigen lijkt
Venetië zich nog steeds op een andere planeet te bevinden dan
Melbourne. Ik moest hier echt weer even mijn draai vinden. Al
gaan die lijntoestellen tegenwoordig nog zo snel en zijn ze nog zo
comfortabel, met alle mogelijke entertainment aan boord, Venetië
zal Melbourne nooit nader komen. Het is nog even ver weg als
in de periode van de doges. In Melbourne was het inmiddels
voorjaar en alles hier scheen me erg droog en kaal toe. Plus dat ik
thuis verwelkomd werd door een lege koelkast. Zo was het, in
mijn herinnering. Ik kon niet eens een kopje thee voor mezelf
zetten. Dus twee minuten nadat ik uit de taxi was gestapt ging ik
op weg naar de winkels.

Toen ik bij de slijter de hoek omging, twijfelde ik nog of ik nu
blij was om weer thuis te zijn, of dat ik spijt had dat ik niet nog
een paar maanden in Venetië was gebleven. Of een paar jaar. Of
voor altijd. Waarom niet? Ik passeerde het pand waar ooit de stomerij had gezeten en liep me neerslachtig af te vragen waarom
ik eigenlijk naar huis gekomen was. Op dat moment drong een
verrukkelijke geur van ovenverse pasteitjes mijn neus binnen.

Twintig jaar lang waren we op weg naar de winkelstraat langs de Galasso's gelopen. Al die tijd hadden we de chemische lucht van de stomerij opgesnoven. Maar nu... ik hield halt en keek door de open deur naar binnen. Er zat een nieuwe winkel in. Een patisserie, die zo te zien ook luxebroodjes verkocht. Waarschijnlijk stond ik te glimlachen, het was zo'n aangename verrassing. De vrouw achter de toonbank ving mijn blik op en beantwoordde mijn glimlach, alsof ze er blij van werd dat een onbekende vanaf de straat haar mooie, nieuwe zaak bewonderde. Het was zaterdagochtend. De winkel stond vol klanten en ze had het druk, dus het moment van begroeting tussen ons was heel kort. Niettemin monterde haar glimlach me op en ik liep verder de straat door, blij dat ik naar huis gekomen was en niet voor de rest van mijn leven in Venetië was gebleven.

Venetië maakt me melancholiek. Die tijdloze stad overtuigt je er steeds weer van dat alle inspanningen zinloos zijn. Ik heb zo'n vermoeden dat Venetië dat effect op iedereen heeft. Wanneer ik daar rondloop, voel ik me soms net de hoofdpersoon uit John Banvilles *De onaanraakbare*: Victor Maskell. De in zichzelf gekeerde kunstkenner annex meesterspion die zich schuilhoudt in Italië, en die van lieverlee begrijpt dat hij gedoemd is te falen. Een gevoel dat ik persoonlijk niet zo erg vind. Ik heb altijd een soort behagen geschept in mijn eigen zwartgallige buien. Vraag me niet waarom. Het zit waarschijnlijk in de familie van mijn vaders kant, de sombere Schotse invloed. Althans dat is me verteld. Ik ben nooit in Schotland geweest. Maar terwijl ik de winkelpaden van de supermarkt afzocht op die droge lenteochtend, was mijn zwaarmoedige stemming in het niets opgelost. Ik was weer thuis, en ik voelde me warm welkom geheten door de mooie, exotisch uitziende vrouw in de nieuwe banketbakkerswinkel.

Terwijl ik me probeerde te herinneren in welk winkelpad ik moest zijn voor de boodschappen die ik nodig had, dacht ik aan haar stralende gezicht. Waarschijnlijk liep ik geheimzinnig voor me uit te glimlachen, alsof ik iets wist wat niemand anders wist. Zo'n gezichtsuitdrukking waar ik woest om kan worden als ik hem bij een ander zie.

Bladerdeeggebak was niet bepaald dagelijkse kost voor ons, maar op de terugweg van de supermarkt ging ik de patisserie binnen. Ik moest behoorlijk lang wachten voor ik aan de beurt was. Dat vond ik geen bezwaar. Behalve de vrouw die achter de toonbank stond, waren er ook nog een man van achter in de veertig en een meisje van hooguit vijf of zes jaar in de zaak bezig. Uit de keuken achterin droegen de man en het meisje vierkante bladen vol bladerdeegpasteitjes de winkel in. De man moedigde het kleine meisje aan en stopte af en toe met sjouwen om een klant te bedienen. De klanten waren ongewoon goedgehumeurd. Er was niets te merken van de gebruikelijke zaterdagochtendstress en niemand probeerde voor te dringen. Niets van dat alles. Terwijl ik daar stond en genoot van de zoete geuren en de vriendelijke sfeer, voelde het alsof ik in een veilig haventje van ouderwetse goodwill was terechtgekomen. Dit moest wel te danken zijn aan het gezin dat de winkel runde, er hing een soort vanzelfsprekende tevredenheid om het drietal heen. Maar bovenal kwam het door de manier van doen van de vrouw.

Toen ik aan de beurt was, vroeg ik haar om zes sesambolletjes. Ik keek toe hoe ze de broodjes uitzocht en beetpakte met de lange, metalen tang. Een voor een en zonder haast liet ze de broodjes in de papieren zak in haar andere hand glijden. Haar kalme ernst liet doorschemeren dat deze simpele handeling van mij te bedienen haar volledige aandacht waard was. Ze was begin veertig, misschien drie- of vierenveertig. Ze had een donkere huid en was opvallend knap, vermoedelijk Noord-Afrikaans. Maar wat ik nog indrukwekkender vond dan haar schoonheid was haar waardige houding. Die deed me denken aan de verfijnde hoffelijkheid die je vroeger regelmatig bij Spanjaarden tegenkwam, met name onder de *Madrileños*. Een beheerst, respectvol gedrag waaruit geloof in de menselijke waardigheid spreekt. Een houding die tegenwoordig in Madrid ver te zoeken is, behalve misschien bij een paar wat oudere mensen. Onbewust reageerden de klanten in de patisserie op de delicate ondertoon van hoffelijkheid van deze vrouw. Toen ze me de zak broodjes aangaf, bedankte ik haar en zij glimlachte. Maar vlak voor ze zich omdraaide zag ik iets treurigs diep in haar donkerbruine ogen, een glimp van oud, weggestopt verdriet. Terwijl ik naar huis liep, vroeg ik me af wat haar verhaal was.

Toen ik Clare later over de patisserie vertelde, zei ik iets in de geest van: 'Die mensen hebben een soort eenvoudige onschuld over zich, vind je niet?' Clare zat aan de keukentafel de krant te lezen en haar derde sesambolletje te eten. Telkens brak ze een stuk van het broodje, keek ernaar en doopte het vervolgens in haar koffie. Tijdens mijn afwezigheid was ze al diverse malen in het bakkerswinkeltje geweest, vertelde ze me. Maar ze had er niets bijster interessants aan kunnen ontdekken; ook niet aan de mensen die in de winkel werkten. 'Hij is leraar,' zei ze, alsof dat betekende dat ze onmogelijk boeiend konden zijn. Ze verdiepte zich verder in haar krant. Hardop fantaseerde ik nog even door over een puur en simpel liefdesverhaal tussen die twee. De stille, eenvoudige Australiër en zijn exotische bruid. Hoe zouden ze elkaar ontmoet hebben? Clare keek niet op van haar krant, maar onderbrak me met die rustige overtuiging van haar: 'Liefde is nooit simpel. Dat wéét je toch, papa.' Ze had natuurlijk gelijk. En of ik dat wist. Maar al te goed. En Clare wist het ook.

Ongeveer een week later zag ik de man van de patisserie in de bibliotheek. Hij had zijn dochtertje bij zich. In de weken die volgden, zag ik hem nog een paar keer in de bibliotheek. Soms was hij alleen en zat aan één van de tafels, gebogen over een boek. Er renden altijd wel kinderen rond die hun spullen lieten vallen en lawaai maakten, en ik was ervan onder de indruk dat hij onverstoorbaar door bleef lezen. Hij las zoals jonge mensen lezen, volledig verzonken in de wereld van zijn boek. En toch, dacht ik bij mezelf – ter verdediging tegen Clares cynisme. En toch. Het is écht een zuivere, bijna kinderlijke argeloosheid waarmee deze man zit te lezen. Ik probeerde een blik te werpen op de boeken die hij las, maar kon nooit helemaal hoogte krijgen van de titels. Ik groette hem een paar keer. Maar hij gaf alleen een koel knikje terug. Hij had grote handen, met prominente aderen. Mooie handen waren het, de handen van een vakman. Hij leek mij niet zozeer een leraar, eerder een ambachtsman. Misschien was hij houtbewerker. Of instrumentenmaker, dat zou me niet verbaasd hebben. Ik zag het meteen voor me hoe die handen vol liefde aan een klavecimbel zouden bouwen voor zijn beeldschone vrouw.

Toen hij zijn boek dichtklapte en opstond, zag ik zijn lange, lichtgebogen figuur. Ik sloeg hem gade terwijl hij de bibliotheek uit ging met zijn boeken onder zijn arm, zijn blik naar de grond gericht. Ik vroeg me opnieuw af hoe hij en zijn donkere, opvallende echtgenote elkaar hadden gevonden.

Het leek eerder zomer dan voorjaar die warme zondagmiddag in oktober, toen ik hem tegenkwam in het openluchtzwembad. Ik was me al een tijdje bewust van een andere zwemmer die gelijk met me op zwom in de baan naast me. Hij deed de borstcrawl, net als ik. Beurtelings hieven we onze armen op en plonsden die weer in het water. Ik maakte mijn twintig baantjes af en ging rechtop staan in het ondiepe deel van het bad. Ik stond met mijn rug tegen de rand van het zwembad geleund en deed mijn zwembril af, toen degene in de baan naast mij ook overeind kwam. Ik zag direct dat het de man van de patisserie was. Ik was niet van plan iets tegen hem te zeggen, aangezien hij me blijkbaar niet wilde kennen. Dus was ik verrast toen hij me goedendag zei en vroeg of ik hier vaker kwam zwemmen. Ik antwoordde: 'Dat is wel mijn bedoeling.' Ik was blij dat hij opeens zo vriendelijk was, maar ik vroeg me af waardoor hij van gedachten was veranderd over mij.

En zo hebben John Patterner en ik elkaar ontmoet. Zij aan zij baantjes trekkend. Na het zwemmen nodigde hij me uit voor een kop koffie in het café bij het zwembad. We dronken onze koffie en keken toe hoe zijn dochter zwemles kreeg, samen met twee vriendinnetjes uit groep twee. Ze riep constant naar hem: 'Kijk eens, papa!' en hij riep constant terug: 'Ik zie je heus wel, lieve schat.' Ik zei: 'Wat heb jij een mooi kind.' Zijn ogen straalden van trots en liefde en ik herinnerde me hoe Clare en ik samen optrokken toen zij op die leeftijd was. Wat waren we oneindig dikke maatjes geweest en wat voelden we elkaar feilloos goed aan. Dat zag ik allemaal terug in John Patterner en zijn dochter. Ze heette Houria, vertelde hij me. Toen hij haar aan me voorstelde, keek ze me ernstig aan en ik zag dat ze haar moeders ogen had. Ik weet niet meer waar John en ik over praatten die dag, maar wat ik nog wel weet is dat de koffie in de kartonnen bekertjes een beetje naar chloorwater smaakte. Twee weken later zag ik hem in zijn eentje in de bibliotheek zitten en stelde ik voor om koffie te drinken in Café Paradiso. Hij leek blij me weer te zien.

Daarna spraken we minstens één keer in de veertien dagen af in het Paradiso. Hij kwam langzaam en aarzelend op gang, maar beetje bij beetje begon hij me hun verhaal te vertellen. Het verhaal van hemzelf en zijn vrouw Sabiha, de mooie Tunesische met wie hij in Parijs trouwde toen hij een jonge man was, en zij eigenlijk nog maar een meisje. En het verhaal van hun dochtertje Houria, een indrukwekkende geschiedenis die prachtig en verschrikkelijk tegelijk was. Ze woonden nu in de twee of drie kamers boven de patisserie. Ze kunnen het daarboven niet erg ruim hebben gehad. Hun gezinskeuken was op de begane grond achter de winkel, waar Sabiha ook haar heerlijke pasteitjes klaarmaakte. Je kon de keuken vanaf de straat zien. Als ik er 's avonds laat langsliep om Clares herdershond Stubby uit te laten voor zijn laatste plasje van die dag, brandde er meestal nog licht in de bakkerskeuken.

Vanaf de dag dat we samen onze chloorwaterkoffie bij het zwembad zaten te drinken, had ik Johns behoefte om te praten aangevoeld. Maar hij was een bescheiden, teruggetrokken man en het duurde wel even voor ik hem overtuigd had dat zijn verhaal me interesseerde. Hij bleef maar zeggen: 'Ik hoop dat ik je er niet mee verveel,' en dan lachte hij. In die lach klonken zijn terughoudendheid en allerlei andere onzekerheden door. Dat lachje van hem maakte me ongerust. Ik was bang dat hij misschien zou besluiten dat hij me al te veel had toevertrouwd en dat hij er verder het zwijgen toe zou doen. Maar ik was de perfecte toehoorder voor hem. Dat zei ik hem ook. Ik was ronduit de beste toehoorder die hij ooit had gehad; een betere zou hij vermoedelijk nooit krijgen.

Ik had mijn laatste roman als de hekkensluiter gezien. Het was weliswaar niet voor het eerst dat ik dat zo voelde, maar nu had ik er echt genoeg van. 'Zo is het mooi geweest,' had ik tegen Clare gezegd toen ik het boek had afgerond. 'Geen romans meer, ik stop ermee.' Clare vroeg: 'Wat ben je dan van plan, papa?' Ik zei: 'Ik ga met pensioen. Dat doen mensen. Ze maken reizen, gaan leuke dingen doen en ze slapen 's morgens uit.' Ze keek me sceptisch aan en zei: 'Maar papa, ga je dan bowlen of zo?' Ik ben haar vader, dus mag ze me best af en toe plagen. Niettemin was ik zo zeker van mijn zaak dat ik mijn laatste roman *Het afscheid* had genoemd. Dat leek me een vrij directe hint voor recensenten en interviewers, die altijd ijverig op zoek zijn naar symboliek en diepere betekenissen in wat wij schrijvers zoal neerkrabbelen. Ik zat te wachten op de eerste interviewer die me zou vragen: 'Dus dit is uw laatste boek, begrijp ik?' Mijn antwoord had ik immers paraat: 'Ja, dat klopt,' en dan zou ik er simpelweg van af zijn. Maar niemand die de vraag stelde. In plaats daarvan informeerden ze: 'Is het autobiografisch?' Waarop ik Lucian Freud citeerde: *Alles is autobiografisch en alles is een portret.* Het probleem was dat zij Freuds briljante metafoor letterlijk opvatten. Dus trok ik naar Venetië en wentelde me een maand of twee rond in mijn zelfgekozen, eenzame melancholie. Toen ik thuiskwam, besefte ik dat ik geen idee had hoe dat moest, niets doen. Niet werken, hoe doe je dat? Daar had ik me mijn hele leven nog nooit mee beziggehouden en ik kwam er algauw achter dat géén boek schrijven moeilijker was dan wél een boek schrijven. Hoe moest ik nu stoppen? Het was een probleem. Een tijdlang verborg ik mijn paniek achter activiteiten zoals 's morgens het Nationaal Museum bezoeken, midden in de week. Daar knapte ik niet echt van op. Het wemelde in het museum van mensen die niets deden, net als ik. Ik sloeg hen gade. Het leken me stuk voor stuk eenzame zielen. Toen kwam ik John Patterner tegen, en opeens had ik iets te doen. Ik luisterde, terwijl hij me zijn verhaal vertelde. Ik wilde bovenal weten hoe en waarom het verdriet in de ogen van zijn prachtige vrouw was geslopen. Daarom volgde ik zijn verhaal met zoveel aandacht, om daar achter te komen.

Als het lekker weer was, namen we een tafeltje op het stoepterras onder de platanen die voor Café Paradiso staan. John was een roker. 'Ik zal je wel van je werk afhouden,' opperde hij herhaaldelijk op bezorgde toon. 'Ik heb net even pauze,' antwoordde ik dan. Vervolgens zat hij daar een poosje zijn sigaret heen en weer te rollen, ging ten slotte rechtop zitten en begon me over zichzelf te vertellen met de sigaret onaangestoken in zijn hand. Als hij uitgesproken was, stonden we op en wandelden samen terug naar de winkel. Pas dan stak hij eindelijk zijn sigaret op. Waarschijnlijk probeerde hij te stoppen met roken. Hij vertelde me dat hij afkomstig was uit een boerenfamilie ergens langs de zuidkust van New South Wales. En Clare had gelijk gehad, hij was tegenwoordig leraar. Hij gaf Engels als tweede taal aan jongens en meisjes op de plaatselijke middelbare school in Carlton, onze wijk in Melbourne. De pubers aan wie hij lesgaf kwamen grotendeels uit gezinnen waar geen Engels werd gesproken, en dat is zo ongeveer de helft van de bewoners van onze buurt. Hij sprak met groot respect over zijn leerlingen maar toch had ik het gevoel dat hij niet zo blij was met zijn baan. Hij hield van zijn vrouw en dochter, maar hij vond het ook heerlijk om helemaal op te gaan in een boek. Volgens mij was hij echt dol op lezen.

Maar nu zijn verhaal. Al snel begon ik me te realiseren dat het in zekere zin een bekentenis was. Maar geldt dat niet voor alle verhalen? Dat het bekentenissen zijn? Onze drang om verhalen te vertellen... zit daar geen hunkering achter naar vergiffenis?

*D*om Pakos stond in het kleine keukentje achter in zijn eet-café. Hij was druk bezig de gebruikelijke doordeweekse dagschotel op te dienen. Het aanbod bestond uit overgare stukken draderig rundvlees gecombineerd met zo'n twintig gekookte, in slordige dobbelstenen gesneden courgettes, uit de losse pols op smaak gebracht met een of twee soorten kruiden. Het vlees was afkomstig uit een van de slachthuizen die een paar straten verderop stonden. Dom had dit nederige gerecht opgewaardeerd door het de luisterrijke naam *sfougato* te geven. Dom Pakos was een stevig gebouwde man, kort van stuk en met een neus die in zijn jonge jaren zo vaak gebroken was dat hij eruitzag alsof er een olifant op had gestampt. Ondanks zijn massieve bovenlijf bewoog Dom, die op dat moment negenenveertig was, zich snel en zelfverzekerd. Uit een kolossale stoofpan die op het fornuis voor hem stond, schepte hij de sfougato in een rij kommen op het marmeren werkblad rechts van hem. Plotseling liet Dom de grote ijzeren lepel los. De lepel plonsde terug in de pan en grote spet-

21

ters jus belandden op zijn witte overhemd. Zijn adem stokte. Het leek alsof hem een dringende afspraak te binnen schoot. Toen zakte hij in elkaar op de tegelvloer.

Eetcafé Chez Dom bevond zich in het smalle straatje dat destijds bekendstond als de Rue des Esclaves, tegenover de stoffenwinkel van Arnoul Fort en vlak naast de kantoorboekhandel van André en Simone. In die dagen was de hele buurt doortrokken van een onontkoombare vieze lucht, waar je neusgaten van prikten en de tranen je in de ogen sprongen. Wie wilde weten waar de penetrante geur vandaan kwam, moest de voordeur van het café uit stappen, links afslaan, langs de boekhandel naar de hoek van de straat lopen en het plein oversteken. Vervolgens zo'n honderd meter verder een helling afdalen om ten slotte aan de overkant van de spoorlijn te stuiten op de bron van de allesoverheersende stank. Daar stonden de grote abattoirs van Vaugirard. Voor de plaatselijke bewoners betekende de karakteristieke lucht van de slachthuizen twee dingen: werk en thuis. Op sommige dagen was de stank doordringender dan gemiddeld, en er waren momenten dat je er amper iets van merkte. Het was net als het weer. De geur hing er altijd, dag en nacht, zomer en winter. En zoals dat meestal gaat, was de stank voor de mensen die hier woonden zo vertrouwd geworden dat ze zich er niet aan stoorden. Het waren de nieuwkomers die hun neus optrokken.

Doms vrouw, Houria, had rode geruite gordijnen voor de onderste helft van het caféraam gehangen. De gordijnen waren altijd ver opzij geschoven, zodat er meer daglicht in de bescheiden lunchroom viel en de klanten konden zien wie er zoal buiten op straat liepen. Binnen stond een onopgesmukte, gelakte houten bar tegenover de ingang, en hier was Houria in de weer met brood, koffie en wijn. De houten sierlijsten langs het raam en de deur waren groen geschilderd en de muren hadden een neutrale, verschoten oudroze kleur, een beetje zoals de onderkant van een versgeplukte paddenstoel. Houria zorgde altijd dat er gewassen en gestreken rood-groengeblokte tafelkleden op de tafels lagen. Op de bar, aan het uiteinde dat zich het dichtst bij de deur bevond, stonden altijd bloemen. Afhankelijk van het seizoen was dat óf een weelderig boeket gele margrieten óf een bos roodbruine chrysanten, in een groene aardewerken kan. In een niet al te professioneel handschrift was met rode letters het woord CAFÉ dwars over het raampje boven de deur geschilderd. Dat was de enige, bescheiden aanwijzing dat hier een eetgelegenheid was gevestigd. Achter in het eetgedeelte, tegenover de deur en rechts van de bar, hing een kralengordijn dat toegang gaf tot de keuken. Daar deed Dom Pakos zijn werk. De klanten van Chez Dom kwamen uit de nabije omgeving, en veel van hen behoorden tot het lagere personeel van de abattoirs. Er kwam zelden of nooit iemand lunchen in het kleine café die niet alle andere klanten kende. Vreemden vonden alleen bij uitzondering hun weg naar Chez Dom.

Twintig jaar geleden waren Dom Pakos en zijn Tunesische vrouw het eetcafé begonnen. Het was in de winter van 1946, in die chaotische dagen direct na de oorlog toen iedereen weer met moeite overeind probeerde te krabbelen. Voor de oorlog had Dom Pakos als matroos op een koopvaardijschip gevaren, en tijdens de oorlog als scheepskok. Hij strandde in Parijs, kort nadat de vrede was getekend. Hij ontmoette Houria, die toen achtentwintig was, en dat was reden genoeg voor Dom Pakos om een poging te wagen als uitbater van een eetcafé. Achteraf beweerde hij altijd met een mengeling van trots en verbazing dat pas toen hij Houria tegenkwam, de puzzelstukjes van zijn leven op hun plaats vielen. Toen ze elkaar tegen het lijf liepen, waren ze allebei buitenbeentjes geweest. Op het moment dat ze elkaar zagen, drong het direct in volle hevigheid tot hen door dat zij voor het leven met elkaar verbonden waren. Geen van beiden had behoefte aan kinderen om hun samenzijn compleet te maken. Dom en Houria maakten elkaar compleet.

Dom dacht van zichzelf dat hij geweldig kon koken, maar in werkelijkheid was hij nauwelijks een middelmatige kok te noemen. Het eetcafé gedijde niet zozeer vanwege Doms kookkunst, maar doordat hij een energieke, opgewekte man was die genoot van het gezelschap van zijn klanten. Voor Dom Pakos waren alle mensen in hoge mate gelijkwaardig. De goeden en de slechten, de lelijkerds en de knappe kerels, oud of jong, gebrekkig of fit, ze waren allemaal één pot nat voor Dom. Hij mocht ze allemaal. Hij was in de ruigste havensteden van de wereld geweest en had zo'n beetje alles wat menselijk was aan zich voorbij zien trekken. Als je maar enigszins op een mens leek, dan voelde je al dat Dom je een warm hart toedroeg. En als je een zwerfhond of -kat was, voerde hij je etensrestjes bij de achterdeur van zijn keuken, die tot de dag van vandaag uitkomt op de smalle, met kinderkopjes geplaveide steeg achter de winkelpanden. Toegegeven, ook Doms tolerantie kende haar grenzen. Maar doorgaans stond hij open voor de wereld en mocht iedereen zich zonder onderscheid koesteren in zijn warme genegenheid. Hij was niet religieus, maar had niets tegen het gezelschap van mensen die dat wel waren. Dom had de gave om gelukkig te zijn. Dat had hij van zijn moeder. Zijn ruimhartigheid en gemakkelijke omgang met mensen konden zelfs aan de meest verzuurde geest een glimlach ontlokken.

Het was dan ook jammer dat hij zo aan zijn einde kwam. Minder dan twee minuten nadat Dom in elkaar was gezakt, kwam Houria de keuken binnen. Ze baande zich een weg door het kralengordijn met de een of andere opmerking op het puntje van haar tong. Ze verwachtte dat er een rij gevulde kommen voor haar klaar zou staan om uit te serveren aan de klanten. Ze zag meteen dat Dom Pakos dood was. Maar Houria begon niet te gillen en reageerde in geen enkel opzicht alsof ze getuige was van iets vreselijks. Ze knielde neer op de oude, gescheurde tegels, ging naast haar echtgenoot zitten en nam zijn hoofd voorzichtig in haar handen. 'Dom!' smeekte ze zachtjes, alsof ze dacht dat ze hem nog wakker kon maken. Ze wíst dat hij dood was. De dood is niet mis te verstaan. Maar ze kon het gewoon niet geloven. Het was voor het eerst dat ze een grimas van onbehagen zag op het gezicht van haar man, en dat was wat ze zich achteraf herinnerde.

Toen de lijkschouwer het lichaam van Dom twee dagen later onderzocht in het mortuarium van het ziekenhuis, concludeerde hij dat er een slagadergezwel in Doms onderbuik was opengebarsten. 'Dom heeft nauwelijks geleden', verzekerde hij Houria. Ze was naar het ziekenhuis gekomen om de uitslag van het onderzoek te horen. De arts was een lange man, met hangende schouders en droevige ogen, alsof hij het leed van de hele wereld met zich mee torste. Hij had een klein snorretje onder zijn grote neus. De man deed Houria denken aan de grote redder van Frankrijks waardigheid, le Général in eigen persoon. Ze voelde zich veilig in zijn nabijheid. Ook al zat ze in zijn kantoortje pal naast het mortuarium, ze geloofde half dat de lijkschouwer haar zou gaan vertellen dat Dom tegen alle verwachting in nog leefde.

'Dus hij is écht dood?' vroeg ze. Het minuscule sprankje hoop dat ze tot dan toe had gehouden, flakkerde en doofde uit terwijl ze dit zei.

'O zeker, Madame Pakos, uw echtgenoot heeft dit aardse tranendal verlaten, daar is geen twijfel over mogelijk.' De arts glimlachte en streek over zijn snor, die nu opeens veel weg begon te krijgen van het snorretje van Hitler. 'Uw man was voor zijn leeftijd in een heel goede conditie, Madame Pakos.' Er lag een blij verraste, troostrijke klank in zijn stem, zodat ze heel even dacht dat dit goed nieuws was. 'U moet wel bijzonder goed voor hem gezorgd hebben. Toen de aorta van uw man openbarstte, is hij in een paar seconden doodgebloed.' De lijkschouwer zweeg even en leek in gedachten verzonken, totdat hij opeens een alarmerend geluid maakte tussen zijn opeen geperste lippen door: 'Fflaaatsj!' Tegelijkertijd strekte hij zijn samengevouwen handen uit naar Houria en klapte ze abrupt open.

Houria maakte een sprongetje van schrik.

De arts sloeg haar aandachtig gade, en sprak toen op plechtige toon: 'Toen de poort eenmaal geopend was, Madame Pakos, heeft dat grote hart van uw man zijn bloed met een enorme snelheid in zijn buikholte gepompt. Heldhaftig probeerde het hart zijn taak uit te voeren. Maar helaas.' Hij zweeg even, haalde diep adem en boog zich naar Houria toe. Hij kwam zo dicht met zijn hoofd bij het hare, dat ze wel twee samenzweerders leken. 'Wanneer het Canal Grande van het lichaam buiten zijn oevers treedt dan geldt: hoe sterker het hart, hoe sneller het overlijden van de mens.' Hij leunde achterover. Zijn gezichtsuitdrukking gaf Houria te kennen dat er zojuist iets duidelijk was gemaakt wat hem heel tevreden stemde. Ze vroeg zich af of ze hem misschien moest feliciteren. Maar het gesprek was afgelopen. De lijkschouwer had nog veel meer te doen die dag.

•

Dit gesprek in het ziekenhuis betekende voor Houria het officiële einde van twintig jaar geluk samen met Dom Pakos. Ze was zevenenveertig en van nu af aan zou ze alleen zijn. Ze bedankte de lijkschouwer, stond op van haar stoel en ging terug naar het eet-café, waar het akelig stil was. Een eenzame, lege ruimte zonder haar Dom. Ze ging op hun grote bed in de slaapkamer boven het café zitten en staarde uit het raam naar de ramen boven de winkel van Arnoul en Monique Fort aan de overkant van de straat. Ze had haar jas nog aan. Krampachtig hield ze haar handtas tussen beide handen in haar schoot geklemd, alsof ze ieder moment verwachtte overeind te moeten komen om snel ergens heen te gaan. Maar de minuten gingen voorbij, en er gebeurde niets. Ze hoorde stemmen van spelende kinderen op straat onder haar raam, toeterende auto's en nu en dan een stem die iemand begroette of afscheid nam. De beklemmende, scherpe stank van de slachthuizen hing als een deken om haar heen. Dit was haar thuis. Wat zou ze nu graag honderden jaren terug zijn gegleden in het verleden. Dan had ze haar eigen jammerklacht bij het koor van klaaglijke vrouwenstemmen van haar eigen volk kunnen voegen, die samen rouwden om het verlies van een dierbare. Maar voor haar was dat allemaal allang voorbij. Houria zat een hele tijd uit het raam te kijken, tot ze zich opeens herinnerde dat Dom nooit meer thuis zou komen. Machteloos begon ze te snikken en voelde de stekende pijn van het verlies als een ijzeren band rond haar borst.

Toen ze ten slotte uitgehuild was, stond ze op van het bed, ging naar beneden en hing haar jas op in het bijkeukentje. Ze zette haar tas op de houten tafel in de keuken. Ze maakte een glas zoete muntthee en hield het vlak onder haar neus om zichzelf op te beuren met het vertrouwde aroma. Ze kon Doms schaduw zien door het kralengordijn. Hij stond bij een tafel in het eetzaaltje uit het raam te kijken, al pratend met een klant en gebarend met een doek in zijn hand. Hij leek zo echt dat ze haar hand had kunnen uitstrekken en hem aanraken. 'Dom!' fluisterde ze, terwijl een wanhopig gevoel van leegte zich van haar meester maakte. 'Weet je nog? Je had me toch beloofd dat je altijd van me zou blijven houden? Dat je me nooit in de steek zou laten?'

Ze sloot het café af en plakte een briefje op de deur. Dagenlang liep ze doelloos rond, pakte een steelpan op en zette hem weer neer, ging naar de achterdeur en keek het steegje in, zonder te weten wat ze met zichzelf aan moest. Ze had voortdurend huilbuien en kon zich er niet toe brengen om iets te gaan doen. Tolstoj, de spookachtig grijze, grote Russische wolfshond van André, kwam bij de achterdeur naar haar toe. Hij drukte zijn kop tegen haar aan en keek naar haar op met zijn grote, droevige ogen. Ze streelde het prachtige beest over zijn ruige vacht en hij bleef haar aandachtig aankijken terwijl zij hem vertelde hoe verdrietig ze was. De typische geur van zijn vochtige dierenvacht drong als een stille troost door in haar neusgaten.

Op een avond toen de kinderen op straat allemaal al naar huis waren en er geen toeterende auto's meer langsreden, ging ze in de doodstille, kleine woonkamer zitten. Die ruimte hadden Dom en zij ooit samen ingericht onder de trap. Ze schreef een brief aan haar broer in El Djem. Ze voelde een ongewoon groot verlangen naar haar vaderland en haar familie. Het gevoel werd sterker naarmate de avond viel, zoals het water van een al lang opgedroogde bron dat terugkomt en met kracht naar de oppervlakte borrelt.

Beste Hakim, schreef ze. *Mijn man is overleden en nu ben ik alleen. Ik heb besloten om naar huis te komen, maar eerst moet ik onze zaken hier regelen en het café verkopen, als ik een koper kan vinden. Wij zijn niet de eigenaars van het pand. Maar André, onze huisbaas, is een aardige man. Hij zal me vast de tijd geven om alles zo goed mogelijk in orde te maken.*

Ze voegde er nog een paar regels over zichzelf aan toe en vroeg vervolgens hoe het thuis met iedereen ging. Thuis... al schrijvend moest ze haar uiterste best doen om zich die verre plaats helder voor de geest te halen. Haar thuis, dat ze niet meer had gezien sinds ze er als zeventienjarige met haar moeder was vertrokken. Dat was dertig jaar geleden.

•

Het was een paar dagen later. In El Djem kwam Houria's broer Hakim thuis van zijn dagelijks werk bij de wegarbeiders. Bij de deur pakte zijn vrouw zijn jas van hem aan en zijn twee ongetrouwde dochters, Sabiha en Zahira, stonden naast haar naar hem te kijken. Hakims snor was helemaal wit van het stof van de weg. Zijn vrouw overhandigde hem direct zijn leesbril en de brief. Staande in de deuropening hield hij de envelop tegen het licht en bekeek het handschrift. Met zijn door het werk misvormde duimnagel ritste hij onder de flap van de envelop door, haalde het velletje papier eruit en vouwde het open. Hij las de brief van zijn zus hardop aan hen voor, sprak ieder woord zorgvuldig uit en liet na iedere zin een korte stilte vallen. Hakim was zijn baan bij de overheid kwijtgeraakt toen hij lid werd van de Communistische Partij, maar zijn idealen en zijn zelfrespect stonden nog stevig overeind. Toen hij de brief van zijn zus voorgelezen had, keek hij zijn vrouw en dochters onderzoekend aan. 'Dom Pakos is dood,' zei hij, alsof hij hun reactie wilde peilen.

Alex Miller

Hij had Houria's echtgenoot nooit ontmoet. 'Mijn zus komt terug naar huis.'

Hakim waste zich, liep het binnenplaatsje op en ging op de bank onder de granaatappelboom zitten. Hij rookte een sigaret en hief zijn gezicht op om de laatste zonnestralen van de dag op te vangen. De reusachtige ruïne van het Romeinse amfitheater in de verte was goed zichtbaar boven de muur van hun binnenplaats. De oeroude stenen glansden als goud in het avondlicht. Zijn vrouw bracht hem een glas muntthee en hij bedankte haar. Ze trok zich in huis terug om het avondeten klaar te maken. Hij bleef rustig zitten en dronk zachtjes slurpend zijn thee. Af en toe nam hij een trekje van zijn sigaret. Hij had de wanhoop gelezen in de woorden van zijn zus en het had hem geraakt. Ze hadden elkaar dertig jaar niet gezien. Hij besloot om zijn jongste dochter, Sabiha, naar Parijs te sturen om Houria gezelschap te houden. Sabiha kon Houria helpen tot het haar gelukt was de zaak te verkopen en ze haar verhuizing terug naar El Djem geregeld had. Hij kon de gedachte niet verdragen dat zijn zus daar in die verre stad van ballingschap alleen was met haar verdriet. Zelfs terwijl de beslissing zich nog in Hakims gedachten vormde, ging het door hem heen hoe de patronen in een familie tot stand komen. Hoe ze zichzelf herhalen als weefpatronen in een tapijt, van generatie op generatie. Hij dacht aan Houria, die met de bus vertrokken was samen met zijn moeder, al die jaren geleden. Hoe hij met zijn vader en zijn twee broers langs de weg stond terwijl de bus in beweging kwam en wegreed bij het postkantoor. Zijn moeder en zus hadden hun gezichten tegen het raam gedrukt en uit alle macht gewuifd. Hij was toen nog niet volwassen en had volstrekt niet begrepen waarom zijn moeder wegging. Maar hij had het geaccepteerd.

30

Sabiha kwam het huis uit lopen. Zij was zijn favoriete dochter. Ze liep naar hem toe en pakte de brief die hij naast zich op het bankje had gelegd. Hij keek toe hoe ze hem las, beter gezegd, hoe ze hem bijna met haar ogen verslond. Het Lastpak, noemde hij haar. Hij had twee dochters, en juist op deze had het lot zijn stempel gedrukt. Waarom dat zo was? Dat wist niemand, maar vanaf de dag van haar geboorte had hij geweten dat zij heel anders zou worden dan zijn oudste dochter. Hij en Sabiha begrepen elkaar op een manier die ze geen van tweeën konden uitleggen. Hij wist dat Sabiha het verdriet van Houria aan zou kunnen en dat ze Parijs aan zou kunnen. Sabiha zou zelfs de hele wereld aankunnen, als dat van haar gevraagd werd. Wat is dat toch, vroeg hij zich af terwijl hij vol liefde toekeek hoe gretig zijn mooie dochter de brief las. Wat maakt sommige mensen zo totaal anders dan andere, dat ze niet eens dezelfde toekomst kunnen delen?

Sabiha ging op het smalle bankje naast haar vader zitten en legde haar hoofd tegen zijn schouder. 'Mis je je zus?' vroeg ze hem. Zij droomde al van haar tante Houria in Parijs. Ze verlangde ernaar haar tante te ontmoeten en Parijs te leren kennen.

Sinds Doms overlijden liep Houria te piekeren over haar kapsel. Dom had haar altijd graag met lange haren gezien. Iedere avond had ze voor de spiegel van haar toilettafel gezeten, haar dikke, dubbele wrong losgemaakt en haar lange lokken helemaal uitgeborsteld, terwijl hij haar in bed lag te bewonderen. 'Lang haar,' had hij tegen haar gezegd, 'is het mooiste sieraad van een vrouw.' Ze sliepen naakt, zomer en winter. Zolang Dom leefde, had ze geen kans gezien om met één woord over een andere haarstijl te reppen. Maar Houria was al een hele tijd stiekem afgunstig geweest op vrouwen met korte haren.

Hoewel niemand, en zeker Houria niet, rechtstreeks zou beweren dat Doms dood eigenlijk een geluk bij een ongeluk was, bleken er toch interessante kanten aan te zitten voor Houria. Zijn afwezigheid gaf haar bepaalde vrijheden. Nu en dan betrapte ze zichzelf er met een gepast schuldgevoel op dat ze het leuk vond om haar eigen gang te gaan. Dat de gedachte haar prikkelde dat ze nu een nieuw en boeiend deel van haar leven tegemoet ging.

Ze had een beginnetje durven maken door haar grijze haren uit te laten groeien. En dat was alles, tot nu toe. Maar het was tenminste iets. Ze bleef niet in het verleden hangen. Op straat zag ze vrouwen van haar eigen leeftijd of zelfs ouder, met een modieus kortgeknipt grijs kapsel lopen. Ze was jaloers op ze. Het kwam niet zozeer doordat ze er zo vlot en slim uitzagen, hoewel dat óók het geval was, maar doordat ze vrijer leken, en zelfverzekerder. Alsof ze in een wereld leefden die ze zelf hadden gekozen. Hun eigen wereld, dat was waar ze deze vrouwen om benijdde. Het moest iets te maken hebben met een beslissing die ze hadden genomen. Hun tred was lichter, dat viel haar op. Ze liepen met een lichte, verende pas, anders dan oudere vrouwen zoals zijzelf die hun haar nog lang droegen en die het grijs om de paar weken door de kapper lieten bijkleuren. Nu Dom er niet meer was, stond ze te popelen om bij die Parijse vrouwen met korte kapsels te horen, voor het te laat was om ervan te genieten. Maar nu liep ze hevig te dubben over de vraag of Dom al lang genoeg dood was om met goed fatsoen haar haren af te laten knippen. Ze wilde zijn nagedachtenis niet onteren. Als ze nu plotseling in het eetcafé en op straat zou verschijnen met kort haar, zou het dan niet voor iedereen lijken alsof ze blij toe was dat ze hem kwijt was? Zou het zelfs voor haar niet zo lijken? Alleen deze tobberijen hielden haar nog tegen.

Ze stond in de deuropening tussen de keuken en het eetcafé, hield het kralengordijn opzij en keek toe hoe Sabiha de tafels dekte. Sabiha had een mooie, blauw met witte jurk aan met een ceintuur om haar middel. Ze droeg een blauwe haarband en haar lange, donkere haren golfden tot halverwege haar rug. Toen Sabiha even haar rug rechtte en zich omdraaide zei Houria: 'Hoe denk jij dat kort haar mij zou staan, lieverd?'

Met haar handen vol messen en vorken, plus een poetsdoekje om ze op te wrijven, bleef Sabiha stilstaan en bekeek haar tante eens goed. Ze zag een vrouw van tegen de vijftig met een dikke, opgestoken haardos, waarvan de verf bij de wortels uitgroeide. Daar kwam een levendige, staalgrijze kleur tevoorschijn. 'Echt kort? Of alleen maar iets korter?' vroeg ze. Houria had een breed, niet onknap gezicht en haar haren waren in een royale dubbele wrong boven op haar hoofd vastgespeld. Het leek een beetje alsof ze een koeienvlaai op haar kruin had. Het zag er onnatuurlijk en zwaar uit. En door die dikke, stijve knot leek haar tante wel een oude vrouw. Een vrouw die het had opgegeven om zich mooi te maken, of misschien juist te veel haar best deed. Een paar dagen eerder had Houria zich tegen haar beklaagd dat ze al zo oud was. Maar Sabiha had gezegd: 'Jij ziet er niet oud uit. Je lijkt echt heel jong voor iemand van jouw leeftijd.' Houria had gelachen en haar geknuffeld.

'Nee, écht kort,' zei Houria nu, terwijl ze haar handen ophief en de zware koeienvlaai met haar vingertoppen omhoogduwde. Meteen zat er overal meel op de donkere knot – ze was bezig geweest bladerdeeg te maken. 'Zo'n vijf centimeter ongeveer.' Ze hield haar hand op en gaf met haar duim en wijsvinger de haarlengte aan die ze bedoelde. 'Vijf, misschien hooguit acht centimeter. Wat vind je? Eerlijk zeggen.' Ze verlangde ernaar om eindelijk onder haar haren vandaan te komen. Als Sabiha het ermee eens was, zou ze deze middag nog naar de kapper gaan en het af laten knippen. Sabiha zelf had prachtig haar, lang en glanzend en zwart als... nou ja, héél erg zwart. Het zou ontzettend zonde zijn als Sabiha haar haren kort liet knippen. Maar daar ging het nu niet om. Sabiha was eenentwintig en zou binnenkort op zoek moeten naar een man, en een gezin stichten. Op Sabiha's leeftijd waren lange haren een vereiste, net als een snor voor iedere man met maar een beetje fatsoen in zijn lijf. Tja, alles op zijn tijd.

Sabiha glimlachte. Haar tante stond voor haar, gehuld in een gigantisch blauw schort met daaronder die zware zwarte schoenen die ze altijd aanhad. Houria was absoluut geen schoonheid. Ze was klein en dik. Ze was een schat van een vrouw, maar mooi was ze niet. Die enorme borsten, korte, sterke armen en stevige benen kon je niet mooi noemen. Zeker, ze was een lieve, capabele vrouw; hartelijk en gul. Dat allemaal wel. Maar dat haar tante zo ijdel bleek te zijn, daar stond Sabiha echt van te kijken. Sabiha's moeder was helemaal niet zo. Tenminste, daar had Sabiha nooit iets van gemerkt. Haar moeder was in ieder geval niet bijzonder geïnteresseerd in haar eigen uiterlijk, zoveel was zeker. Ze was fijngevoelig, zorgzaam en uitgesproken trots op Hakim, haar man. Sabiha probeerde zich haar moeder voor te stellen met kort haar, maar het lukte niet. Houria was zo'n ander type dan haar moeder. Sabiha's moeder was wél mooi, zonder daar iets voor te doen, onder alle omstandigheden. Ook toen ze bedroefd en huilend afscheid had genomen van Sabiha, toen die met de bus vertrok vanaf de halte bij het postkantoor. Haar vader was duidelijk niet getrouwd met het evenbeeld van zijn zus. Sabiha vond het grappig om te zien dat Houria zich zo druk maakte om haar kapsel. 'Laat het toch een keer kort knippen,' zei ze. 'Als je het niet mooi vindt, kun je het altijd weer laten groeien.'

Houria streek over haar wrong. 'Denk je dat echt?' Diep vanbinnen wist ze dat nu een kort kapsel nemen een soort scheiding betekende van Dom. Wilde ze van hem scheiden? Was dat het? Nee. Maar ze wilde wel breken met hun verleden. Zo zat het. Hopen op een goede toekomst, dat moest toch kunnen? Nieuwe plannen maken. Dom was dood, dus ze had geen andere keus.

Alex Miller

Als zij niet in het verleden wilde blijven steken, was een breuk met hun gezamenlijke geschiedenis noodzakelijk. Die gedachten kwamen zomaar uit de lucht vallen en ze wist niet precies wat ze ervan moest vinden. Was het goed of fout van haar? Ze twijfelde. Maar haar hart ging er sneller van kloppen. Ze kon het niet helpen dat ze stiekem trots was op zichzelf. Want ze begreep wel dat er een zekere moed voor nodig was om zelfstandig stappen te zetten.

'Het groeit wel weer aan,' zei Sabiha luchtig en ze ging verder met bestek neerleggen op de rood-groengeblokte tafelkleden. 'Laat het toch afknippen als je dat wilt. Dat zou ik doen.'

'Echt waar?' Dit was niet het antwoord waar Houria op had gehoopt. Ze wilde haar nichtje graag enthousiast zien over haar plan. Bedrukt zei ze: 'Dom vond het juist mooi als het lang was.'

Sabiha stopte weer met tafeldekken en ze stonden elkaar ieder aan één kant van het eetzaaltje aan te kijken.

Bijna had Sabiha gezegd: Hoor eens, Dom is dood, oké? Dus doe met je haar waar jij zin in hebt. Wat maakt het uit? Maar ze glimlachte en zweeg. Ten slotte had zij Dom nooit gekend, en nu was er blijkbaar een probleem dat ze niet begreep. Mensen hadden soms vreemde gedachtekronkels. Maar ze was dol op haar tante en wilde niets zeggen wat haar zou kunnen kwetsen.

Houria trok haar schouders op. 'Ik weet gewoon niet wat ik moet doen!'

•

Op de allereerste avond, toen Sabiha net in Parijs was aangekomen, stonden ze samen in de achterkamer op de bovenverdieping. Houria had er een schattig logeerkamertje van gemaakt, speciaal voor haar. De kamer met het schuine dak zag er veilig, knus en huiselijk uit. Er stond een bed met een gebloemde sprei en daarnaast een stoel met een rechte leuning. Onder het laagste gedeelte van het dak had Houria een oude, zwarte koffer uit Doms zeemanstijd geschoven. Daar kon Sabiha haar kleren in opbergen. In het diepe raamkozijn stond een schaal met een of andere heerlijke potpourri te geuren, alsof de lucht in de kamer ingezegend werd.

Sabiha voelde zich meer dan welkom. Houria verontschuldigde zich omdat er nog geen spiegel hing.

'Ik zorg dat je een spiegel krijgt, liefje. Zodra ik maar even tijd heb.' Toen vroeg ze: 'Is er iets bijzonders wat je zou willen doen nu je in Parijs bent?'

Sabiha zei: 'Ik heb ervan gedroomd om de Eiffeltoren te beklimmen en dan over heel Parijs uit te kijken.'

Houria leunde naar voren en wees door het dakraampje boven het bed. 'Zie je dat rode licht? Heel ver weg, ten noorden van ons?' Sabiha boog zich ook voorover om beter in de verte te kunnen kijken en hun hoofden raakten elkaar. 'Dat is het licht op de top van de Eiffeltoren.' Daar stonden ze, tegen elkaar aangeleund, en keken door het kleine vensterglas naar de feeërieke gloed die boven de reusachtige stad hing.

Sabiha zei: 'Wat is dat prachtig.' En dat was het ook, want er is niets mooiers in de hele wereld dan het uitzicht over de daken van Parijs bij nacht.

'Weet je wat, we gaan samen,' zei Houria. 'Ik ben nog nooit op de Eiffeltoren geweest. Dom was niet zo'n man voor bezienswaardigheden.' Ze gaf Sabiha een zoen op haar wang, ging rechtop staan en vervolgde: 'Ik heb me bedacht wat de verkoop van het café betreft, en ik ga ook niet terug naar El Djem. Daar hoor ik niet meer thuis.' Ze keken elkaar aan. 'Ja, echt. Ik was in paniek toen ik die brief aan je vader schreef. Doms overlijden was een grote schok. Ik wist niet waar ik mee bezig was. Ik wist niet wat ik zei of dacht, of wat dan ook.' Ze pakte Sabiha's hand en trok haar mee de trap af en de keuken in, waar ze warme chocolademelk maakte voor hen allebei. 'Toen ik weer een beetje tot mezelf kwam en erover nadacht hoe dat zou zijn, als ik terug zou keren naar Tunesië, wist ik dat hier mijn ware thuis is. Ik wil in Parijs blijven tot mijn dood.'

'Dat moet je niet zeggen. Jij gaat nooit dood.'

Diep in haar hart was Sabiha opgetogen. Zij had voor zichzelf al meteen besloten dat ze niet terug naar huis zou gaan, tenzij ze absoluut gedwongen werd.

'Hier heb ik mijn herinneringen,' zei Houria. Ze overzag de keuken met de versleten potten en pannen, de aardewerken kannen, de stapels kommen en oude bruine *pichets* en wijnflessen. Alle werkgerei en persoonlijke spullen die zij en Dom in de loop der jaren hadden verzameld. 'Alles wat ik van Tunesië heb, zijn die paar uitgekauwde, armoedige jeugdherinneringen. Als ik nu terug zou gaan, zou ik daar als weduwe tussen de bejaarde vrouwen moeten zitten en luisteren naar hun geroddel over vroeger. Over een tijd die ik daar helemaal niet heb meegemaakt. Over mensen waar ik niets van af weet. Waar moet ik met ze over praten? In Tunesië zou ik eenzamer zijn dan ik hier ben. Het enige wat ik daar kan doen is afwachten tot ik doodga. Nou, daar ben ik nog niet klaar voor. Van geen kanten.'

Sabiha zei: 'Je bent nog best jong, tantetje.'

Houria sloeg haar armen om Sabiha heen en trok haar tegen zich aan. 'Wat ruik jij toch lekker. Ik wil je houden, hoor.'

•

Sabiha ging verder met tafeldekken.

'Dat haar van jou gaat er deze middag nog af,' zei ze resoluut. Trots keek ze het café rond. Ze genoot er altijd van om alle messen en vorken, waterkannen en glazen precies op hun plaats te zien voordat de mannen kwamen binnendruppelen voor hun middagmaal. Even stond ze haar werk te bewonderen en richtte toen haar blik weer op Houria.

'Ik ga wel met je mee naar de kapper. Dan hou ik je hand vast.'

De vrouwen lachten allebei.

Houria zei: 'Wat zou ik moeten beginnen zonder jou?'

*H*ouria had veel meer verstand van kruiden en specerijen dan Dom, waardoor ze als kokkin met kop en schouders boven hem uitstak. Dat had ze tot nu toe altijd voor zich gehouden. Jarenlang had ze haar licht onder de korenmaat gezet, want als vrouw moest je nu eenmaal bescheiden zijn. Maar nu onthulde ze haar geheime kennis. Ze bracht haar kookkunst in de praktijk, en binnen de kortste keren waren de Tunesische, mannelijke gastarbeiders in het district zonder uitzondering op de hoogte van Chez Dom. Met z'n allen kwamen ze naar het café voor hun middageten. Houria stond achter de pannen en Sabiha deed de bediening. Zo konden de mannen hun Tunesische dialect spreken en de pittige geuren uit de keuken waren voor hen de geuren van thuis. Een uur lang midden op hun werkdag leek het nagenoeg alsof ze thuis waren bij hun eigen vrouwen en dochters. Bij Chez Dom konden ze de slachthuislucht even vergeten. De jonge mannen glimlachten verlegen naar Sabiha en gedroegen zich heel hoffelijk tegenover haar. De oudere mannen volgden haar met hun ogen, dachten aan hun eigen dochters en werden getroffen door de rustige charme en vriendelijkheid van deze jonge vrouw uit hun thuisland.

Binnen een jaar na de dood van Dom Pakos bestond de klandizie van het eetcafé louter uit Noord-Afrikaanse immigranten. Een paar van hen waren er inmiddels ook in geslaagd hun eigen bedrijfje op te zetten. Chez Dom werd hun trefpunt. Sommigen van hen dronken wijn, maar een heleboel gasten deden dat niet. Voorheen sloegen veel van hun toenmalige klanten nog een paar glazen wijn achterover bij de warme lunch. Nu slonk de wijnvoorraad beduidend minder snel, dus al met al was het voor Houria een stuk goedkoper om het café te runnen. Bovendien breidde Houria de zaak uit. Ze was begonnen zoete pasteitjes te bakken die in rap tempo beroemd werden. Haar vriendin Sonja verkocht ze voor haar op de markt en Houria bakte ook op bestelling voor plaatselijke winkels en bedrijven. Als ze niet druk was met de lunch deed Houria inkopen om de voorraden op peil te houden of maakte ze pasteitjes. Het pasteigebak bleek een mooie, aanvullende winst op te leveren. Sabiha vond het een prettige afwisseling en was erop gespitst om de fijne kneepjes van de bladerdeegkunst van Houria te leren. De twee vrouwen lachten en zongen samen heel wat af onder hun werk in de keuken van Chez Dom.

'Ik ga jou alles leren,' had Houria gezegd. 'Een vrouw moet net zo gewiekst zijn in de kruidenkunst als in de kunst van de liefde. Want als ze die alle twee onder de knie heeft, dan raakt ze haar man nooit kwijt, ook als ze niet jong en mooi meer is. Dat kan ik je beloven!' Sabiha bloosde en Houria lachte en kuste haar. 'Op een dag komt er een man in je leven en weet je meteen dat hij de ware is. Zo gaat dat. Zo ging het met Dom en mij, en zo gaat het altijd bij echte liefde.'

Met haar elegant kortgeknipte kapsel zag Houria er zelfverzekerder uit dan ooit tevoren. Dat kwam ook door haar manier van
doen. Toen ze haar lange lokken eenmaal kwijt was, werd ze de
waardige *patronne* van het 'huis'. Ze was niet langer de treurende
weduwe van Dom Pakos die haar best deed om de zaak drijvende
te houden. Ze was nu eigen baas. Ze groeide in die positie, nam
als vanzelf de bijbehorende houding aan en ze wérd iemand. Een
sterke persoonlijkheid. Er kwam een onstuitbare wilskracht in
Houria boven, juist door het overlijden van haar man. Iets in
haar was bevrijd. Het duurde even voor ze dat aan zichzelf wilde
toegeven, maar het was echt zo. Na de dood van Dom werd ze
inventiever en ze bracht haar ideeën zonder aarzelen in de praktijk. En het werkte. Ze had succes. Deze ontwikkeling had ze absoluut niet verwacht en ze werd er helemaal warm van dat ze zo
goed op eigen benen kon staan.

Nu die zware koeienvlaai op haar hoofd tot het verleden be-
hoorde, was Houria's glimlach nog breder en grootmoediger. Ze
liep met dezelfde lichte tred die ze in andere vrouwen zo had benijd. Ze betrapte zich erop dat ze op sommige momenten geluk-
kiger was dan ooit tijdens het leven van haar geliefde Dom. Van
tijd tot tijd moest ze zich echt inprenten om de nagedachtenis
van haar man een waardige plaats te geven in haar dagelijks leven.
Dom verdiende het herdacht te worden, hij verdiende haar dankbaarheid. Tenslotte had hij wel degelijk iets nagelaten. Op het bescheiden fundament dat hij achterliet, konden zij en Sabiha verder bouwen en kon hun zaak gedijen. Het was anders. Het leven
zelf was anders zonder hem. Maar Dom was nog in de buurt;
vooral 's nachts voelde ze zijn aanwezigheid. Als zij hem nodig
had, dan zocht hij haar op. Ja, Dom had nog steeds een plaats in
haar leven. Maar heel geleidelijk werd zijn invloed ondergeschikt

aan haar eigen realiteit en ze sprak steeds minder over hem met Sabiha. En wat Doms graf betreft; dat bezocht ze nooit. Zo wilde ze zich haar man niet herinneren.

De arbeiders die nu in het café kwamen eten waren Tunesiërs die ooit, in een ver verleden, haar eigen volk waren geweest. Maar die mannen wisten niets over Dom, en zij wel. Ze sliep toch nog steeds in hetzelfde bed, 's nachts? Dat was de plaats waar ze nog altijd met hem praatte en vrijde, waar ze allebei van genoten. Ondertussen lag Sabiha te slapen in het achterkamertje en droomde haar eigen dromen. Door het kleine dakraam boven haar hoofd flonkerde het verre licht op de top van het gebouw achter het treinstation Montparnasse – dat overigens helemaal niets met de Eiffeltoren te maken had. En al die nachten was Houria nog steeds Doms droomprinses in de kunst van de liefde.

Ze waren gelukkig samen, die twee vrouwen. Zeker, er waren tijden dat Houria Dom miste met een plotselinge ijskoude vlaag van angst en een machteloos gevoel van verlies. Dan was het alsof hij haar toeriep vanuit de gapende leegte die hij had achtergelaten. Er waren ook momenten dat ze zich schuldig voelde over zijn dood, alsof ze hem kwijtgeraakt was door haar eigen nalatigheid. Maar over het algemeen had ze er vrede mee dat hij er niet meer was. Ze zou niet terugwillen naar de oude situatie, ook al zou ze daar de kans toe krijgen. Ze had nu een nieuw leven. Haar eigen leven, dat zich ontplooide. En ze had de mooie, bijzondere dochter van haar broer aan haar zijde.

'Jij bent de dochter die ik nooit heb gehad,' zei ze tegen Sabiha.

'Voel je je heel erg eenzaam, tantetje?' vroeg Sabiha. Ze zaten tegen elkaar aan genesteld op de kleine groene bank in het zitkamertje onder de trap, allebei moe van hun lange werkdag. De blauwe en gele vlammen van de gaskachel suisden genoeglijk.

'Ik heb jou toch,' zei Houria en ze zoende Sabiha op haar wang. 'Hoe kan ik dan eenzaam zijn?' Het gevoel van Sabiha's zachte wang tegen haar lippen deed haar goed. 'Jij zou beslist van Dom hebben gehouden, en hij van jou. Jij zou voor hem ook als een dochter zijn geweest.'

'Heb jij nooit een kind gewild?' vroeg Sabiha een beetje aarzelend. Ze was nieuwsgierig waarom Houria kinderloos was gebleven, want Sabiha was er innig van overtuigd dat zijzelf voorbestemd was om moeder te worden. En ze wist dat ze zich als vrouw nooit compleet zou voelen tot het moment dat ze haar eigen kind in haar armen hield. Zij droomde niet van een man, maar van een kind. Bij het geluk van Houria en Dom kon ze zich eigenlijk niet zoveel voorstellen. Niet zonder kind. Sabiha's geheime kind was haar grote troost. Het gaf haar warmte, en het was er echt, diep vanbinnen. Ongeduldig wachtte het kind af tot het geboren mocht worden. Dat wist ze zeker. Haar kindje was er al geweest toen zij nog maar een klein meisje was. Sabiha was één met het kind, dat mysterieuze, innerlijke kind van haar. Het was haar diepste geheim. Ze had er nooit met iemand over gesproken, zelfs niet met haar zus Zahira. Op een dag zou ze haar kindje bij zich dragen, en op die dag zou zij een vrouw worden.

'Nee lieverd,' zei Houria. 'Dom en ik hadden genoeg aan elkaar. We waren allebei zwervers op deze aardbol, tot de dag dat we elkaar ontmoetten. En vanaf dat moment waren wij thuis bij elkaar.' Ze streelde Sabiha's haren, terwijl in het steegje de hond van André naar een kat blafte en het vuur in de gaskachel siste en plofte. 'Maar jij zult vast en zeker kinderen krijgen,' zei Houria. 'En je zult gek op ze zijn. En zij op jou.' Sabiha vlijde zich dichter tegen Houria aan en sloot haar ogen. Ze hield van de geur van haar tante, van haar aanraking en haar moederlijke warmte. Ook al leek Houria's geur totaal niet op die van Sabiha's eigen, lieve moeder. Sabiha wilde geen huis vol kinderen, alleen dat ene kind. Háár kind. Daar bestond geen tweede van. Ze had geen idee hoe het kon, maar ze wist het gewoon.

Toen Sabiha vroeg waarom Houria al die jaren geleden met haar eigen moeder uit Tunesië naar Frankrijk was gekomen, antwoordde Houria: 'Je grootmoeder had medische hulp nodig. Die behandeling kon ze toen in Tunesië niet krijgen.' Ze was even stil. 'Tenminste, dat was haar officiële reden om weg te gaan. Mijn moeder had het altijd moeilijk. Ze leek in niets op je andere grootmoeder. Mijn moeder was een rusteloze vrouw. Ze was altijd op zoek naar iets, wat ze nooit kon vinden. Ze was nooit echt blij vanbinnen. Ze kon het geluk niet grijpen. Zo gaat dat bij sommige mensen. Dat valt verder niet uit te leggen, maar voor mij is het geen groot raadsel. Sommige mensen zijn tevreden met hun lot, en andere niet.'

Als kind had Sabiha een sterke band gehad met haar grootmoeder van moeders kant. Maar over de andere oma, van vaders kant, werd in de familie nooit gesproken. Dat was dus Houria's moeder geweest. Niemand had ooit met haar over 'je grootmoeder' gesproken en daarmee haar andere oma bedoeld. Ze had er graag meer over gehoord, maar ze kreeg de indruk dat Houria niet over haar jeugd in Parijs met haar ongelukkige moeder wilde praten. Ze zei tegen Houria: 'Denk je dat ik zo'n ontevreden iemand ben?'

Houria lachte. 'Jij? Nee, schat. Jij bent zo tevreden als een spinnend jong poesje. Jij houdt van het leven. Je lijkt op mij.'

Maar al was Sabiha nog zo op haar tante Houria gesteld, diep in haar hart wist ze dat zij tweeën niet op elkaar leken. Ze was bang dat zij wél ongelukkig zou worden. Hoe kon je je tegen dat soort gevoelens verzetten als ze in je opkwamen?

•

Sabiha sprak met geen woord over teruggaan naar El Djem. Iedere week stuurde ze haar moeder een brief. Ze beschreef haar moeder alle nieuwtjes van haar leven in Parijs in geuren en kleuren, en eindigde altijd met de verzekering dat ze gelukkig en gezond was. Dat ze binnenkort eens naar huis zou komen om vakantie te houden. Sabiha wist dat haar vader allang had begrepen dat zij nooit meer thuis zou komen wonen. Misschien ging ze er zelfs niet meer heen voor een vakantie. Waar moest ze de tijd vandaan halen? Haar leven ging verder zonder hen. Ze was nu iets langer dan een jaar in Parijs en in die tijd was ze al een volslagen ander persoon geworden dan toen ze nog thuis in El Djem woonde. Ze wist dat haar vader dat begreep. Die had geen geruststelling nodig en ze hoefde hem niets uit te leggen. Hij wist dat mensen weggaan en nooit meer terugkomen. Zo was het met zijn eigen moeder gegaan. En Sabiha verwijderde zich nu in zo'n snelle vaart van haar verleden, dat ze zich soms nauwelijks haar oude leven kon herinneren. Ze had geen tijd om eraan te denken. Ze ging tegenwoordig in haar eentje naar de markt om de kruiden en specerijen te kopen die Houria nodig had. Houria had haar ingewijd in het mysterie van het kruiden mengen en nog een heleboel andere dingen. Ze genoot van haar nieuwe leven met haar tante Houria in Parijs. Het was hier veel te opwindend om heimwee naar huis te hebben. Hier kon ze alleen op de metro stappen en zich als vrije, jonge vrouw door de straten van Parijs bewegen, tussen al die andere mensen. Houria vertrouwde haar volledig en zorgde daarbij dat Sabiha altijd geld op zak had. Dit was nu haar leven. Een echt leven. Niet het afwachtende bestaan dat ze thuis had geleid.

's Nachts lag ze in haar bed onder het schuine dak te kijken naar het verre, twinkelende licht aan de hemel. Dan herhaalde ze keer op keer dat ene, magische zinnetje in haar hoofd: ik ben een jonge vrouw en ik woon in Parijs, met mijn tante. Het was een feit. Een wonderbaarlijk feit. Er waren wel honderd, nee, wel duizend dingen die ze wilde doen, zodra ze even vrij had. Ze was vastbesloten om heel Parijs te leren kennen en niet een van al die prachtige bouwwerken, beelden, bruggen en pleinen te missen. Ze wilde alles zien.

Natuurlijk waren er ook momenten dat ze graag met haar vader onder de granaatappelboom zou zitten 's avonds, en hem alles vertellen wat ze al gezien had. En ook om bepaalde geheime angsten en twijfels die haar soms beslopen met hem te bespreken. Ze schreef hem nooit, maar stuurde hem en Zahira al haar nieuws via de wekelijkse brieven aan haar moeder. Ze voelde zich te dicht bij haar vader staan om hem rechtstreeks te schrijven. Hij schreef haar ook niet. Als zij elkaar iets zouden schrijven dan zou het over dingen gaan die niet toegankelijk waren voor haar moeder en haar zus. Sabiha en haar vader kenden elkaar door en door. Dat was op het moment voor hen allebei voldoende. Ze voelde dat eens de tijd zou komen dat zij tweeën een beroep op elkaar moesten doen. Dan zouden ze dat uitspreken, en geven wat er werd verlangd.

*H*et was een regenachtige zomermiddag, anderhalf jaar nadat Sabiha bij haar tante was komen wonen. Het was stil in het café en het eetzaaltje was leeg. De mannen die bij hen geluncht hadden, waren al een uur geleden teruggegaan naar hun werk. De deur naar de straat stond open. Een regenvlaag kleurde de vloerplanken donker en de deur kraakte en piepte in de wind. Houria en Sabiha stonden in de keuken pasteitjes te bakken en zongen mee met de muziek op de radio. Opeens hield het op met waaien en regende het pijpenstelen. De mensen op straat liepen nu ineengedoken en zo hard ze konden voorbij. Een jong stel rende lachend en met de armen om elkaar heen langs het raam.

Houria stopte met zingen en zei over haar schouder: 'Er is iemand binnengekomen.'

Sabiha tuurde door het kralengordijn het café in. Er zat een onbekende man aan de tafel bij het raam, rechts van de deur; de tafel waar zij en Houria vaak hun eigen lunch gebruikten. Het raam keek rechtstreeks uit op de Rue des Esclaves. De vreemdeling zat er op zijn gemak bij en was blijkbaar al een paar minuten in het café. Hij had een open boek voor zich op tafel liggen, hield zijn hand uitgespreid over de pagina's, maar hij las niet. Hij zat naar buiten te kijken naar de plensbui en de voorbijgangers die in looppas een goed heenkomen zochten, sommige met haastig opgestoken paraplu's, andere met hun jas over het hoofd getrokken. Hijzelf had zijn natte jas uitgetrokken en over de stoelleuning tegenover hem gehangen. De jas was van donkerbruine wol, met lichtbruine leren stukken op de ellebogen. Sabiha zag dat het stiksel van het rechter elleboogstuk een beetje los zat. Dat was het eerste wat haar echt aan hem opviel, en ze zou het altijd onthouden. Hij zag eruit alsof hij op iemand wachtte. Hij had blond haar, geen snor, en hij droeg een spijkerbroek en een wit overhemd dat bij de hals openstond. Bruine laarzen met elastische zijkanten. Onder de tafel had hij de ene laars over de andere geslagen. De twee vrouwen sloegen de onbekende gade. Zijn natte haar hing in slierten over de kraag van zijn overhemd. Hij was lang. Achter in de twintig. Met voorovergebogen schouders leunde hij op tafel. Toen keek hij weg van de straat, ging achteroverzitten en ontspande zijn schouders terwijl hij onderzoekend het eetcafé opnam. Zijn blik gleed langs het kralengordijn. Zijn uitdrukking was serieus en gereserveerd, maar ook zelfverzekerd. Kennelijk voelde hij zich niet ongemakkelijk, hoewel hij zich op onbekend terrein bevond. Hij strekte zijn arm over de tafel uit naar zijn jas, haalde een bril uit zijn binnenzak, zette hem op en begon zijn boek te lezen.

Houria en Sabiha keken elkaar aan.

Houria zei: 'Ga maar eens informeren wat hij wil.'

Sabiha duwde een bakblik met pasteitjes opzij. Het blik was

gloeiend heet en ze trok snel haar hand terug en zoog op haar vinger. Opeens voelde ze zich met stomheid geslagen.

'Toe dan!' drong Houria vriendelijk grinnikend aan.

Sabiha keek opnieuw door het kralengordijn. 'We zijn gesloten,' zei ze. 'Hij zal straks vanzelf wel weggaan.'

'Bij Chez Dom sturen we nooit een hongerige reiziger weg,' zei Houria, alsof dat een welbekend principe betrof, verankerd in de tradities van het café sinds de oprichting door haar geliefde Dom Pakos. 'Vooruit jij!' Ze gaf Sabiha een goedaardig duwtje met haar elleboog. 'Hij zal je niet bijten.'

Sabiha keek haar tante even aan, duwde met een zucht het kralengordijn opzij en stapte het eetcafé binnen. Aarzelend ging ze naar de man toe. Ze liep op sandalen en hij hoorde haar niet aankomen over de houten planken. Ze bleef achter zijn rechterschouder staan en wachtte tot hij zou opkijken uit zijn boek. Buiten hoosde het nog steeds van de regen en de straat was nu verlaten. Ze zou de voordeur moeten sluiten. Ze hief een hand op en duwde een losse haarlok naar achteren.

Bij die beweging draaide de man zich om en keek naar haar op. 'Sorry,' zei hij. 'Ik had je niet gezien.' Zijn Frans was correct, maar hij sprak het uit alsof ieder woord apart een struikelblok was dat hij over zijn onwillige tong moest duwen. Even dacht ze dat hij een vreemde taal had gesproken, geen Frans.

Zijn ogen waren grijs en deden haar denken aan Tolstoj, de wolfshond van André. Deze man heeft ver gereisd en veel gezien, dacht ze. 'We zijn gesloten,' zei ze. 'We gaan om twee uur dicht.' Ze sprak langzaam, zodat hij haar zou kunnen verstaan. Ze stelde zich voor dat hij was teruggekeerd van een jarenlange reis. Zo lang dat hij haar en het café niet meer herkende, behalve als een verre echo in zijn herinnering. Ze glimlachte om die korte, goedaardige fantasie.

'De deur stond open,' zei hij.

'Ik laat de deur openstaan voor de frisse lucht, wanneer de gasten vertrokken zijn.'

'Mag ik hier blijven schuilen tot het minder hard regent?' Zijn ogen hielden haar blik vast.

'Wil je ondertussen misschien iets eten?'

'Heel graag,' zei hij. 'Ik was op weg naar Chartres, maar ik bleek in de verkeerde trein te zitten. Ik ben bij de slachthuizen uitgestapt en hierheen gelopen.' Hij lachte naar haar en wees op zijn boek. 'Ik zat te lezen.'

Ze vroeg: 'Ging je naar Chartres voor de kathedraal, of woon je daar?'

Als antwoord hield hij het boek voor haar op zodat ze het omslag kon zien. 'Henry Adams,' zei hij. 'Mij is verteld dat ik dit móést lezen voor ik Chartres ging bekijken.'

Ze zei: 'Ik ga even uitzoeken wat we je kunnen aanbieden.'

'Dank je wel.'

Ze draaide zich om, ging eerst naar de voordeur en deed hem dicht. Terwijl ze terugliep door het café en de keuken in ging, voelde ze dat de ogen van de onbekende man haar volgden. Alsof hij dezelfde fantasie had als zij, en zich probeerde te herinneren waar ze elkaar ontmoet hadden al die jaren geleden, voordat hij op reis ging.

Houria lachte haar toe en schepte een kom vol met overgebleven *harira*. Ze zette de kom en twee versgebakken in honing gedoopte *briouats* op een blad. De gevulde bladerdeegpakketjes geurden zoet en verleidelijk. 'Alsjeblieft. Breng dit maar naar je vriend.'

Sabiha zei: 'Doe niet zo gek! Hij is mijn vriend niet.'

•

De volgende dag kwam de vreemdeling het café in lopen terwijl de lunch in volle gang was. Sabiha had het druk met bedienen en zag hem niet, tot ze aankwam bij de tafel voor het raam.

Hij keek naar haar op en glimlachte. 'Hoi. Daar ben ik weer.'

Ze voelde het bloed naar haar wangen kruipen. Ze zei: 'Ben je alweer op de verkeerde trein gestapt?'

'Nee, vandaag heb ik expres deze trein genomen,' zei hij. 'Wat denk je? Was dat een goed idee?'

'Ik begrijp niet wat je bedoelt.' Maar ze begreep hem best en ze was blij met zijn komst. 'Ga je nog wel naar Chartres?'

Ze keken elkaar aan. Ze wist niet wat ze moest zeggen. Ze strekte haar hand uit en streek het tafelkleed glad. 'We hebben hetzelfde gerecht als gisteren,' zei ze. 'Of anders visballetjes.' Ze durfde hem niet meer aan te kijken. Ze wachtte tot hij zijn bestelling opgaf en staarde over zijn hoofd heen uit het raam. Aan de overkant van de straat stond Arnoul Fort in de deuropening van zijn stoffenwinkel een sigaret te roken. Hij keek in haar richting. Hun ogen ontmoetten elkaar en hij zwaaide. Ze stak een hand naar hem op.

'Doe mij de visballetjes maar, alsjeblieft,' zei de man.

Ze draaide zich om richting keuken en liep weg om zijn bestelling te halen.

Hij riep haar achterna: 'Mag ik er een glas wijn bij?'

Ze wendde zich weer naar hem toe.

'Als dat mogelijk is,' zei hij.

'Rode of witte? We serveren een halve liter of een liter.' Ze wees naar de bruine aardewerken kan op de tafel ernaast. De twee arbeiders aan het dichtstbijzijnde tafeltje luisterden mee. Ze keken allebei naar de kan op hun eigen tafel.

'Een halve liter, graag. Rood.'

Ze realiseerde zich dat alle ogen in het eetzaaltje waren gericht op haar en de vreemdeling.

•

Ze zaten in hun zitkamertje onder de trap. Houria was blouses, schorten en tafelkleden aan het strijken. Sabiha keek televisie. Het was een week nadat ze de onbekende man had ontmoet. Ze hadden het niet meer over hem gehad tot Sabiha opeens zei: 'Zou hij ooit nog terugkomen?'

Houria zei: 'Ja, dat vraag ik me ook af.'

De zangeres op televisie zong met gesloten ogen, haar mond dicht bij de microfoon. Sabiha keek naar haar. Ze konden er maar beter meteen weer over ophouden. Ze hoefde de onbekende man echt niet per se terug te zien, verzekerde ze zichzelf. Het vervelende was alleen dat ze hem niet uit haar hoofd kon zetten. Als ze 's ochtends wakker werd, lag ze in bed aan hem te denken. Geen romantische fantasieën, nee, ze dácht domweg aan hem. Heel irritant. Dan zag ze hem voor zich zitten aan de tafel bij het raam, lezend in zijn boek. Waarom kon ze hem niet vergeten? Ze zei: 'De eerste keer kwam hij alleen maar binnen om te schuilen voor de regen.'

Houria draaide het schort op de strijktafel om en ging met het strijkijzer over de zoom. 'En toen kwam hij terug voor jóú.'

Sabiha snoof spottend en ging verzitten op de bank. Ze keek op naar haar tante. 'Wij kunnen maar beter met z'n tweetjes blijven, toch? We hebben het prima samen.'

Houria zei: 'Alleen wij tweetjes, ja...' Ze ging verder met strijken. 'Ja liefje, wij hebben het echt heel gezellig.'

Sabiha staarde naar het televisiescherm. Had ze dat nou maar niet gezegd. Maar ze waren toch met z'n tweeën, en ze hadden het toch leuk? Ze wilde er het zwijgen toe doen, maar uiteindelijk kon ze haar mond niet houden. 'En als hij speciaal voor mij terugkwam, waarom komt hij dan nu niet meer?' Het was niet echt een vraag. Eerder een poging om een punt te zetten achter haar zinloze getob over die man.

Houria vouwde het schort op, legde het op de stapel strijkgoed en keek haar nichtje aan.

Sabiha zwaaide haar voeten van de bank en stond op. Ze liep naar de keuken en zette een ketel water op het gas. Ze deed muntblaadjes en klontjes bruine suiker in twee theeglazen en wachtte tot het water kookte. Tolstoj stond in de deuropening naar haar te kijken. Een donkergrijze schaduw in het schemerlicht van het steegje. Ze liep naar hem toe, streelde hem over zijn kop en zei hem welterusten. Toen deed ze de deur dicht. Ze was boos. Het was zo dom. Waarom kon ze niet meer gelukkig en tevreden zijn, net als voordat de onbekende man een week geleden binnenstapte? Ontzettend dom, die hele toestand. Het was tenslotte maar gewoon een man. Het wemelde elke dag van de mannen op straat. Wat was er zo speciaal aan hem? Ze keek toe hoe de stoom uit de tuit van de ketel kwam in dunne, pruilerige sliertjes. Het was een oude ketel. Zo gehavend en vertrouwd als de ketel van haar eigen moeder. Die man was een buitenlander en ze kende hem helemaal niet. Hij kon nauwelijks Frans spreken. Hij was hier alleen maar op doorreis geweest. Eigenlijk was ze boos op hem, omdat hij haar van de wijs had gebracht. De houten greep aan het hengsel van de ketel was gebarsten en de twee helften waren jaren geleden keurig tegen elkaar gebonden met ijzerdraad. Dom Pakos was handig geweest in die dingen. Het ijzerdraad was intussen afgesleten en glad door het vele gebruik. Ze streek er licht met haar vingers overheen en voelde de gebogen lijntjes van het metaal. Was de onbekende man die tweede keer echt alleen maar teruggekomen voor haar? Langzaam goot ze het water in de glazen en snoof het aroma op van de verse munt.

Sabiha wilde de vreemde man dolgraag vergeten én ze wilde hem dolgraag terugzien. Volkomen tegenstrijdig. Opeens voelden haar dagen in het café leeg aan, omdat hij wegbleef. Alsof er een gat was gevallen terwijl alles van tevoren perfect in elkaar paste. Iedere keer wanneer ze de lunch serveerde, betrapte ze zichzelf erop dat ze naar hem uitkeek. Dan hoopte ze dat ze hem door de straat zou zien aankomen, uit de richting van het station. De tijd sukkelde traag en eentonig voort zonder de beroering die zijn bezoekjes teweeg hadden gebracht. Zij en Houria lunchten iedere dag rond twee uur 's middag. Vroeger was dat altijd gezellig, maar nu voelde Sabiha zich keer op keer knorrig en ontevreden. Het was niet eerlijk. Het had ook geen zin om er met haar tante over te praten. Houria en Dom hadden meteen besloten om de rest van hun leven samen door te brengen, op de allereerste dag dat ze elkaar ontmoetten. En trouwens, dat was het punt niet. Ze wist niet precies wat het punt was. Dat wilde ze ook helemaal niet weten. Het zou gewoon fijn zijn om hem het café binnen te zien komen. Om hem naar haar te zien glimlachen met zijn mooie, rustige grijze ogen, zodat ze zou weten dat het goed zat tussen hen.

Ze zette de glazen met thee op schoteltjes, legde er een sesambroodje bij en liep ermee naar de zitkamer. In het kamertje hing de geur van Houria's strijkgoed en de warmte van de gaskachel. De televisie stond nog aan. Het was heerlijk om samen met haar tante in dit huisje te wonen. Ze was er zo blij mee dat ze tranen in haar ogen kreeg. Er mocht niets veranderen! Of was zij soms

net als de moeder van Houria, haar ándere oma? Die ongelukkige, rusteloze vrouw... was zij degene op wie ze leek? Dat idee
beangstigde haar danig. Kon ze eigenlijk wel kiezen wie ze wilde
zijn, of was het al voorbestemd wat voor soort vrouw zij zou
worden?

Houria draaide zich om van de strijktafel, en glimlachte toen
ze de tranen in de ogen van haar nichtje zag. 'Maak je maar niet
ongerust. Hij komt heus wel terug.'

Sabiha zette de glazen neer op het tafeltje voor de bank. 'Kan
me niet schelen. Ik hoop dat hij nooit meer terugkomt.' Ze ging
naar Houria toe, sloeg haar armen om haar tante heen en barstte
in tranen uit. 'Wat mankeert me toch!'

Houria drukte haar stevig tegen zich aan, streelde haar haren
en zei: 'Huil maar eens flink uit, lieverd. Daar knap je van op.'

*H*et was zaterdagochtend. Houria en Sabiha stonden aan het werkblad in de keuken een avondmaaltijd te bereiden. Dat was één van Houria's nieuwste ideeën om de zaak uit te breiden: een zaterdagavonddiner voor de mannen. Een avond van rust en ontspanning, heel anders dan de snelle, warme lunchhap op werkdagen. De lamsbout lag al sinds het krieken van de dag in de oven en in de keuken hing een heerlijke braadlucht. Houria maakte de kip klaar en Sabiha hakte wortels in kleine stukjes, terwijl de bouillon in de grote soeppan naast haar op het fornuis stond te sudderen. Het smalle keukenraam dat uitkeek op het steegje, was helemaal beslagen door de stoom en de oude Tolstoj stak zijn neus in de lucht en jankte. Misschien vanwege een oerherinnering in zijn wolfshondenbrein aan de Russische steppen, of misschien was het een signaal naar een loopse teef die verderop op straat liep.

Houria pauzeerde even en keek toe hoe haar nichtje de wortels fijnhakte. Voor de zoveelste keer ging het door haar heen hoe mooi Sabiha was en hoe warm en hecht de vriendschap die tussen hen was gegroeid. Wat was haar leven enorm verrijkt door het grootmoedige gebaar van haar broer om zijn favoriete dochter naar haar toe te sturen. Ze ging weer verder met de warme, pittige vulling in de uitgeholde kip te stoppen.

De verandering was het ongecompliceerde geluk van hun levens binnengeslopen als een seizoenswisseling. Dat ene moment waarop je je omdraait, een deur dichtduwt en jezelf een beetje terugtrekt. Ze had Sabiha verliefd zien worden zonder dat zij dat zelf in de gaten had. Nu was ze er getuige van hoe Sabiha het te kwaad had met de afwezigheid van de onbekende man. Ze zag haar worsteling om hem te vergeten en weer gelukkig te zijn. Houria wist hoe complex het was. Sabiha vocht in stilte om zichzelf ervan te overtuigen dat deze man haar niet willens en wetens had teleurgesteld. Dat hij haar niet op de een of andere duistere, onverklaarbare manier en zonder dat zelf te weten, in de steek gelaten had. Sabiha vond die gevoelens volkomen irrationeel, en bestreed ze uit alle macht. Het wierp een schaduw over haar leven. Het kwelde haar dat ze met haar hoofd wist dat er geen boos opzet in het spel was – terwijl het diep vanbinnen zo anders voelde.

Het voelde als verraad, dat wist Houria. Zij had diezelfde lege vijandigheid gevoeld voordat ze Dom ontmoette. De tijd die maar niet voorbij wilde gaan, de hoop die iedere dag weer opvlamde en uitdoofde, en het onvermogen om het allemaal weg te redeneren. Een levensgroot innerlijk conflict. Geen wonder, dacht Houria. Je partner vinden, dat is de meest sublieme, spannendste zoektocht in het leven. Ze stampte de vulling in het koude, uitgeholde kippenlijf. Ze wist zeker dat Dom haar vanuit het hiernamaals instemmend toeknikte.

Kritisch inspecteerde ze de zes gevulde kippen die op een rij op het werkblad lagen. Ze hoopte maar dat ze er niet onnodig veel werk van had gemaakt. Stel dat geen van de mannen vanavond op kwam dagen? Sommige van de vaste lunchgasten zouden zich zo'n uitgebreid diner buiten de deur niet kunnen veroorloven, en andere hadden misschien helemaal geen zin om te komen. De zaterdagavond was een risico. Maar het leven zat nu eenmaal vol risico's, garanties waren er niet. Ze pakte de eerste kip op en ramde het stalen spit erdoorheen. Ze voelde met Sabiha mee en wenste vurig dat de vreemdeling terug zou komen, maar tegelijkertijd vreesde ze dat ze hem misschien nooit meer zouden zien. Hij was een man die je kon vertrouwen, dat was haar indruk geweest. Een rustige man. Een man zonder overdreven grote ambities, die roet in het eten konden gooien. Een potentiële echtgenoot en vader waar je op kon rekenen. Om kort te gaan: een man die erop wachtte dat zijn leven compleet werd gemaakt door een geschikte vrouw, en kinderen. Bovendien kwam hij sterk en gezond over. Hij zag er goed uit maar was niet opvallend knap. Zo'n man, die een dergelijke robuuste eenvoud uitstraalde, zou ook trouw zijn. Dom was ook trouw geweest. Houria koesterde de herinnering aan zijn trouw. Dat zou ze blijven doen tot de dag van haar dood. Het was zijn grote geschenk, zijn mannelijk eerbetoon aan haar. Ze zuchtte en veegde haar ogen af. Ze greep de volgende kip, doorboorde hem met de grote stalen pen en kermde zacht: 'Ai-ai-ai-ai!'

Geschrokken keek Sabiha opzij. 'Wat is er aan de hand, tantetje?

Houria zei: 'Ik had zo-even een onderonsje met mijn lieve Dom.'

Een uur later keek ze op van haar pasteideeg en zag de vreemdeling het lege eetcafé binnenwandelen. Toen hij de voordeur opende, scheen het zonlicht op de vloerplanken; dat had haar aandacht getrokken. Ze keek het eetzaaltje in en zag zijn lange schaduw voor hem uit vallen. Ze voelde geen verrassing. *Daar is hij dan!* Zulke dingen staan in de sterren geschreven. Ze keek toe hoe hij zich omdraaide en de deur zorgvuldig sloot, alsof hij bang was dat hij het huis wakker zou maken. Over zijn schouder hing een kaki rugzakje. Het leren elleboogstuk op de mouw van zijn jas was niet gerepareerd. Er was dus geen vrouw in het spel die voor hem zorgde.

Ze draaide zich half om naar Sabiha en raakte haar arm aan.

Sabiha keek op, met het grote groentemes in haar hand.

Houria gebaarde met haar kin: 'Kijk eens wie we daar hebben.'

Hij stond bij de bar en keek niet op of om. Hij wachtte, alsof hij wist dat hij bekeken werd.

Sabiha staarde naar hem zonder één woord te zeggen. Houria zei zachtjes: 'Je zou naar hem toe kunnen gaan en zeggen dat we gesloten zijn, lieverd.'

Sabiha keek naar hem door het kralengordijn. Ze wist zeker dat hij zou weggaan en nooit meer terug zou komen als zij nu niet direct naar hem toeging.

'Zal ik mijn schort afdoen?'

'Ga maar een praatje met hem maken. Gewoon zoals je bent.'

Sabiha liep tussen de ritselende kralen door en stapte op de man af. Hij draaide zich om en zag haar aankomen. 'Goedemorgen,' zei hij.

'Goedemorgen.' Ze bleef voor hem staan.

'Ik moest terug naar Londen om mijn spullen op te halen,' zei hij.

Door zijn onhandige, maar serieuze manier van doen leek hij eerder een puber dan een volwassen man. Ze schoot bijna in de lach. En opeens was hij het, en niet zij, die kwetsbaar was en slecht op zijn gemak.

'Ik wilde echt direct terugkomen, maar er gebeurde van alles en ik werd opgehouden. Ik had je moeten zeggen dat ik even weg zou zijn.'

Ze haalde haar schouders op. 'Het gaat mij niet aan wat jij doet.'

Hij keek even neer op zijn laarzen en richtte zijn blik vervolgens weer op haar gezicht. 'Ik vroeg me af... heb je zin om met mij een dagje naar Chartres te gaan? Ik ben er nog steeds niet geweest. We kunnen vandaag gaan, dan zijn we vanavond weer hier terug. Gewoon een uitje. Niets bijzonders.' Met gefronst voorhoofd stond hij voor haar. 'Als je geen zin hebt, is het ook best. Maar ik dacht, ik wip even langs en vraag het je. Voor het geval dat je zin had om mee te gaan. Dat is alles.'

'We hebben het druk vandaag,' zei ze. Ze was in de wolken toen ze zag hoe zenuwachtig hij was.

'O. Nou, oké dan. Ook goed. Sorry hoor. Misschien een andere keer. Ik had het niet moeten vragen.'

Ze wist dat hij op het punt stond te vertrekken, maar hoe moest ze hem tegenhouden? Waarom lukte het nou niet om aardig te zijn en te zeggen: 'Ik ben blij dat je weer terug bent.' Hij zou beslist geen tweede keer terugkomen. Hij was waarschijnlijk wel tien jaar ouder dan zij. Als hij Tunesiër was, zou hij nu getrouwd zijn. Waarom was hij eigenlijk nog niet getrouwd?

Hij keek haar hulpeloos aan. 'Toen ik hier voor het eerst kwam, zou ik maar één nacht in Parijs blijven. Ik wilde naar Chartres en dan de volgende ochtend terug naar Londen.'

'Maar je had de verkeerde trein genomen. Ik weet het. Dat heb je me verteld.'

'Ja. De verkeerde trein.' Hij bleef haar aankijken. 'Maar daar was ik heel blij om.' Ze zag nu een uitdagend vonkje in zijn grijze ogen verschijnen, alsof hij zijn nederlaag niet zomaar zou accepteren.

'Ben je van plan om deze keer langer te blijven?' vroeg ze.

'Dat hangt ervan af.' Hij gebaarde naar de deur. 'Ik heb twee overnachtingen geboekt in een pension, hier aan de overkant van het plein. Bij Madame du Bartas.' Hij lachte. 'Ze zegt dat ze jou en je tante wel kent.'

'Heb je haar naar ons gevraagd?'

'Sorry. Had ik dat niet mogen doen? Ze vroeg me wat me hierheen had gebracht en ze lijkt me heel aardig. Haar pension is schoon, en niet duur.'

'Niets is duur in Vaugirard,' zei ze. Het was dus waar. Hij was teruggekomen voor haar. 'Wat heeft Madame du Bartas je over ons verteld?'

Het kralengordijn ritselde en ze draaiden zich allebei om. Houria kwam het eetcafé in, terwijl ze haar handen afveegde aan haar schort. 'Goedemorgen, Monsieur,' zei ze. 'Wat leuk om u weer in Chez Dom te zien. We serveren geen lunch op zaterdag, maar we kunnen u koffie aanbieden, en een zoet pasteitje.' Ze liep met uitgestoken hand op hem af. 'Ik ben Houria Pakos.' Ze draaide zich om naar Sabiha. 'En dit is mijn nichtje, Sabiha.'

De vreemdeling begroette Houria beleefd en schudde haar hand. Sabiha stak haar hand niet uit. 'Ik ben John Patterner,' zei hij.

'Bent u hier op vakantie, Monsieur Patterner? Doorgaans laten zich hier weinig toeristen zien. De abattoirs schrikken hen af.' Ze lachte. 'In ons kleine uithoekje van Parijs valt voor bezoekers niet veel te beleven. Dit is niet het Parijs waar ze voor komen.' Houria bekeek hem van top tot teen. 'Waar komt u vandaan, Monsieur?'

'Australië,' zei hij. 'Ik kom uit Australië.'

'Waar in Australië? Mijn echtgenoot is daar heel wat keren geweest toen hij nog op de grote vaart zat.'

'Oorspronkelijk uit New South Wales, maar tegenwoordig woon ik in Melbourne,' antwoordde John Patterner.

'Dom is in het Dandenong-gebergte geweest. Kent u die omgeving?'

John Patterner lachte. 'Maar natuurlijk! De Dandenongs, jazeker. Eigenlijk zijn het heuvels. Geen bergen.'

'Dus u kent het daar?'

'O, ja. Iedereen in Melbourne kent de Dandenongs.' Hij bleef steels naar Sabiha kijken.

Houria keek hem tevreden aan, met glimmende ogen. 'Wat is de wereld toch klein,' zei ze verheugd, terwijl ze haar handen op haar brede heupen zette en een stap achteruit deed om John Patterner nog beter op te nemen. 'Dus u kent de Dandenongs en mijn Dom kende de Dandenongs.' Ze glimlachte en herhaalde: 'De Dandenongs,' alsof het een code was waar een diepere betekenis achter schuilging. Iets waardoor direct een onderling begrip tot stand was gekomen tussen haar en deze vreemdeling van de andere kant van de wereld. Een overeenkomst tussen volwassenen. 'En wat bent u van beroep, Monsieur Patterner?'

'Ik ben leraar op een middelbare school. Maar ik ben opgegroeid op een boerderij.' Hij keek snel weer naar Sabiha. 'Ik kan eigenlijk heel veel. Timmeren bijvoorbeeld, daar ben ik behoorlijk goed in. Ik heb van alles gedaan. Van alles. Je kunt het zo gek niet bedenken of ik heb het gedaan.'

'O ja, dat had mijn Dom ook. Hij kon een heleboel verschillende dingen. Dus u hebt vrijaf gekregen van de school waar u lesgeeft?'

'Ik ben een tijdje met onbetaald verlof. Ik wilde naar Schotland. Maar ik ben een paar maanden in Londen blijven hangen.

Ik was van plan om de oversteek te maken en Chartres te bekijken voor ik verder naar het noorden zou trekken.'

'En als uw verlof erop zit, gaat u dan weer terug naar Melbourne om les te geven?'

Hij keek naar Sabiha. 'Dat was min of meer het plan, Madame Pakos.' Hij wendde zich weer naar Houria. 'Ik vroeg uw nicht zojuist of ze het leuk vond om met mij een dagje naar Chartres te gaan. Maar ik hoorde dat jullie het druk hebben, dus komt een andere dag misschien beter uit.'

Houria zei: 'Ik vraag Adrienne, de dochter van onze huisbaas, wel om een handje te helpen. Ze doet normaal gesproken niets anders dan de hele dag televisiekijken. André zal blij zijn als hij haar een paar uur kwijt is.' Ze keek Sabiha aan. 'Als jij nu eens even koffiezet?' Ze glimlachte naar John Patterner en streelde Sabiha's arm. 'Zorgt u vandaag goed voor mijn nichtje, Monsieur Patterner. Zij is alles wat ik op deze wereld heb. Ik verwacht haar vanavond voor het donker terug.'

*H*et zomergras voelde koel aan Sabiha's blote voeten. Ze zat in de schaduwvlekken van een oude treurwilg. De reusachtige boom stond gebogen over de rivier. Zijn wuivende bladerdak wierp grote, bewegende schaduwen op het water, dat glinsterde en traag tegen de oever klotste. De eenden zwommen snaterend stroomopwaarts en draaiden hun kopjes naar links en naar rechts. John Patterner lag op zijn rug achter haar, zijn grote handen gevouwen onder zijn hoofd. Hij sloeg haar aandachtig gade door de kiertjes van zijn halfgesloten oogleden. Zij keek naar het levendige, groene wier dat in slierten in het water dreef en fantaseerde dat het de lange staarten waren van exotische vissen. Ze brak een stuk van de half opgegeten baguette af en verkruimelde het zachte brood tussen haar handpalmen. Ze gooide de kruimels in het glinsterende water. De twee volwassen eenden met hun vijf kleintjes kwamen er meteen op af. Sabiha sloeg haar armen om haar knieën en keek toe hoe de eenden zich te goed deden aan haar gulle gift. De lucht die van de rivier opsteeg was koud en de golfjes glansden metaalachtig in de schaduw van de boom, alsof het water de naderende avond naar hen toe bracht. Ze drukte haar knieën strakker tegen haar borst.

Johns stem klonk zacht achter haar: 'Ik hou van je.'

Ze draaide zich om en keek hem aan. 'Zeg dat toch niet de hele tijd. Je kunt niet van iemand houden die je nog geen dag kent.'

'Ik ken jou al een eeuwigheid.'

Ze glimlachte, want er zat een geheimzinnige kern van waarheid in wat hij zei. Het was inderdaad een eeuwigheid. Deze ochtend, toen ze samen in de trein zaten, leek heel lang geleden. De twee mensen die verlegen en als vreemden naast elkaar hadden gezeten in de coupé, waren niet dezelfde als de twee die hier samen onder de wilgen bij de rivier lagen. Bij de ingang van de kathedraal had hij haar even staande gehouden voor ze naar binnen stapten. Op ernstige toon zei hij: 'Dit is de poort naar het eeuwige leven.' Ze had niet precies begrepen wat hij bedoelde en vroeg: 'Ben je religieus?' Waarop hij antwoordde dat zijn moeder katholiek was opgevoed, maar dat ze zich niet meer met het geloof bezighield sinds ze zijn vader had leren kennen. 'En jij?' vroeg hij haar. Vol trots vertelde ze hem over haar vaders idealen, over gelijke rechten voor iedereen. 'En hij is een overtuigd atheïst. Ik heb nog nooit een moskee vanbinnen gezien.'

'Je ziet er zo stralend uit in dit licht,' zei hij.

Ze hief haar hoofd op en streek haar haren met beide handen naar achteren. Ze deed haar ogen dicht en declameerde in haar moedertaal: 'Ik ben de kleur van het woestijnzand in de avond.'

John was onder de indruk. Hij vond de mysterieuze klanken van haar taal betoverend. 'Wat mooi,' zei hij. 'Wat betekent het?'

Ze vertaalde de woorden voor hem in het Frans. 'Dat is wat ze

betekenen, en wat ze níét betekenen,' zei ze. 'De betekenis is eigenlijk alleen in het Arabisch te bevatten. Je kunt niet precies hetzelfde zeggen in het Frans. Hier hebben dezelfde woorden een
andere waarde. Ze betekenen minder.' Sabiha's grootmoeder van
moeders kant had haar deze Arabische tekst talloze malen voor-
gezongen. Het was de aanhef van een oeroud lied. Sabiha voelde
Johns bewondering als warme zonnestralen op haar lichaam en
ze zou het lied wel voor hem willen zingen, maar ze durfde niet.

'Ik zal altijd alleen van jou houden,' zei hij, volkomen oprecht.

Daar moest ze om lachen. 'Hoe kun je dat nou weten? Misschien kom je nog eens een heel mooie vrouw tegen, die jou
verleidt.'

'Daar mag je geen grapjes over maken,' zei hij. Hij strekte zijn
hand uit en trok haar zachtjes naast zich op het gras.

Ze liet hem begaan en bleef op haar rug naast hem in het gras
liggen. 'Ooit ga ik al mijn Arabische liedjes voor jou zingen.'

Hij nam haar in zijn armen. 'En ik ga jouw taal leren,' zei hij,
'dan kan ik ze begrijpen.'

Ze vond het heerlijk om zijn sterke lichaam tegen zich aan te
voelen. 'Mijn taal is te moeilijk voor jou. Dat lukt je nooit,' zei
ze. 'Begin er maar niet aan.'

Stil lagen ze in elkaars armen, terwijl de wilgentakken boven
hen fluisterden in de zachte bries.

'Er zal nooit een ander voor mij zijn dan jij, Sabiha,' zei hij.
'Dat beloof ik je.'

Ze zweeg. Ze begreep dat hij het meende en dat hij niets liever
wilde dan indruk op haar maken. Ze voelde zijn dringende behoefte om nu meteen een blijvende band tussen hen te smeden.
Ze vond het geweldig om die woorden over zijn lippen te horen
komen. Maar het was zoveel ineens. Zo serieus. Het ging te snel.

Ze wilde het horen en ze wilde het niet horen. Wat was er mis mee om eerst samen grappen te maken, te lachen, over het gras te rennen en verstoppertje te spelen, zoals kinderen dat doen? Om elkaar een beetje te plagen? 'Jouw ogen hebben precies dezelfde kleur als die van Tolstoj,' zei ze.

Hij schoot in de lach, nam haar hand in de zijne en kuste haar vingertoppen. 'Hoe weet jij wat voor kleur ogen Tolstoj had?'

'Kijk zelf maar straks,' zei ze. 'Het is de wolfshond van onze huisbaas. Zijn ogen zijn erop gemaakt om in de verte te kijken, net als die van jou. Zijn voorouders joegen op wolven op de Russische steppen.' Ze zoende hem snel op zijn wang en zei: 'Is dát ook een van de vele dingen die jij kunt, Monsieur Patterner... wolven vangen op de steppen van Australië?'

Hij boog zijn hoofd naar haar toe en hun lippen ontmoetten elkaar in een lange, tedere kus. Daarna bleven ze hand in hand naast elkaar op het gras liggen.

Tot zij haar hand losmaakte en zich een stukje overeind hees. Leunend op één elleboog keek ze op hem neer. 'Waarom wilde je eigenlijk naar Schotland? Dat heb je me nog niet verteld.' Ze vroeg zich af of hij daar nog steeds heen wilde. Of had hij nu echt al zijn plannen veranderd?

Hij deed zijn ogen open. Boven hun hoofden wiegden de takken van de treurwilg zachtjes heen en weer, evenals het smaragdgroene wier in de rivier. 'We kunnen net zo goed hier blijven,' zei hij. 'Ons oude leven achterlaten en hier samen zijn. Alleen jij en ik, voor altijd.'

'Maar dan zou Houria erg ongerust worden. En ze zou me missen.' Ze streelde zijn wang. Die voelde ruig en stoppelig aan. 'Je hebt je niet eens geschoren vanmorgen, voordat je naar me toe kwam,' zei ze op speels verwijtende toon.

'Ik had haast. Vind je het erg?'

'Nee, ik vind het leuk. Maar zou er niemand ongerust worden als jíj zomaar verdween?'

Hij dacht even na. 'Mijn moeder, ja. Mijn vader ook, natuurlijk. En waarschijnlijk mijn zus. Plus één speciale vriend. Volgens mij zou het verder niemand opvallen.'

'Wat ben je toch serieus,' zei ze. 'Maar waarom ben je zo ver van huis weggegaan en nog wel voor zo'n lange tijd, als ze je daar missen? Waarom wilde je naar Schotland? Je hebt me nog helemaal niets verteld.'

Hij lachte. Hij had gewoon een tijdje weg gewild uit Australië. Waarom? Omdat hij zich daar verstikt voelde door... ja, door alles. Maar hoe kon hij dat aan haar uitleggen? Daar was zijn Frans niet goed genoeg voor. Hij had eruit willen breken, en echt even heel ergens anders zijn. De vraag was of ze zou kunnen begrijpen dat hij daarvoor de halve wereld had afgereisd. 'Bij ons doet iedereen dat,' zei hij. 'Zo zijn Australiërs nu eenmaal.' Hij was voor zichzelf gevlucht, dat was het. Ook al was hij dan min of meer op weg gegaan naar Schotland. Maar als hij dat ronduit zei, zou Sabiha misschien denken dat hij een grillig, onberekenbaar type was. 'Een goede vriend van mij is geboren in Glasgow,' zei hij. 'Harold Robinson. Hij is bibliothecaris geweest op mijn vroegere middelbare school. Hij is inmiddels een oude man. Maar Harold is eigenlijk altijd oud geweest, al die jaren dat ik hem ken. Tegenwoordig verzamelt hij boeken over Schotland. Hij woont in Melbourne en is al een hele tijd gepensioneerd. Toen ik nog een jongen was, heeft hij me heel veel over Schotland verteld. We zijn bevriend sinds mijn dertiende. Ik wilde met eigen ogen zien waar hij vandaan kwam.'

Ze liet haar vingers zachtjes over zijn lippen glijden, boog zich over hem heen en raakte met haar mond vluchtig de zijne. Plagerig trok ze zich terug. 'Ik zou hier best de hele nacht willen blijven. Niet voor altijd, alleen vannacht. Samen kijken hoe de maan opkomt.' Ze streek weer met haar vingertoppen over zijn lippen, en toen over zijn ongeschoren wangen en zijn voorhoofd. Met haar wijsvinger ging ze over de brug van zijn neus. 'Je hebt een heel mooie neus, John Patterner,' zei ze. 'Sterk en zelfverzekerd. Weet je zeker dat je geen paar druppels Arabisch bloed hebt?'

Hij nam haar in zijn armen en kuste haar.

Ze voelde iets fladderen in haar buik en opeens dacht ze aan haar kind, dat wachtte. Er welde een snik op in haar keel en ze kon haar tranen niet inhouden.

Hij trok zich terug. 'Wat is er? Is er iets mis? Heb ik iets verkeerd gedaan? Het spijt me, Sabiha.'

Ze schudde het hoofd. 'Nee hoor, het komt niet door jou. Er is niets aan de hand.' Ze veegde haar tranen weg. 'Ik ben alleen maar gelukkig. Ik huil zo vaak. Meestal weet ik niet waarom.' Zou deze man de vader van haar kind worden? Wist haar lichaam dat al? Ze voelde een plotselinge hevige angst dat ze hem kwijt zou raken. Stel dat hij haar over een tijdje toch niet leuk meer vond, of dat de sfeer tussen hen veranderde. Dan zou hij verdwijnen. Hij zou verder reizen en ze zouden elkaar nooit meer terugzien. Ze drukte hem stevig tegen zich aan en streelde over de zijkanten van zijn hele lichaam. 'Je bent een schat, John Patterner!' Onstuimig kuste ze hem op de mond, en trok zich snel terug. Ze liet hem abrupt los, beschaamd door haar eigen onhandigheid.

Hij glimlachte en raakte haar wang aan. 'Lieve, gekke meid,' zei hij zachtjes. 'Ik vind het heerlijk als je zo gek doet.'

'Ben ik dat? Vind je?'

'Ik hou van je.' Hij kuste haar op de lippen. 'Kom mee! Straks missen we de trein nog,' vervolgde hij. 'Trek maar gauw je schoenen aan. Ik heb je tante beloofd dat ik je voor het donker thuis zou brengen.' Hij keek op zijn horloge. 'We hebben nog zeven minuten om bij het station te komen.'

Opeens wilde ze hem in alles zijn zin geven. Wat hij ook van haar vroeg, ze zou het voor hem doen en zich alles laten aanleunen. Ze ging overeind zitten en trok haar schoenen aan. Het moest echt zijn tussen hen, niet zomaar een droom.

Hij stond op, greep haar hand en hielp haar overeind.

'We hebben nog een heel leven voor ons,' zei hij.

Hand in hand haastten ze zich de brug over. 'Wat gaan we nu eigenlijk doen?' vroeg ze hem. Dus ten slotte hadden ze elkaar op die eerste avond hun woord gegeven. Het maakte haar bang en ontroerde haar tegelijkertijd. 'Ik ben zo gelukkig,' zei ze, en hoopte maar dat het waar was. Ze kuste zijn wang.

'We zullen het fijn hebben, samen,' zei hij. 'Wat we ook gaan doen. Dat weet ik zeker. Het maakt niet uit wat we doen.'

Ze doorkruisten het centrum, liepen om de voet van de heuvel heen naar het station en toen begonnen ze te rennen. Hun gelach weerkaatste tegen de heuvel achter hen.

•

Toen ze hen het eetcafé zag binnenkomen zei Houria voldaan tegen zichzelf: John Patterner is een man waar je van op aan kunt. En zo kwam het dat John in Chez Dom aanwezig was bij hun eerste zaterdagavondopening. Hij begon zich meteen onmisbaar te maken, verzette tafels en stoelen, bracht koffie en wijn naar de klanten, kortom: hij stak zijn handen uit de mouwen waar hij maar kon. Hij ging gemakkelijk om met de mannen. Hij was beleefd en voorkomend en zij moesten glimlachen om zijn rare uitspraak van het Frans. Houria en Sabiha waren dolblij met zijn hulp, want er kwamen veel meer gasten opdagen die eerste zaterdagavond dan waar het eetzaaltje van Chez Dom op berekend was. Houria moest John eropuit sturen naar André om twee vouwtafels te lenen en extra stoelen, en ze liet het aan hem over om voor alle klanten een plekje te vinden. Het lukte hem allemaal.

Nadat de laatste klant was vertrokken en ze klaar waren met afruimen, afwassen en schoonmaken, zaten ze nog een tijdje met z'n drieën na te praten in het zitkamertje onder de trap. Ze dronken koffie met een scheutje cognac en lachten erom dat het zo'n gekkenhuis was geweest de afgelopen avond. Ze waren opgelucht dat het allemaal zo goed was gegaan. Wat hadden ze naadloos samengewerkt, als een geoefend team. Houria zat de kas op te maken en bood aan om John te betalen voor zijn moeite. Maar dat weigerde hij pertinent. Houria zag dat hij een beetje beledigd was door haar aanbod hem geld te geven, en daar vond ze hem des te aardiger om. Toen John uiteindelijk opstond van de bank om terug te gaan naar het pension van Madame du Bartas, was het al één uur in de nacht geweest. Bij de voordeur gaf Houria hem een vriendschappelijk kneepje in zijn arm. 'Je moet beslist bij ons komen ontbijten morgen,' zei ze. 'Maar niet te vroeg,' voegde ze eraan toe.

Zij en Sabiha stonden hem bij de deur na te kijken terwijl hij de stille straat door wandelde tot hij bij het verlaten plein kwam. Onder het licht van een straatlantaarn keek hij achterom en zwaaide, en zij zwaaiden terug. Houria zei: 'Vervelend eigenlijk, om hem zo midden in de nacht weg te sturen.'

Toen hij verdwenen was, gingen ze terug het café in en deden de deur op slot. Houria draaide zich om naar Sabiha en ze omhelsden elkaar. 'Wat een schat van een man,' zei Houria. 'En wat heerlijk om weer eens een man aan het werk te zien in Chez Dom.' Ze lieten allebei een paar tranen, want ze waren oververmoeid en stonden nog stijf van de spanning. En het was hoe dan ook fijn om even samen te huilen. Het was een heel lange dag geweest.

Er was maar één donker wolkje dat Sabiha's volmaakte geluk overschaduwde. Ze had Houria al welterusten gezegd op de overloop boven aan de trap, maar bij de deur van haar slaapkamer bleef ze staan. Met zorgelijke stem zei ze: 'Ik weet alleen absoluut niet wat we gaan doen.'

Houria glimlachte en zei tegen haar: 'Probeer maar niet in één nacht de rest van je leven te plannen, lieverd. Je zult zien dat alles op zijn pootjes terechtkomt. Maar hoe, dat valt nog niet te zeggen.'

Dus stapten ze in bed in hun afzonderlijke slaapkamers, en lagen nog lang wakker, allebei met hun eigen gedachten. Houria was de eerste die in slaap viel – Sabiha hoorde haar door de deur heen snurken. Toen dommelde Sabiha zelf ook weg. Ze droomde dat ze thuis was in El Djem. Ze lag in haar eigen bed en haar zus Zahira lag in het bed naast haar te slapen. Ze voelde zich gerustgesteld door het streepje licht dat onder de deur door kwam, net als toen ze nog een klein meisje was. Dan wist ze immers dat haar vader nog in de kamer zat. Hij bleef soms op tot diep in de nacht om weer een nieuw pamflet te schrijven voor zijn actiegroep. Ze wilde opstaan, naar hem toe gaan en haar armen om zijn schouders slaan. Ze wilde hem op zijn stoppelige wang kussen en vertellen hoe gelukkig ze was. Maar ze kon zich niet bewegen.

Twee

*H*et was een bitterkoude ochtend in januari, tweeënhalf jaar nadat Sabiha en John de dag samen in Chartres hadden doorgebracht. Sabiha hield de achterdeur van het café open voor John. Het was nog donker buiten, en het licht uit de keuken viel in de steeg. Een vlaag ijskoude wind joeg door het steegje. Onwillekeurig deed Sabiha een stap achteruit en liet zowat de deur uit haar handen waaien.

John boog zich voorover, kuste haar in het voorbijgaan op de wang en verhief zijn stem om boven de wind uit te komen: 'Tot straks, schat.' Hij stapte het steegje in en draaide zijn hoofd opzij om de natte sneeuw te ontwijken die tegen zijn wangen striemde. De kraag van zijn overjas stond overeind en hij had een groene wollen sjaal rond zijn nek. Hij had een zwarte pet op, waarvan de glimmende bovenkant het licht weerkaatste als een oog waarin de paniek opvlamt. John had zich nog niet geschoren en hij zag er ouder uit, een man met veel verantwoordelijkheden die hem op dit moment niet allemaal even lekker zaten. Met gebogen hoofd

haastte hij zich naar het bestelautootje, de laatste brede, platte
bak vol dagelijkse bestellingen in zijn handen. De witte doek die
er overheen lag, woei flapperend omhoog en hij klemde het dek-
kleedje bij twee hoeken met zijn duimen vast.

Sabiha zag hem worstelen om het blad achter in het busje te
laten glijden. De glijgoten die hij gemaakt had om de bladen
vol pasteitjes in te schuiven en te vervoeren waren niet helemaal
recht. Hij moest altijd een beetje wrikken om ze erin te krijgen.
Van tijd tot tijd beloofde hij de glijgoten eruit te halen en ze helemaal opnieuw, kaarsrecht te bevestigen, maar het kwam er niet
van. Al snel was gebleken dat zijn timmermanskunst niet verderging dan provisorische klusjes in en om het huis. Hij flanste iets
in elkaar en verklaarde vervolgens dat het goed genoeg was. Hij
deed het niet met hart en ziel. Voor hem waren het allemaal tijdelijke maatregelen, geen serieus onderdeel van een echte baan.
Hij deed een stap achteruit en sloot de achterdeur van de bestelauto. Vervolgens draaide hij zich om, zwaaide naar haar en liep
om het voertuigje heen naar de plaats van de bestuurder. Met een
ruk trok hij de deur open en stapte in. Zijn grote lijf paste nauwelijks in de kleine cabine en hij moest zichzelf echt opvouwen
om de deur te kunnen sluiten.

Zo ineengedoken in het minibestelbusje leek John nog het
meest op een man in een soort duikerklok, die op het punt stond
af te dalen in de eenzame diepte. Als zijn moeder hem op dat moment had kunnen zien, had ze ongetwijfeld om hem gelachen.
Een toegeeflijke, geamuseerde lach. Maar ook een beetje bedroefd,
om deze clowneske slungel die haar zoon geworden was. 'Moet je
jezelf zien, John!' zou ze hem hebben toegeroepen, zoals ze ook
in werkelijkheid vaak had gedaan. 'Moet je jezelf nou eens zien!'
Tja, hij zag zichzelf maar al te goed, nog beter door de ogen van

zijn moeder dan door zijn eigen ogen – en ook hij moest lachen
om de man die hij was. Om wat er van hem geworden was. Het
was onbegrijpelijk, niet alleen voor zijn moeder, maar ook voor
hemzelf. Zijn moeder had zichzelf in hem herkend en hem aan-
gemoedigd om te gaan reizen. Zij vond dat hij de wijde wereld
in moest, dat zou vast en zeker de ultieme remedie zijn voor zijn
opgesloten gevoel. 'Ga toch een jaartje reizen!' had ze gezegd. 'Ga
de wereld ontdekken. Straks eindig je nog net als je vader, compleet vastgeroest in deze uithoek, voor de rest van je leven.' Zijn
vader grijnsde altijd maar zo'n beetje als ze zulke dingen zei. De
boerderij was zijn leven. Jim Patterner was een tevreden mens en
had geen behoefte aan de wijde wereld. Hij had genoeg aan zijn
dertig fokdieren en één goede stier, en aan het verbouwen van
zijn pompoenen en tomaten op de smalle, vlakke kwelderstroken
langs de rivierarm. Zijn ouders hadden een gelukkig huwelijk en
vonden het leuk om elkaar te plagen, dat hield de relatie levendig.
Zijn moeder zou zelf dolgraag een wereldreis hebben gemaakt.
Ter vervanging had ze dozen vol oude *National Geographics* gekocht in de tweedehandswinkel van het Leger des Heils in Moruya. In de periode dat John lesgaf in Melbourne stuurde ze hem
knipsels uit die bladen: foto's van gletsjers in Patagonië en vogel-
etende spinnen in de Braziliaanse jungle. Ze haalde alles uit de
kast om haar zoon te stimuleren op onderzoek uit te gaan. Toen
hij met kerst thuiskwam en hun vertelde dat hij naar Schotland
ging, riep ze opgetogen: 'Dat zal tijd worden! Mijn zegen heb je!'
Glasgow was natuurlijk nog geen Patagonië, maar het was een
begin. 'Maak je maar niet druk over mij en je vader. Bij ons loopt
alles op rolletjes.'

Voor hij deze ochtend wegreed om zijn bestellingen te bezorgen,
stak John een sigaret op en knipte het enige achterlicht van het

bestelautootje aan. De zwarte kasseien van het steegje glommen in het beverige, zwakke gele licht, de regen en natte sneeuw vielen dwars door de lichtbundel. Alles hier was nog steeds even mooi en vreemd voor hem. Hij hield bijna pijnlijk veel van deze plek, die hij voor altijd in zijn geheugen wilde prenten. Dit steegje, de straat en het buurtje rond het café waren hem heilig. Maar zelfs al zou hij hier zijn hele leven blijven wonen, het zou nooit zíjn werkelijkheid worden. Voor hem bleef het een plaatje waar hij niet in kon stappen, laat staan een echt leven leiden. De toegang tot deze realiteit was voor hem versperd. O ja, hij vond het meestal leuk om zijn vrouw en haar tante te helpen in Chez Dom; om de vaardigheden en handigheidjes toe te passen die hij als jongen op de boerderij had geleerd. Zo maakte hij zich nuttig. Hij besefte dat het benauwde gevoel en de twijfels die hem vroeger kwelden, nu vaak de kop in werden gedrukt door zijn dagelijkse routine van lichamelijk werk. Desondanks kwam hij geen stap verder met zijn eigen leven. Hij had veel te weinig tijd om te lezen en de nieuwe onderwijstheorieën gingen helemaal aan hem voorbij. Dit jaar werd hij dertig en thuis in Australië stond er alweer een nieuwe generatie in de startblokken om aan het werk te gaan, met pas verworven kennis en frisse moed. Hij voelde dat zijn isolement zich verdiepte, dat de kloof tussen hem en zijn eigen baan in Australië groter werd door zijn lange afwezigheid. Hij zwalkte rond, zonder doel. En dat beangstigde hem soms. Zijn realiteit lag daarginds op hem te wachten, maar hoelang nog? Zijn vrienden en collega's gingen al jaren door zonder hem. Terwijl hij in Parijs nooit méér zou worden dan een passant. Iemand die toevallig hier was blijven steken. Een man die op een dag in de verkeerde trein was gestapt en verliefd was geworden. Hij koesterde Chez Dom en zijn vriendschap met Houria, en hij hield zielsveel van zijn vrouw. Maar Chez Dom en Parijs waren niet zijn leven. Hij had vaak het gevoel dat hij het leven van iemand anders leidde, alsof hij een verhaal las. Eén leven, bleef hij zichzelf voorhouden. Je hebt maar één leven, John Patterner. Laat het in godsnaam niet door je vingers glippen. Hij vermoedde dat André, de huisbaas van Houria, de enige was die echt begreep dat hij in een lastig parket zat. Sommige nachten op de Seine, wanneer ze samen aan het vissen waren op Andrés boot, voelde hij zich vrij om zijn zorgen aan de oudere man toe te vertrouwen. Misschien was hun wederzijdse sympathie daar wel grotendeels op gebaseerd. André leek het gevoel van een leven dat door je vingers glipt maar al te goed te kennen.

John draaide zich moeizaam rond op de bestuurdersplaats, met zijn pet tegen het dak van de cabine gedrukt. Over zijn schouder keek hij naar de achterdeur van het café, waar Sabiha in de verlichte deuropening stond te wachten tot hij in beweging kwam, klaar om hem uit te zwaaien. Ze had haar dikke vest dicht om zich heen getrokken. Wilde zij nu maar met hem mee naar huis, naar Australië, dan zou zijn leven echt volmaakt zijn. Nou ja, bijna volmaakt. Voor Sabiha was het probleem dat ze nog steeds geen kinderen hadden. Hij wilde zelf net zo goed kinderen, maar in tegenstelling tot Sabiha ging hij er ontspannen mee om. Hij vertrouwde erop dat die kinderen wel zouden komen als ze daar klaar voor waren. Trouwens, hij dacht vaker aan kinderen dan Sabiha misschien bereid was te geloven. Maar iedere keer wanneer hij over hun kinderen fantaseerde, zag John ze rondrennen op de speelplaats van de school waar hij lesgaf voor hij naar Europa kwam. Hij kon zich niet voorstellen dat hun kinderen naar een school in Parijs zouden gaan. Hij had absoluut geen beeld van scholen in Parijs of hoe een kinderleven zich hier van dag tot dag voltrok. Hij wist niet wat voor spelletjes Franse kinderen deden, hij kende hun jargon niet – allicht, gezien zijn middelmatige beheersing van het Frans – en zou hun geheime codes en gebarentaal met de beste wil van de wereld niet kunnen ontcijferen. Hij was nog nooit op een Parijse school geweest. Hij wilde niet dat zijn kinderen zouden opgroeien in de overtuiging dat ze Frans waren. Frankrijk was oké. Hij had geen problemen met Frankrijk of met de Fransen, maar hij gunde zijn kinderen een jeugd in Australië. Hij wilde dat zijn kinderen op hem zouden lijken. Als ze in Parijs opgroeiden, zouden ze hun vaders liefde voor Australië nooit begrijpen. Maar als hij dat aan Sabiha probeerde uit te leggen, raakte ze overstuur. Sinds kort waren ze op een punt beland dat ze niet meer over kinderen konden praten zonder dat één van hen tweeën van streek raakte. Voor Sabiha ging het niet gewoon om kinderen, het draaide om één kind, een dochter. 'Maar een zoon is toch ook goed?' had hij haar gevraagd. 'Of allebei?' Jongetjes of meisjes, het maakte John niet uit zolang het maar gezonde, gelukkige, Australische kinderen waren die volop zon, ruimte en frisse lucht kregen, precies zoals hij vroeger. Hij wilde ze meenemen naar de boerderij. Hij wilde dat ze van zijn vader en moeder zouden gaan houden, en van het land waar hijzelf was opgegroeid. Hij droomde ervan om ze de vispoelen langs de rivier te laten zien, en de plaatsen waar hij en Kathy hadden gezwommen toen ze klein waren. Als zijn kinderen in Frankrijk zouden opgroeien, zouden ze vreemden worden voor hem en voor zijn land. Die gedachte vond hij onverteerbaar.

In haar laatste brief had zijn moeder hem datgene gevraagd waarvan hij wist dat ze er al bijna twee jaar mee rondliep. De vraag die speelde vanaf de dag dat hij haar had opgebeld en door de telefoon naar haar had geschreeuwd : 'Ik ben zojuist getrouwd!'

'O, wat fijn, lieverd, wat ontzettend fijn! Hoe heet ze? Ze moet wel een schat zijn, dat jíj op haar valt. Geef haar maar een dikke zoen van ons allebei.'

Maar nu had ze zich er eindelijk toe kunnen zetten om hem ronduit de grote vraag te stellen: *Is er al een kleintje op komst? Je vader en ik staan te popelen om opa en oma te worden. Volgens mij zal je zus wel nooit tegen een man aanlopen die goed genoeg voor haar is, wat denk jij? Je begrijpt wel wat ik bedoel. Dus jij bent onze enige hoop. Hoe voelt dat? Het is een domme vraag en ik wil me nergens mee bemoeien. Maar het houdt ons bezig, dat is alles. We worden er geen van beiden jonger op. Je vader wil een aanbetaling doen op een appartement voor ouderen in Moruya, maar dat zie ik niet zo zitten. Nog even en we zijn bezig onze eigen begrafenis te plannen. En dat terwijl we net één van onze beste jaren achter de rug hebben sinds jouw vertrek. De forellen zijn weer terug in de beek en iedere nacht struinen de palingstropers met hun lampen langs de oevers en maken de honden helemaal gek. Ik zal het echt vreselijk vinden om hier weg te gaan als het zover is. Ik ben verbaasd over je vader. Hij is veel realistischer dan ik. Jij en ik waren altijd de dromers van de familie, lieverd. Ik hoop dat jij nog dromen hebt. Ik heb ze in ieder geval wel. Dwaas, hè.*

Er was iets aan de toon van zijn moeders brief waardoor John zich afvroeg of het echt allemaal zo goed ging als zij beweerde. Zijn vader en moeder zouden hun laatste levensjaren vermoedelijk doorbrengen in een ouderenwoning in Moruya. Dat idee, plus dat ze de boerderij kwijt zouden zijn, vond hij deprimerend.

Hij trapte de koppeling in. De remmen gierden en met een schok kwam het autootje in beweging. Hij was onderweg. De rook van zijn sigaret, vermengd met de geuren van de warme pasteitjes, hing in het bestelwagentje. Hij keek nog heel even naar Sabiha in de deuropening, en stak zijn hand op.

*S*abiha deed de achterdeur dicht om de kou buiten te sluiten en liep de keuken door naar het fornuis. De doordringende geur van uitlaatgassen prikte nog in haar neusgaten. Ze was helemaal verkleumd. Gelukkig was de oven nog warm van het bakken van die ochtend en ze ging er met haar rug tegenaan staan, luisterend naar het gerammel van de oude bromfietsmotor van het bestelwagentje. De herrie zwakte af terwijl John het steegje door reed. Plotseling was het geluid helemaal weg, op het moment dat John de Rue des Esclaves insloeg. Ze had even tijd voor zichzelf. Het was stil in de keuken, alleen een los ruitje rammelde zachtjes in de houten sponning. Ze sloot haar ogen en voelde de warmte door haar lichaam trekken. Ze hoorde Houria zingen in de badkamer, met haar volle, fluweelachtige altstem. Ze zong een Frans liedje. Houria zong nooit de oude liederen van haar eigen volk. Die kende ze dan ook lang niet zo goed als Sabiha ze kende. Houria was de Tunesische volksmuziek verleerd. Houria's moeder met haar onvervulde verlangen, die raadselachtige ándere oma

84

van Sabiha, had de liederen niet aan haar dochter doorgegeven. Houria zong nog steeds voor Dom. Voor hen tweeën. Voor het leven dat ze samen hadden opgebouwd en geleefd in Parijs. En soms neuriede ze een deuntje, zonder echt hardop te gaan zingen, alleen voor zichzelf.

Sabiha was druk bezig de bakblikken en mixapparatuur af te wassen toen Houria de keuken binnenkwam om koffie te zetten. Houria's korte grijze haar stond rechtovereind, nog nat van het baden. Haar volle wangen waren rozig; haar prachtige donkere ogen stonden helder en straalden van levenslust. Voordat Houria in bad ging, waren ze allebei al uren op geweest om broodjes en zoete pasteitjes te bakken. Die was John nu gaan bezorgen met het driewieler bestelautootje dat hij de vorige winter op de kop had getikt, toen een heleboel klanten wegbleven vanwege de kou. In die periode ging het bergafwaarts met de bakkerijafdeling. Maar toen ze het wagentje eenmaal hadden, begonnen de bestellingen weer binnen te stromen. Nu hoefden de mensen niet meer door weer en wind naar het eetcafé te ploeteren om hun pasteitjes te halen.

Sabiha hield haar ogen neergeslagen toen Houria binnenkwam en bleef verwoed de deegresten van de bakblikken schrapen. Ze boende alsof haar leven ervan afhing en ging hoekjes te lijf waar al jarenlang dezelfde zwartgeblakerde bakresten vastgekoekt zaten. Houria droogde een paar blikken voor haar af en schonk toen hun koffie in. 'Kom,' zei ze. 'De rest kan wachten. Laat je koffie niet koud worden.' Ze manoeuvreerde met de twee bekers koffie door het kralengordijn en ging het eetcafé binnen.

Sabiha richtte zich op. Ze bleef nog even bij de gootsteen staan, alsof ze overwoog om Houria maar te laten zitten met haar koffie. Toen pakte ze snel een schone doek, droogde haar handen af en stapte tussen de kralenslierten door. John had de grote ijzeren gaskachel een uur daarvoor aangestoken en het was lekker warm in het eetzaaltje. Ze gingen aan hun gebruikelijke tafel zitten. De natte sneeuw kletterde gedempt tegen het raam en smeltende ijspareltjes gleden langs het glas omlaag. Degenen die zo vroeg al een dringende reden hadden om zich buiten de deur te wagen liepen op een holletje door de smalle straat, met gebogen hoofd vanwege de nattigheid.

Sabiha hield de beker dampende koffie met beide handen vast en bracht hem dicht bij haar lippen, haar ellebogen op tafel. Ze keek naar de voorbijgangers en voelde zich schuldig omdat John daarbuiten in dit vreselijke weer de bestellingen af moest leveren. Ze wist dat hij zich zou inspannen om opgewekt te doen tegen de klanten, terwijl zijn tegenzin vanbinnen groeide. Ze had er spijt van dat ze hem zo had afgesnauwd de afgelopen nacht. Ze wilde niets liever dan samen gelukkig zijn, en zich dicht bij hem voelen. Ze merkte dat Houria naar haar keek en wendde zich af van het raam. 'We hebben de halve nacht ruzie gehad. Het was weer het oude liedje,' zei ze, en gaf daarmee antwoord op Houria's onuitgesproken vraag. 'Niet zo interessant, dus.' Ze nam een slok koffie.

Die dag in Chartres had ze het al aan John gevraagd, terwijl ze hand in hand naar de trein liepen. *Wat gaan we nu eigenlijk doen?* Ze was nog maar een meisje geweest, overrompeld door hun plotselinge liefde, en vol verwarde emoties. Maar toch had ze het toen al zien aankomen. Ze had moeten aandringen, die dag. Ze had voet bij stuk moeten houden en erop moeten staan dat ze een echte beslissing over hun leven zouden nemen. In plaats daarvan had ze zich gedwee door John en daarna door Houria laten aanpraten dat alles vanzelf wel in orde zou komen.

Maar zelfs toen moest John al geweten hebben dat hij volstrekt niet van plan was om de rest van zijn leven in Frankrijk te blijven. Natuurlijk had hij dat geweten! En toch nam ze het zichzelf kwalijk. Maar tegenwoordig hield ze wél voet bij stuk. Waarschijnlijk ietwat te hardnekkig. Te onwrikbaar. Af en toe voelde ze dat ze hem tekortdeed. Hij was altijd degene die aan het kortste eind trok. Ze wist dat ze enorm veranderd was, en daar was ze niet altijd blij mee. Als ze hun huwelijk in stand wilde houden dan zou ze stevig in haar schoenen moeten staan, dat had ze wel doorgekregen de afgelopen twee jaar. Maar toch wenste ze nu dat ze een beetje lief en hartelijk voor hem was geweest vanmorgen, voor ze hem dit beestenweer had ingestuurd in dat belachelijk minuscule bestelwagentje.

Houria zei: 'Als Dom mij had gevraagd om mee te gaan naar Australië, dan had ik dat meteen gedaan.' Ze knipte met haar vingers. 'Zonder problemen.' Ze lachte. 'Dat zou nog eens een mooi avontuur zijn geweest.'

'Als ik met John naar Australië ging, zou ik mijn vader nooit meer terugzien. En jou ook niet.'

Houria haalde haar schouders op. 'We moeten het leven leiden waarvoor we gekozen hebben.'

'Mijn leven is hier.'

'En John?' vroeg Houria zacht. 'Heeft hij hier ook een leven, lieverd?'

'John hoort bij mij, dus zijn leven is ook hier.'

Houria keek Sabiha recht in de ogen. 'Je bent veranderd,' stelde ze vast. Ze klonk vriendelijk, maar een beetje triest.

Sabiha hoorde het verdriet in de stem van haar tante. 'Volgens mij zijn we allemaal veranderd,' zei ze. 'Zo gaat dat nu eenmaal, toch?' Ze keek weer uit het raam. In het bovenhuis van de oude

Arnoul Fort brandde inmiddels licht, en ze zag hem langs het raam heen en weer schuifelen, een donkere schaduw achter de rode gordijnen. Zijn vrouw was al jaren bedlegerig en hij verzorgde haar volledig, wat al zijn tijd in beslag nam. Hun stoffenwinkel was door de jaren heen verwaarloosd en vuil geworden, de voorraden waren totaal verouderd en de klanten bleven weg. Sabiha zuchtte. Opeens was ze zich diep bewust van de treurigheid van het leven. Ze draaide zich om, leunde over de tafel heen en nam Houria's handen in de hare.

Houria hief Sabiha's handen op naar haar lippen en kuste haar vingers. 'Stel dat jullie je samen ergens in Australië zouden settelen, in een huis helemaal alleen voor jou en John. Dan zou dat kleine meisje van je er zijn voor je het wist.'

'Ik ben hier gesetteld,' zei Sabiha. Ze trok haar handen terug. Houria's gepraat maakte haar gestrest en opstandig.

'Maar jullie kunnen toch niet eeuwig in dat kleine kamertje hierboven blijven wonen?' zei Houria op redelijke toon. 'Dat is alles wat ik wil zeggen. Deze situatie doet jullie allebei geen recht. Hoe zou je dat klaarspelen, als je nu een baby kreeg? Jullie met z'n drieën in dat kleine hokje? Er is daar geen plaats voor een kind. En ik kan mijn kamer niet afstaan. Dat is nog steeds de kamer van Dom.' Ze grinnikte. 'Hé! Ik kom je wel opzoeken in Australië, hoor. Dan haal jij míj op van het vliegveld. Stel je voor! Ik die aankom op het vliegveld en jij die daar op mij staat te wachten! Dat zou nog eens spannend zijn. Dan ben jij daar thuis en kun je mij alles laten zien.'

Maar Sabiha luisterde nog maar met een half oor naar haar tante. Waarom kwam haar kindje niet? Wat zat er in de weg? Kwam het echt omdat er hier in Chez Dom geen plaats voor was? Dat kon ze niet geloven. Ze wilde het ook niet geloven. Ze hadden alle mogelijke vruchtbaarheidsonderzoeken ondergaan en de artsen hadden gezegd dat ze allebei kerngezond waren. Eén keer was Johns spermagehalte wat aan de lage kant geweest, maar volgens de gynaecologen hoefden ze zich daar geen zorgen over te maken. Dat gehalte schommelde altijd een beetje. Als het tijdelijk laag was, kwam dat vermoedelijk doordat John gespannen was. John zei dat hij helemaal niet gespannen was. Maar de artsen zeiden dat je dat niet altijd zelf kon beoordelen. Ze boden aan om nog meer tests te doen, maar Sabiha was het spuugzat. Het voelde alsof haar lichaam niet meer van haar zelf was. En ieder keer wanneer ze seks met elkaar hadden, dachten ze er allebei aan welke dag van de maand het was, en of haar temperatuur al gestegen was. John had net zo'n hekel gehad aan die hele procedure als zij, maar hij was bereid geweest ermee door te gaan voor haar. Sabiha was degene die er een punt achter had gezet.

Vaak dacht ze verbaasd en verdrietig terug aan de nacht dat John en zij voor het eerst met elkaar hadden gevrijd. Ze geloofde toen heilig dat die nacht haar kind was verwekt. Ze was ervan overtuigd dat haar kleine meid haar mysterieuze levensreis was begonnen. Ze had wakker gelegen naast John, slapeloos van opwinding, in de wetenschap dat zijn zaad nu in haar lichaam zat, en dat het zijn werk kon doen. Ze probeerde zich voor te stellen hoe op dat moment het nieuwe leventje ontstond, diep bij haar vanbinnen. Zij had zo haar eigen ideeën over dit alles. Ze ging die nacht met John naar bed als meisje, en stond 's ochtends op als vrouw. Wat was ze blij geweest die ochtend, dat ze geen maagd meer was. De eerste, en de grootste teleurstelling van haar nieuwe leven in Parijs kwam twee weken later. Toen ontdekte ze dat ze niet zwanger was. Er was niets gebeurd. Niets veranderd. Ze had een week lang gehuild en was ontroostbaar. De kiem van haar kind lag nog altijd te wachten, onbereikbaar, onaangeraakt en stil in haar binnenste. John had het niet kunnen bereiken. Hun liefde was niet voldoende geweest. Er ontbrak iets. Iets wezenlijks en echts, waar ze niet bij konden. Wat was het? Soms werd ze half-gek van het piekeren.

Zelfs toen ze nog een klein meisje was, geloofde Sabiha stellig dat vrouw-zijn en moederschap één en hetzelfde waren. Een vrouw was een moeder. Ook nu kon ze die overtuiging niet van zich afzetten. Ze wilde het niet eens proberen. Wat zou ervoor in de plaats kunnen komen? Het zat zo diep. Het was de hoeksteen van haar bestaan. Haar gevoel van eigenwaarde, de zin van haar leven, alles was onderdeel van die overtuiging. Dat kon ze toch niet allemaal loslaten? Dan zou haar leven waardeloos zijn. Tot zij moeder werd, kon ze niets anders doen dan betere tijden af-wachten. Wachten tot het echte leven zou beginnen. Ze had het zwaar gehad, de afgelopen twee jaar. Veel zwaarder dan John of Houria kon bevatten. Ze voelde zich eenzaam, omdat ze dat wist. Die eenzaamheid deelde ze stilzwijgend met haar kind, dat nog verwekt moest worden. Dat was en bleef haar trouwste kame-raadje, diep verborgen in haar geheime binnenwereld.

Sabiha had een hechte band gehad met haar grootmoeder, veel meer nog dan met haar moeder. Ze had dan ook geen enkele twijfel gevoeld toen de oude vrouw haar op haar sterfbed toefluisterde: 'Ik zal altijd bij je zijn.' Die laatste woorden waren heel belangrijk voor Sabiha en ze beschouwde ze als een heilige belofte. Als ze ooit een beroep op haar overleden grootmoeder moest doen, zou deze er voor haar zijn. Haar grootmoeder zou haar de kracht geven om de grote uitdagingen van haar leven aan te gaan. Sabiha was niet alleen, maar voelde dat haar grootmoeder haar leven lang naast haar zou staan, net als haar ongeboren dochter. En ook Sabiha zelf had een plechtige gelofte afgelegd, al wist niemand daar tot op heden iets van. Op een dag zou ze haar babydochter in de armen van haar vader Hakim leggen, dat had ze met zichzelf afgesproken.

Sabiha zou nooit een leven zonder haar kind kunnen accepteren. Zij en Houria waren echt verschillend. De oude vanzelfsprekendheid tussen hen was voorbij. Ze was nog steeds intens verknocht aan haar tante, meer dan ze ooit in woorden uit zou kunnen drukken, maar toch was er iets veranderd tussen hen. Haar leven was niet meer zo rechttoe rechtaan als voordat ze met John trouwde.

Met haar vader en haar dochtertje op de binnenplaats onder de granaatappelboom zitten, zij met z'n drieën, dat was de wensdroom die Sabiha overal met zich meedroeg. Die droom was haar troost; haar warme deken. Ze wist zeker dat haar wens op een dag zou uitkomen. Haar leven zou ondraaglijk verdrietig zijn zonder haar droom. Die liet ze zich niet afpakken, want dan had ze niets meer. John had blijkbaar geen idee hoe wreed het van hem was om maar door te drammen over Australië. Als ze meeging, zou haar droom uiteenspatten. Het lukte maar niet om hem uit te leggen hoe ontzettend belangrijk dit was. Ze had het vaak genoeg geprobeerd. Maar steeds als ze erover begon, klonk het alsof ze het over een kleinigheid had; iets heel kinderachtigs vergeleken met de grote, vaststaande feiten van hun leven.

Sabiha zag dat de wind was gaan liggen en dat de mensen op straat er niet langer uitzagen alsof ze werden voortgeblazen. Bij Arnoul Fort was nu ook beneden het licht aan, achter in de winkel. Hij zou wel koffie en geroosterd brood aan het maken zijn voor zijn vrouw.

Houria zei: 'Hou je nog van hem?'

Sabiha zat nog half te dagdromen en dacht heel even dat Houria het over haar vader had. 'Van mijn vader?'

'Nee, van John bedoel ik,' zei Houria ietwat ongeduldig.

'Natuurlijk hou ik nog van hem! Dat weet je best. Zoiets mag je niet zeggen.'

'John is een schat. Hij heeft gedaan wat hij kan om jou gelukkig te maken. Hij draagt je op handen. Zo'n man moet je met een lantaarntje zoeken.' Houria had nu genoeg van het gesprek en wilde er niet verder op doorgaan. Ze duwde haar stoel achteruit, pakte hun twee lege koffiebekers en stond op. Ze bleef een ogenblik staan en keek naar Sabiha. 'Ik moest maar weer eens aan het werk gaan,' zei ze. Ze draaide zich om, liep naar de andere kant van het café en verdween door het kralengordijn in de keuken.

Het was allemaal waar wat Houria had gezegd. Sabiha kon er niets tegen inbrengen. John zou altijd de ware voor haar blijven. Maar sommige dingen begreep Houria nu eenmaal niet. Om de een of andere reden deed haar vraag – *Hou je nog van hem?* – Sabiha denken aan de dag dat ze samen met John de Eiffeltoren had beklommen. Ze waren nog niet lang samen en trokken er haast iedere zondag op uit om al het moois van Parijs te bewonderen. John was zo voortvarend en zelfverzekerd geweest, die dag. Hij wilde echt iets bijzonders maken van dat uitstapje. Pas later besefte ze waarom hij destijds zo gespitst was geweest op die uitjes. Omdat ze alles gezien moesten hebben vóór ze naar Australië vertrokken. Die zondag had hij de verkeerde kaartjes gekocht, waarmee ze alleen maar naar de eerste verdieping van de toren mochten. Hij was ontzettend teleurgesteld. Ze had lachend haar armen om hem heen geslagen. 'Maar het uitzicht is hier toch al prachtig? We komen later nog wel eens terug en dan klimmen we rechtstreeks naar de top,' had ze gezegd. 'Wat geeft het? De Eiffeltoren staat hier nog wel even. Ze zullen hem echt voorlopig niet afbreken.' Maar ze waren nooit meer teruggegaan.

Later die dag ging Houria even naar de overkant van de straat om een praatje te maken met Arnoul en Monique. Zodra Sabiha het rijk alleen had, liet ze het bad vollopen. Ze liet haar kleren op de badkamervloer vallen en leunde achterover in het dampende water. Haar gedachten dwaalden af naar de dag dat zij en John teruggingen naar Chartres. Het was een mooie ochtend geweest toen de trein uit Parijs vertrok. John droeg hun picknick in zijn oude rugzakje, net als die eerste keer dat ze dit tochtje hadden gemaakt. Ze waren allebei in opperbeste stemming en ze keken ernaar uit om Chartres weer te zien. Toen ze uit de trein stapten, bleek het weer plotseling omgeslagen. Onder de koude, grijze lucht liepen ze de heuvel op in de richting van de kathedraal en toen begon het ook nog te regenen. Die dag was Chartres een kille, onaantrekkelijke plaats, en op straat was amper een levende ziel te bekennen. Dit was niet het Chartres uit hun herinnering. Om zichzelf en John een beetje op te vrolijken stelde ze voor om langs de rivier te wandelen en 'hun' wilg op te zoeken. Zo kwamen ze erachter dat de boom onlangs was gekapt. Ze wist nog goed hoe geschokt ze was geweest bij het zien van die korte, witte stronk die glinsterde in de regen. Dat moest wel een voorteken van iets verschrikkelijks zijn.

Ze liet meer warm water in het bad lopen en waste haar haren. Ze dacht aan Houria die in de ijzige regen de straat over was gestoken, met een blad met twee warme maaltijden voor haar overburen. Houria zag dat niet als liefdadigheid. Ze kocht al jarenlang de stof voor hun werkschorten en tafelkleden bij Arnoul. Zijn oude voorraad katoen was van zo'n goede kwaliteit, daar was vandaag de dag moeilijk meer aan te komen. Houria was bevriend met Arnoul en zijn vrouw. Ze zat vaak bij Moniques bed om nieuwtjes uit te wisselen en het reilen en zeilen van de buurt te bespreken. En Houria kwam nooit met lege handen. Als ze langsging, nam ze altijd pasteitjes of warme maaltijden mee. 'Jullie moeten dit nieuwe recept voor me testen,' zei ze dan tegen hen. 'Jullie zijn allebei fijnproevers. Als jij het oké vindt, Monique, zullen de mannen ervan smullen.' Ze had geprobeerd de oude Arnoul over te halen om 's middags in het café te komen lunchen, maar hij kwam nooit in Chez Dom. Heel anders dan André, hun huisbaas, die vaak onverwachts even aanwipte en een tijdje met John in het eetcafé zat. Dan rookten ze samen een sigaret en dronken koffie, of een bodempje cognac. Maar André stond er altijd op om zijn consumptie te betalen, en dat deed hij op de ouderwetse manier door geld onder zijn bord of zijn glas achter te laten. Voor hij weer vertrok, stak hij altijd even zijn hoofd tussen de kralenslierten door en wenste Houria en Sabiha nog een fijne dag.

Meestal had André ook wel iets aan te merken op de staat van onderhoud van het café. Of eigenlijk het gebrek aan onderhoud. Zoals gisteren, toen hij een afgebladderd stuk verf van de vensterbank krabde op het moment dat John een cognacje voor hem neerzette.

'Ja ja, ik weet het,' had John gezegd. 'Echt waar. Dit voorjaar ga ik het allemaal schilderen.'

André zag het somber in: 'Als het weer eenmaal in het hout zit, John, dan kun je het wel vergeten.' Alsof zijn bezit onder zijn ogen in puin zou vallen als John de vensterbank niet onmiddellijk met een kwast verf onder handen nam.

Na haar bad ging Sabiha naar boven en installeerde zich voor Houria's toilettafel om haar haren uit te borstelen. Ze deed een schone blouse aan en liep de trap af naar de keuken. Het duurde niet lang of ze hoorde het geluid van het bestelautootje dat de steeg in reed. Ze werd een beetje nerveus, want ze had een plan.

Ze had nog nooit Houria's zogenaamde liefdeskunsten op John uitgeprobeerd. Daar was ze te verlegen voor. Het was overigens ook nooit nodig geweest. Zij had nooit het initiatief genomen om met John te vrijen, zoals Houria haar wel eens geadviseerd had. Zelf de eerste stap zetten en hem verleiden, leek totaal overbodig. Tot op dit moment. Nu liep ze naar buiten en kwam als eerste Tolstoj tegen, die net door Andrés achterdeur glipte. De grote hond ging naast haar staan en samen keken ze de steeg in. Hierbuiten viel het haar extra op dat het één van die dagen was waarop het nooit helemaal licht werd. John had nog steeds zijn koplamp aan. Ze bleef in de lichtbundel op hem staan wachten. Terwijl hij moeizaam zijn lange lijf uit de bestelwagen wurmde liep ze op hem af, sloeg haar armen om zijn nek en kuste hem op de mond. 'Ik hou van jou,' zei ze en ze pakte zijn hand, trok hem met zich mee de keuken door, de trap op en hun kamer in. Ze deed de deur dicht en draaide zich naar hem om. 'Zullen we vrijen?'

Toen ze uitgevrijd waren, bleven ze nog een tijdje in elkaars armen liggen. Ze dacht dat hij in slaap gevallen was en leunend op haar elleboog keek ze op hem neer. Nauwkeurig bestudeerde ze zijn gezicht in het flauwe, grijze licht dat in de kamer viel door het kleine raampje achter haar. Hij deed zijn ogen open en ving haar blik op. Toen nam hij haar weer in zijn armen en drukte haar tegen zich aan.

Ze duwde hem terug en bleef een stukje van hem af liggen, haar ogen vol tranen. 'Beloof je het, schat? Alsjeblieft? Dat je me nooit meer zult vragen om mee te gaan naar Australië totdat mijn vader ons kindje heeft gezien?'

John fronste zijn wenkbrauwen. Hij vond het vreselijk om haar te zien huilen. En waarom moesten ze toch in hemelsnaam op stel en sprong met hun eerste kind naar haar vader? Wat een ellende. 'Toe nou, niet huilen. Natuurlijk beloof ik dat,' zei hij. Het leek zinloos om te proberen haar om te praten. Hij vroeg zich af hoelang hij zich aan zijn belofte moest houden. Wie weet kregen ze nooit een kind... en wat dan? Zou hij Australië ooit nog terugzien?

*B*ijna veertig jaar geleden waren Marie en ik samen in El Djem. Ik deed onderzoek voor een boek. We logeerden in een hotel in Sidi Bou Said en gingen van daaruit per auto naar El Djem, om het amfitheater te bekijken. Het was tijdens dat verblijf in Tunesië dat Marie zwanger raakte van Clare. Het zou uitgerekend in die ene nacht gebeurd kunnen zijn die we in El Djem doorbrachten. Midden in de nacht schudde Marie me wakker. Ik weet nog dat het snikheet was. Er was geen ventilator of airco. Ik baadde in het zweet, en zij was in paniek. Ze klampte zich aan me vast en gilde in mijn oor: 'Er zit een beest op het nachtkastje!' Het was pikkedonker en ik stelde me een groot, harig schepsel voor met blikkerende hoektanden. Ik zei: 'Oké! Oké! Als jij me even loslaat, dan doe ik het licht aan.' Het bleek een kakkerlak te zijn. Dus geen harige griezel, maar groot was hij wel. Het insect zwaaide met zijn voelsprieten naar me alsof het een alien was, die mijn gedachten probeerde te lezen. Ik verpletterde hem met mijn schoenzool. Volgens mij zag hij het niet aankomen.

Het was zo warm die nacht en we waren allebei te opgewonden na dit drama om nog te kunnen slapen. We besloten om samen in bad te gaan en te vrijen. Het was heerlijk. Ik weet het nog heel goed. Dat bad was echt kolossaal. Het was oeroud, misschien wel Romeins, en uit één stuk fijn geaderd wit marmer gehouwen. Het was de enige koele plek die we konden vinden. Sabiha moet destijds een vijfjarige kleuter zijn geweest ergens in diezelfde stad, precies op het moment dat Marie en ik daar ons kindje hebben gemaakt. 's Ochtends, op de terugweg naar Sidi Bou, kwamen we een groepje van vijf of zes wegwerkers tegen. Ze stonden langs de zijkant van de weg. Met hun pikhouwelen en spaden op hun schouders wachtten ze tot wij voorbij waren gereden. Hun snorren zaten onder een dikke laag wit stof. Ik houd mezelf graag voor dat ik die dag Sabiha's vader heb gezien, dat onze blikken elkaar gekruist hebben en dat er een kort ogenblik van verstandhouding was tussen ons. Maar natuurlijk is het na zoveel jaren moeilijk te zeggen wat mijn echte herinneringen zijn en wat ik er later bij gefantaseerd heb. Trouwens, Marie beschuldigde me er vroeger al van dat ik alles bij elkaar verzon. Dat ik gewoon niet in staat was om de waarheid te spreken. 'Het moet een gen zijn,' zei ze. 'Dat zullen ze vast een dezer dagen ontdekken. Het waarheidsgen. Nou, ik kan ze nu al vertellen dat jij het niet hebt.'

Maar wat ik in ieder geval niet verzin, is dat onze chauffeur een uur later moest stoppen voor een groep Berbers op kamelen, die pal voor onze neus de weg overstaken. Je kon het niet echt een autoweg noemen. Hij was nauwelijks breed genoeg voor één baan in beide richtingen en de randen waren brokkelig en lagen los. We hadden geluk dat er niet zoveel verkeer was. De Berbers stuurden hun kamelen de weg op in een kaarsrechte lijn, die een aantal graden afweek van de richting van de rijweg, alsof die weg helemaal niet bestond. Ze keken niet op of om, en negeerden ons in onze auto volkomen. Het leek erop dat of zij, of wij niet echt waren. De vrouwen hadden hun sluier teruggeslagen en staarden recht voor zich uit, naar hun eigen, vertrouwde werkelijkheid, dwars door de muntjes, kraaltjes en zilveren hangertjes heen die aan hun hoofdbedekking bungelden. Kaarsrecht en waardig troonden ze op hun rijdier. Superieur. Ze volgden de een of andere onzichtbare, eeuwenoude route die hun welbekend was en waarmee ze ogenschijnlijk verbonden waren door hun eigen lichaamsweefsel. Ze waren heel indrukwekkend en leken niet van deze wereld. Hun plotselinge verschijning daar in dat lege landschap maakte ons en onze auto op dat smalle strookje asfalt kwetsbaar en vergankelijk. Statig schreden ze voort. Terwijl de stoet kamelen ons passeerde, voelden wij ons lichtelijk beschaamd. Alles wat zij, de Berbers, nodig hadden was voor hen aanwezig in deze kale woestenij. De grijsgestreepte honden die naast de kamelen liepen, zagen er vervaarlijk uit en onze chauffeur waarschuwde ons: we konden maar beter niet uit de auto stappen om foto's te maken.

Dus ik wist iets over El Djem. Niet veel, maar ik was er tenminste geweest. Ik begreep eigenlijk zelf niet waarom ik voor John verzweeg dat ik ooit Sabiha's geboortestad had bezocht. Zelf was hij er nooit naartoe gegaan, dat had hij me verteld.

Ik had hem al drie weken niet gezien, wat ongebruikelijk was. Trouw ging ik iedere zaterdagochtend naar het zwembad en trok mijn twintig baantjes, en 's avonds hing ik vaak rond in de bibliotheek. Bij Sabiha in de patisserie liet ik een paar keer Johns naam vallen als ik daar onze broodjes en zoete pasteitjes kwam kopen. Maar zij liet me fijntjes voelen dat ik me met mijn eigen zaken moest bemoeien, zonder het met zoveel woorden te zeggen. Dus ik had het hart niet om haar rechtstreeks te vragen waar haar echtgenoot zich tegenwoordig schuilhield.

Ik had slecht geslapen. Geen nachtmerries, maar ik lag te woelen en te piekeren. Ik had overal jeuk en mijn benen waren rusteloos. Om de paar minuten draaide ik me om. Ten slotte knipte ik mijn bedlampje aan om op mijn horloge te kijken. Het was gewoon niet te geloven – het bleek pas twee uur in de nacht te zijn. Ik had al het water opgedronken dat naast mijn bed klaarstond voor mijn ochtendpillen. Pas tegen de ochtend viel ik in slaap en werd wakker toen de zon dwars door de jaloezieën mijn kamer binnenstroomde. Zonder John had ik niets omhanden en ik keek tegen alweer een lege, nieuwe dag aan. Ik stond op, ging naar mijn studeerkamer en bladerde mijn aantekeningen door. Ik had de verleiding niet kunnen weerstaan om het een en ander op te schrijven. Ik had best van alles aan Johns verhaal kunnen toevoegen, maar dit keer wilde ik het niet zelf verzinnen. Marie had weliswaar beweerd dat ik geen talent bezat om de waarheid te spreken, maar dat klopte niet helemaal. Ik heb er nooit echt van genoten om iets voor de vuist weg te verzinnen. Mijn verbeelding, of wat daar voor doorgaat, heeft dringend feiten nodig om zich mee te voeden. Ik zag wel mogelijkheden om de een of andere draai te geven aan het verhaal van John en Sabiha, maar ik hield me in. Ik wilde de waarheid van John horen. Ik wilde weten waarom Sabiha in stilte verdrietig was. Ik miste mijn regelmatige aflevering van hun vervolgverhaal en was geïrriteerd omdat John niet kwam opdagen bij een van onze trefpunten.

Ik ging in mijn kamerjas naar beneden. Ik voelde me humeurig en had zin om op iemand te vitten, dus ik maande mezelf tot kalmte. Clare zat, zoals gewoonlijk om deze tijd 's ochtends, aan de keukentafel koffie te drinken en de krant te lezen. Ze droeg een mooi donkerblauw kostuum dat ik nooit eerder had gezien en knabbelde aan één van Sabiha's pasteitjes. Ze leunde met haar bovenlichaam over de tafel zodat er geen kruimels in haar schoot zouden vallen.

Ik zei: 'Jij bent dus al buiten geweest?' Ze gaf geen antwoord, maar ging door met eten en de krant lezen. Ik schonk mezelf een kop koffie in, pakte een broodje en ging aan het andere uiteinde van de tafel zitten. Ik keek langs Clare heen door de keukendeur naar ons smalle strookje tuin. We hadden één boom, een zilverberk die Marie en ik ruim twintig jaar geleden hadden geplant. Ik zag dat hij onder de droogte begon te lijden. De uiteinden van de takken waren aan het afsterven. Marie had het jonge boompje rechtop gehouden terwijl ik de aarde eromheen aanstampte. Toen woonden we hier nog maar pas. Clare zat dat jaar in de hoogste klas van de middelbare school. Ik keek nu over de tafel heen naar mijn dochter. Ze prevelde af en toe iets onverstaanbaars van verbazing of afschuw, kennelijk als reactie op een artikel dat ze zat te lezen. Zonder op te kijken vroeg ze plotseling op kalme, zakelijke toon: 'Heb jij mama ooit bedrogen?'

Ik zei: 'Hoe kom je daar nu ineens bij?' Ik nam een slok koffie. 'Dat gaat jou toch niets aan.'

Ze legde de krant neer en likte de honing van haar vingers. Ze keek me recht aan. 'Dat klinkt mij als een ja in de oren, pa.'

'Nou, dat heb je dan mis. Ik heb je moeder nooit bedrogen.'

'Nooit? Zelfs niet één keertje? Zeker weten? Kom nou, papa. Je bent een man, en mannen gaan vreemd.'

Ik zei: 'Als dat zo is, dan doen ze dat doorgaans met vrouwen. Dus zijn er net zoveel vrouwen die vreemdgaan met mannen als andersom.'

Ze glimlachte samenzweerderig naar me, alsof ze me wilde

laten weten dat ik haar mijn geheime pleziertjes heus wel kon toevertrouwen. 'Papa...'

'Geen enkele keer,' zei ik ferm. Ik nam een hap van mijn broodje. 'Jij en ik worden nog moddervet, als het aan Sabiha ligt.'

Ze zei: 'Mama kon nogal een lastpost zijn.'

Ik was verbaasd om dat van Clare te horen. Ondanks hun felle ruzies gedurende haar puberteit, was de herinnering aan haar moeder Clare heilig. Ik had nooit iets van kritiek op Marie bij haar bespeurd.

'Je moeder was een sterke vrouw,' zei ik. 'Als ze iets wilde, wist ze hoe ze dat voor elkaar moest krijgen.'

'Ze kon jou soms enorm op je donder geven.'

Ik zei: 'En jou ook.' Ik dacht aan Marie, hoe ze ons soms ongenadig ervan langs gaf. 'Je moeder gaf iedereen wel eens op zijn donder.'

Marie was maatschappelijk werkster toen we trouwden. Ze was met veel van haar cliënten bevriend en voelde intens met ze mee. Dat dreef haar soms tot het randje van een zenuwinzinking. Ze geloofde niet in professioneel afstand bewaren. Ze vond het hele idee belachelijk, en wanneer iemand het ter sprake bracht reageerde ze geringschattend: 'Dat is alleen maar een manier om niets te hoeven voelen.' Jaren later zei ze totaal onverwacht haar baan op en begon ze te tekenen en te schilderen. Tot ieders verbazing hield ze vol en werd er geleidelijk goed in. Overal in huis hingen haar schaduwrijke deuropeningen met de vele grijstinten en haar favoriete afbeeldingen van verlaten straten. Later werden ze afgewisseld door de afschuwelijke naakttekeningen die Marie van zichzelf maakte toen ze ziek en stervende was. Toen ze geen vlees meer op haar botten had. Het waren houtskoolschetsen op papier van haar erbarmelijke, uitgeteerde lichaam, zoals de laatste zelfportretten van Giacometti. Dat was alles wat ze toen nog kon. En er zat waarachtigheid in die tekeningen; in de ogen. We hebben er een aantal ingelijst. Bovendien heb ik nog tientallen van haar laatste zelfportretten in een map op mijn bureau. Wanneer ik ze bekijk herinner ik me direct weer hoe moedig Marie was, en haar wil om door te gaan tot het einde. Niet alsof er helemaal geen einde zou komen, maar alsof ieder moment kostbaar was, omdat er steeds iets ontsluierd werd. Iets wat er toe deed. Daar was ik van onder de indruk. Ik betwijfel het of ik dat op zal kunnen brengen. Marie bleef haar kunst trouw tot het allerlaatste moment van haar leven. Er lagen een schetsblok en wat gebroken stukken houtskool naast haar bed op de middag dat ze stierf.

Ze was alleen geïnteresseerd in de waarheid zoals zij die zag. Daar deed ze niet hoogdravend over. 'Het is alleen maar mijn realiteit,' zei ze altijd. 'Daar hoeft niemand zich verder druk om te maken.' Dat was nog iets waar ze de spot mee dreef: het idee dat er zoiets zou bestaan als een universele waarheid. Ze signeerde nooit iets wat ze had gemaakt. Een bevriende kunstenaar die veel succes had met zijn werk, maakte daar eens een opmerking over. Hij zei tegen me: 'Marie is echt heel goed, maar ze zit met het vrouwenprobleem.' Ik nam aan dat hij bedoelde dat Marie te bescheiden was en zichzelf tekortdeed. Maar dat was niet zo. Het leek alleen zo vanaf de buitenkant. Marie wilde geen carrière maken met haar kunstwerken. Haar kunst was een strikt vertrouwelijke dialoog met zichzelf, om geestelijk gezond te blijven. Zij en ik wisten dat. Ik respecteerde het en drong er nooit op aan dat ze haar werk tentoonstelde. Ik heb boven kastlades vol schetsen van haar en we hebben in ons huis minstens honderd olieverfschilderijen, gouaches, houtskoolschetsen en inkttekeningen

aan de muren hangen. Ze doen me stuk voor stuk denken aan
een kort poëziefragment, onderdeel van een lange reeks met elkaar verbonden gedichten. Welke kunstenaar heeft iets dergelijks
gedaan, vraag ik me af? Een Chinese dichter, misschien.

Marie was een heel gedreven, gevoelige vrouw. Een bijzondere
persoonlijkheid. En vroeger was ze ook een uitzonderlijk mooie
vrouw geweest. Toen ik haar leerde kennen had ze een horde
minnaars, de een na de ander. We maakten er zelfs grapjes over.
We waren toen alleen maar bevriend. Die eerste periode dat wij
elkaar kenden, viel elke man die ze ontmoette als een blok voor
haar. En toen was dat opeens afgelopen. Ze was nog even mooi
en innemend, maar het leek alsof ze genoeg had van seks, of van
al die mannen, of van zichzelf. Uiteindelijk bleef ze bij mij.

Marie en ik hebben in het begin niets met elkaar gehad waar
de vonken vanaf vlogen, maar we konden het altijd uitstekend
met elkaar vinden. Langzamerhand begon het ons te dagen dat
we heel goed bij elkaar pasten. We stonden niet in één klap in
vuur en vlam, maar het gevoel tussen ons groeide. Toen werden
we uiteindelijk echt verliefd en dat bleef zo. Tot het allerlaatst. En
dat was het beste stuk. Ik was de enige die haar schoonheid nog
kon zien toen het einde nabij was. Maries prachtige, zachtaardige
grijze ogen bleven onveranderd. Haar vlijmscherpe humor, haar
behoefte om eerlijk en recht door zee te zijn en haar idealen, dat
alles raakte ze niet kwijt. Er zijn dagen dat ik haar ontzettend mis.
Als ze me nu kon zien, zou ze mijn zogenaamde pensionering
flink op de hak nemen. Ze zou er woest over worden. Ik kan haar
zo boven aan de trap horen schreeuwen: 'Wat een gelul! Schrijvers
gaan niet met pensioen!' Misschien heeft ze gelijk. Wie weet? We
zullen wel zien.

Ik keek op naar Clare. Haar ogen en haar handen zijn precies die van haar moeder. 'Waarom wilde je dat eigenlijk weten?' vroeg ik. 'Heb jij soms iets met een getrouwde man?'

Clare zei: 'Jezus, papa. Wat ben jij een vuile rotzak.'

'Aha. Dus ik heb gelijk?'

Ze vouwde de krant op en liep naar me toe, bukte zich en kuste me op de wang. 'Je bent echt een rotzak, papa,' zei ze vol genegenheid, draaide zich om en liep de deur uit.

'Tot vanavond,' riep ze over haar schouder.

'Tot vanavond, schat,' riep ik terug.

Maar was het nu een zakenbespreking of een zakenman waar ze dat kostuum voor droeg?

Wat later liep ik de straat door en stapte even binnen bij het Paradiso. En daar zat John, in zijn eentje achter in het café. Hij las een boek. Ik was blij om hem te zien, maar ik twijfelde een beetje of dat wederzijds was. Ging hij mij soms uit de weg? Ik zei hallo en hij keek op. Toen glimlachte hij, groette me en deed zijn boek dicht.

'John, hoe gaat het ermee?' zei ik.

Hij antwoordde: 'Mijn vader is overleden. Ik heb een paar weken vrij genomen. Ik ben in Moruya geweest bij mam en Kathy.' Hij gebaarde naar een lege stoel. 'Je hoeft niet te blijven staan, hoor.' Hij lachte even. 'Ik heb me niet voor jou verstopt, hier achterin. Maar ik ben gestopt met roken, dus hoeven we niet meer buiten te zitten.'

Ik trok de stoel naar achteren en ging zitten. 'Wat erg voor je, van je vader,' zei ik.

'Het zat eraan te komen.'

'Ik weet hoeveel je van hem hield.' Verder kwam ik niet. Ik stond met mijn mond vol tanden, zoals wel vaker gebeurt als je van een vriend hoort dat hij een groot verlies heeft geleden. Een vriend? Ja, inderdaad, ik denk dat John een vriend begon te worden. Hij deed luchtig over de dood van zijn vader, maar ik voelde dat hij er diep door was geraakt. Toen mijn eigen vader overleed, was ik van Johns leeftijd. Ik was in tranen toen ik het telefoontje had gekregen en het verbaasde me dat ik zo verdrietig was. Een week later had ik hem alles wat ik hem ooit kwalijk had genomen vergeven. Wat een opluchting. Het was een verrassend, bijkomend voordeel. Binnen een maand was mijn brein al druk in de weer om de herinnering aan mijn vader aan te passen aan mijn eigen versie van ons beider verhaal. Toen hij eenmaal dood was, werd mijn vader een vriendelijker mens voor mij. Ik voelde me vrijer om van hem te houden dan toen hij nog leefde. Toen hij zich nog geroepen leek te voelen om zich met mij te meten en mij mijn succes niet gunde.

De serveerster kwam bij ons staan en ik bestelde een kleine koffie verkeerd.

Toen ze weg was, zaten John en ik ruim een minuut stilzwijgend bij elkaar. Het was druk in het café, er klonk luid gekletter van aardewerk en overal waren levendige gesprekken in volle gang. De meeste gasten waren jong. Vaak lijk ik wel de enige bejaarde in dit soort gelegenheden. Ik strekte mijn hand uit naar Johns boek en draaide het naar me toe om de titel te lezen. Het was een oude Penguin-uitgave van de *Ilias* van Homerus, in de vertaling van E.V. Rieu, die welbekend was bij mijn generatie. Ik had het veertig jaar geleden gelezen – of was het nog langer geleden? Er staken gele Post-its met notities uit het boek.

John zei: 'Ik behandel het met mijn leerlingen.' Hij gaf het boek een zetje. 'Maar niet de complete tekst. Gedeeltes. Ze zijn gek op het bloedvergieten.'

De serveerster bracht mijn koffie en ik bedankte haar. Ik liet een klontje suiker in mijn kopje vallen en roerde even. 'Ik heb onze bijeenkomsten gemist,' zei ik.

Hij knikte.

'Hoef je vandaag geen les te geven?'

'Het is studiekeuzedag.'

Er viel weer een stilte. Niet echt een ongemakkelijke stilte, maar ik begon wel te beseffen hoe weinig ik eigenlijk van hem wist, ondanks zijn vertrouwelijke onthullingen. Ik had het gevoel dat ik zijn vrouw beter kende dan hem. John had me al die intieme details toevertrouwd over zijn huwelijksleven, maar ondertussen had hij weinig van zichzelf blootgegeven. Zo zou ik op dat moment dat we achter in Café Paradiso zaten, niet hebben kunnen raden wat hij dacht. Zat hij met zijn hoofd bij zijn lessen over de *Ilias* van Homerus? Of dacht hij aan zijn overleden vader? Hij had zichzelf niet bepaald de hoofdrol toebedeeld in zijn eigen verhaal. In veel opzichten was hij er goed in geslaagd om zichzelf op de achtergrond te houden. Ik sloeg hem gade terwijl hij onderuitgezakt in zijn stoel zat. Met zijn linkerhand frutselde hij aan het boek, en ik had echt geen flauw vermoeden wat hij zou gaan zeggen. Misschien probeerde hij gewoon niet te denken aan een sigaret.

Ik zei: 'Je was gebleven bij je belofte aan Sabiha, dat je haar nooit meer zou vragen om mee te gaan naar Australië. Dat was voor mij wel een cliffhanger, hoor.'

Hij glimlachte, knikte en zweeg.

Ik dacht aan die dag, lang geleden, toen hij in hun slaapkamertje in Chez Dom zijn belofte aan Sabiha had gedaan. Hij zou niet meer proberen haar over te halen mee te gaan naar Australië, tot haar vader haar kind had gezien. En nu, al die jaren later, zat hij met mij achter in het Paradiso in Melbourne, Australië. Ik zei: 'Heb je je belofte gehouden?'

Langzaam hief hij zijn gezicht naar me op, alsof hij een in-
schatting maakte van iets wat mijlenver verwijderd was van het
onderwerp dat ik probeerde aan te snijden. Toen keek hij me
rechtstreeks aan. Hij zei: 'Houria is overleden, weet je.'

Er ging een schok door me heen. Die plotselinge leegte, en het
ongeloof dat de dood kan veroorzaken als er iemand zomaar ver-
dwijnt van wie het leven nog niet af is.

'Ze is me door dik en dun blijven steunen.'

Ik vroeg me af wat *door dik en dun* kon betekenen.

Zijn ogen bleven op de mijne gericht, maar keken ook bij me
naar binnen, en verder. Hij keek door me heen in zijn eigen verleden en werd opnieuw geconfronteerd met de dood van die fantastische, sterke vrouw Houria Pakos. Het zag er niet naar uit dat
ik niet de kans zou krijgen om haar te rouwen. Ze was blijkbaar
al lang geleden gestorven. Houria's onverwachte einde was een
grote klap voor mij. Ik had er nu echt naar uitgekeken om haar
te leren kennen. Dus daar had John aan zitten denken. Aan de
dood; die van zijn vader en die van Houria. Het ene overlijden
had herinneringen opgeroepen aan het andere. Ik had zelf ook
nogal wat doden te betreuren, als ik me daarmee bezig wilde
houden. Ja, een heleboel: gestorven vrienden, intimi en familie.
Mijn eigen geesten. Zo gemakkelijk om van te houden, nu ze
dood zijn. Ik heb tegenwoordig meer dode dan levende vrienden.

'Het duurde even, ik denk een maand of zo, voor we beseften
dat het café zonder Houria niet echt Chez Dom meer was. Die
connectie met Dom Pakos en hun begintijd in het café was voorgoed verdwenen. Niet lang nadat we Houria hadden begraven,
begon Sabiha op zaterdagavond haar oude volksliederen voor de
mannen te zingen. Ze zei dat ze hun iets mee wilde geven wat
herinnerde aan hun eigen thuis, hun vrouwen en kinderen. Maar

ik wist dat ze in zekere zin voor Houria zong. Ze zong vanwege de verbroken band met de zus van haar vader, die ook een verleden had in El Djem. De dood van Houria betekende het einde van meer dan een leven. Zo gaan die dingen. Houria voelde weinig voor de oude muziek van haar volk toen ze nog leefde. Maar toen ze dood was, leek het op de een of andere manier alsof ze in staat zou zijn het uiteindelijk toch te waarderen.' Hij keek me aan. 'Al Houria's vooroordelen toen ze nog leefde, over het oude Tunesië en haar vroegere landgenoten, leken ons opeens van tijdelijke aard. Ze gelden niet voor eeuwig,' zei hij. 'Als je begrijpt wat ik bedoel.'

Ik dacht dat ik daar wel enig idee van had, en dat zei ik hem ook.

'De dingen veranderden voor Sabiha en mij toen Houria overleden was. Het was niet alleen haar dood. Vaugirard veranderde ook. Zelfs de geuren in ons leven veranderden. Het leek wel of het allemaal tegelijk gebeurde. De abattoirs gingen dicht, en ze begonnen met de aanleg van een park waar de slachthuizen hadden gestaan. Een jaar of twee later ging de tweedehandsboekenmarkt daar van start. Nu en dan kwamen er toeristen bij ons binnenvallen, die ons buurtje ontdekt hadden. Niets was meer hetzelfde na Houria's dood. Opeens was zij weg en wij moesten door. We zaten daar muurvast, zo voelde het. Dus gingen we door. Misschien hadden we dat niet moeten doen. Misschien hadden we het toen voor gezien moeten houden en naar huis moeten gaan, naar Australië. Maar we hielden het café drijvend. Het was ons enige inkomen. En ja, ik had een belofte gedaan, en daar heb ik me aan gehouden. Sabiha werd niet zwanger en wij bleven stilstaan, terwijl de jaren voorbijgleden. Misschien was het mijn schuld. We praatten er niet meer over, samen. We lieten geen

vruchtbaarheidsonderzoeken meer doen. We waren helemaal gestopt met praten over kinderen krijgen. Ik dacht dat ik tot het
einde van mijn leven aan Chez Dom geketend was. Ik werd waarschijnlijk een beetje depressief en begon meer te drinken. En ik
las te veel. Ik vluchtte in mijn boekenwereld. Dat doe ik nog
steeds.' Hij lachte. 'Toen ik op een avond een paar slaapmutsjes
ophad en naast Sabiha in bed stapte, zei ze dat ze de dranklucht
die om me heen hing afstotelijk vond. Ik schrok me wild, echt
waar. We stonden allebei onder grote druk. Ik had een hekel aan
mezelf omdat ik te veel dronk, maar ik was boos op haar omdat
ze dat tegen me zei. Ik was gekwetst.' Hij keek me aan om te zien
of ik luisterde. Zwijgend zat hij een tijdje naar me te kijken, met
een verontschuldigende glimlach in zijn ogen. 'Ik had toen geen
begrip voor Sabiha. Ik had eerlijk gezegd geen idee wat haar bezighield. Maar dat was toen,' zei hij. 'Zo ben ik nu niet meer.'

'Nee,' zei ik. 'Natuurlijk niet.'

'De volgende dag heb ik iets ontzettend doms tegen haar gezegd. Iets wat haar diep heeft gekwetst. En die ene stomme opmerking lijkt de rest van ons leven te hebben bepaald.' Hij keek
me onderzoekend aan. 'Begrijp je wat ik bedoel? Is jou dat ooit
overkomen? Iets dergelijks?'

'Wat heb je tegen haar gezegd?' vroeg ik.

Kennelijk maakte mijn vraag hem onrustig, en hij was een tijdje stil. Toen haalde hij diep adem. 'Ik denk dat we allebei in een
soort crisis waren geraakt, zonder het te beseffen. Ik had het gevoel dat ik nooit meer thuis zou komen, in Australië. Ik nam haar
kwalijk dat ze zo stug volhield dat ze haar kind aan haar vader
wilde laten zien, voor wij samen stappen konden zetten. Ik heb
dat ene... ding... niet gezegd om haar terug te pakken. Ik wilde
haar geen pijn doen. Maar onderhuids waren we allebei enorm

opgefokt. We praatten niet meer over wat voor ons belangrijk was. Alles was ondergronds gegaan en bleef onuitgesproken. Dat zagen we toen niet in, natuurlijk. Het leek gewoon alsof de dagen zich aaneenregen. Maar als ik nu terugkijk, zie ik precies wat er toen met ons is gebeurd. We hielden nog steeds van elkaar. Dat is nooit veranderd. We bleven lief en teder voor elkaar. We wilden elkaar nog steeds gelukkig maken.'

Plotseling stopte hij met praten en keek neer op zijn handen, zijn vingers gespreid op de tafel voor hem, zijn handpalmen naar beneden. Het waren jeugdige handen. Sterk en welgevormd en zonder één knobbeltje of vlekje. De handen van een jongere man. Hij zat er aandachtig naar te kijken, alsof hij trots was op zijn handen. Ik drong niet verder aan, voor het geval dat hij het voorlopig welletjes vond en genoeg gepraat had. Ik mocht dan een betrekkelijke vreemde zijn voor John, maar iets opbiechten is tenslotte niet altijd de makkelijkste manier om vrijgesproken te worden. Door wie dan ook.

Hij zei: 'Het was gewoon zoiets wat je er uitflapt zonder na te denken.' Hij keek naar me op. 'Soms haal je één klein steentje weg en voor je het weet krijg je een gigantische lawine over je heen.'

Drie

O p een dinsdag, kort nadat de laatste lunchklant het café verlaten had, kwam Sabiha uit de keuken het eetzaaltje in met
een warme maaltijd voor John en haar op een dienblad. Tot dus-
ver was er niets wat deze dinsdag onderscheidde van welke andere
dinsdag dan ook in hun leven. Sabiha liep ruggelings door het
kralengordijn en stond even stil om de slierten van haar schouders te laten glijden. Vervolgens draaide ze zich om en liep het
café door naar de tafel bij het raam, waar John een boek zat te
lezen. Sabiha wachtte even tot John zijn boek opzij had gelegd en
zette toen zijn middageten op tafel voor hem neer.

John trok zijn stoel dichter naar de tafel toe. Hij keek naar haar
op. 'Dank je lieverd,' zei hij. 'Het ruikt heerlijk.'

Ze ging tegenover hem zitten, met haar eigen bord voor haar.
Ze hadden gegrild lamsvlees met groenten, die dag. Ze tastten
toe, namen af en toe een slok rode wijn en pakten een stuk brood
uit de schaal die midden op tafel stond. De verrukkelijke geur
van een subtiele kruidencombinatie steeg van hun bord op.

Onder Houria's bezielende leiding had Sabiha zich al een hele tijd geleden de kruidenkunst eigen gemaakt. Ze zaten aan hun gebruikelijke tafel bij het raam, zodat zij en John een beetje afleiding hadden door het voorbijgaande verkeer en de voetgangers in de smalle Rue des Esclaves gade te slaan.

Het was een heerlijk warme herfstdag. Buiten op straat was het druk en lawaaierig op dit tijdstip van de dag. Aan de overkant stond de oude Arnoul Fort van de zon te genieten in de deuropening van zijn winkel, zoals hij zo vaak deed. Hij rookte een sigaret en keek naar het komen en gaan van de mensen. In hun jeugd hadden Arnoul en zijn vrouw Monique iedereen in deze buurt met naam en toenaam gekend. Maar nu kende de oude man nauwelijks nog iemand die zich langs zijn winkeldeur haastte. Indertijd had Houria Sabiha naar Arnoul gestuurd om een bijpassende kleur garen te zoeken waarmee ze het leren elleboogstuk op Johns jas kon repareren. Sabiha had haar verstelwerk perfect willen hebben. Hoewel John het oude bruine jasje inmiddels al jaren niet meer droeg, had hij het niet weggegooid. Het hing nog steeds aan de zijkant van de klerenkast boven in hun slaapkamer. De slaapkamer die ooit van Dom en Houria was geweest, en toen van Houria alleen.

De afgelopen drie jaar kwam Bruno Fiorentino iedere dinsdag een doos van zijn zelfgekweekte kastomaten afleveren bij Chez Dom. Nadat hij de tomaten had gebracht, bleef Bruno lunchen en John stond erop dat de maaltijd op rekening van het huis was. Op dinsdag was Bruno steevast de laatste klant die het café verliet. Vandaag waren John en Sabiha zoals gewoonlijk net aan hun eigen maaltijd begonnen, toen Bruno langs het raam kwam rijden in zijn bestelbus. Hij hamerde flink op de claxon en zwaaide enthousiast naar hen.

Terwijl Bruno's vertrouwde groen met oranje wagen luid toeterend het café voorbijschoot, keek John op van zijn bord en gebaarde met zijn vork naar het raam. 'Wist je dat Bruno elf kinderen heeft?' zei hij.

Zelfs op het moment dat hij het zei, begreep John absoluut niet waarom hij de impuls niet kon weerstaan om dit te vertellen. Hoe kon hij zo tactloos zijn? Geschrokken strekte hij zijn hand over de tafel uit en legde die op Sabiha's hand. Hij verontschuldigde zich in de verwachting dat hij tranen zou zien opwellen in haar prachtige bruine ogen.

Maar in plaats van te huilen trok Sabiha haar hand weg en lachte. Het was beslist geen vrolijk geluid, meer een soort kreet van wanhoop en woede dan een echte lach.

John deinsde terug en staarde haar vol verbazing aan.

Zijn timing had niet slechter kunnen zijn. Afgelopen juni had Sabiha haar zevenendertigste verjaardag gevierd. Sindsdien worstelde ze ermee dat ze een vrouw was die de veertig naderde. Het was nu eind september; nog drie maanden en er was alweer een jaar voorbij. De vorige week vrijdag, toen ze op de markt was, merkte ze opeens dat ze stokstijf stilstond. Vol ongeloof mompelde ze voor zich uit: *Ben ik dit echt?* Plotseling had ze zich gevoeld alsof ze gevangenzat in het lichaam van een oudere vrouw. Diep vanbinnen, waar het er echt toe deed, wist Sabiha dat ze nog steeds dezelfde jonge vrouw was die al die jaren geleden verliefd was geworden op John. Maar terwijl ze daar die vrijdagochtend bewegingloos op de markt stond, overspoelde haar een golf van paniek. Ze zag zichzelf – die piepjonge vrouw dus – woest en ontembaar tussen de kraampjes door hollen, mensen omverduwen en stapels kisten met appels en kool laten omkantelen en... En wat dan nog? Er was niets wat ze kon doen. Helemaal niets.

Haar paniekaanval duurde maar kort, maar de vraag bleef in haar hoofd rondspoken: waar waren al die jaren gebleven? Ze voelde zich al langer opgejaagd door de snelheid waarmee de tijd voorbijvloog. Ze liep tegen de veertig. Nog een paar jaar en de omineuze periode zou aanbreken die niet voor niets bekendstaat als *de overgang*. En dan? Dat zou het definitieve einde betekenen van haar hoop op het moederschap. Elke keer als ze dacht aan die nacht dat zij en John voor het eerst de liefde bedreven, kreeg ze tranen in haar ogen. Sindsdien had ze geleerd om constant met twijfel te leven.

Toen ze kinderloos bleef en daar geen oorzaak voor werd gevonden, was Sabiha zich geleidelijk gaan voelen alsof er een muur van onverschilligheid om haar werd opgetrokken, die haar wreed afsneed van haar levensdoel. Ze vroeg zich vaak af of ze gestraft werd voor een misdaad die ze niet had begaan. De onrechtvaardigheid van haar kinderloosheid knaagde aan haar, dag in dag uit. Wat had ze verkeerd gedaan? Ze had toch zeker een onberispelijk leven geleid? Uiteindelijk waren zij en John gestopt met praten over kinderen. Het was te pijnlijk. Maar hoewel ze er nooit meer over sprak, was Sabiha nog even vastbesloten om haar kleine meisje ter wereld te brengen als vroeger. Ze had de hoop nooit opgegeven. Ze wist zeker dat ze op een dag haar dochtertje in haar armen zou houden. Het kind dat ze in haar buik had voelen opspringen, die zomerdag toen ze in Johns armen lag op de oever van de rivier de Eure in Chartres. Dat was het enige kind dat voor haar telde. Haar dochtertje, van wie ze droomde.

Toen John haar vroeg of ze wist dat Bruno elf kinderen had, zat Sabiha net te denken aan haar paniektoestand van vrijdag. Met het beeld van de jonge vrouw die wegrende voor de ouder wordende vrouw nog levendig voor ogen, legde ze haar bestek neer en keek hem ongelovig aan. Toen hij haar hand streelde en zei: 'Sorry lieverd, dat was echt een heel domme opmerking van me,' had ze hem het liefst haar bord eten in zijn gezicht gegooid.

Ze trok haar hand weg, en in plaats van hem te slaan, begon ze te lachen. Het was de lach van tientallen jaren frustratie, onrecht en woede. Toen greep ze naar haar bekerglas wijn.

'Ja!' zei ze luid, 'hij heeft haar een kind gegeven voor ieder jaar van hun huwelijk!' En ze lachte weer. Dezelfde harde, schorre lach die helemaal niet bij haar paste, maar bij een andere, veel kwaadaardiger vrouw dan zij. Ze dronk haar glas in één keer leeg en zette het neer op tafel. Ze zat even stil, met haar vingers om het lege glas geklemd, alsof het een granaat was die ze overwoog door het raam te smijten, of naar John z'n hoofd. Toen keek ze hem aan en glimlachte.

'Sorry,' herhaalde hij. Die eigenaardige glimlach op haar gezicht verontrustte hem.

Ze zei: 'Bruno heeft perféct gescoord, John!' Het scheen hem toe dat Sabiha die woorden met een boosaardige nadruk uitsprak. Dat paste helemaal niet bij haar, en hij was dan ook sprakeloos. Misschien lag het werkelijk aan hem. Waarschijnlijk zouden ze het nooit weten. Sabiha keek hem afwachtend aan. 'Nou?' zei ze. 'Heb ik gelijk of niet?'

'Bruno en Angela zijn al heel wat langer getrouwd dan wij, lieverd,' zei John. Hij probeerde het te laten klinken alsof alles normaal was tussen hen. 'Elf is echt niet één kind voor elk jaar van hun huwelijk, hoor. Het zijn een heleboel kinderen, maar het is geen perfecte score.'

'Wat kun jij toch betweterig doen,' zei ze, alsof ze alleen van die gedachte al moe werd.

Het had hem verbijsterd dat ze zo afschuwelijk naar hem lachte. Die lach maakte dat hij zich eenzaam voelde.

'Elf! Vijftien! Twintig!' zei Sabiha met stemverheffing, alsof ze zo zou kunnen gaan gillen, in tranen uitbarsten of hem in zijn gezicht slaan als hij nog één woord zei. Haar geduld was op. 'Wat maakt het in godsnaam uit? Bruno scóórt pérféct, John! Geef het nou maar toe!'

Ze pakte de wijnkan en vulde haar glas opnieuw met rode wijn. Ze zette het glas aan haar lippen, nam één lange teug en plaatste het vervolgens overdreven voorzichtig terug op tafel. Nu stonden haar ogen wel vol tranen. Er was een haarspeld losgeraakt en Sabiha's haren waren over haar gezicht gevallen. Met één hand gooide ze de slierten ongeduldig naar achteren.

John zou haar het liefst in zijn armen nemen en tegen haar zeggen: *Hoe dan ook, en wanneer dan ook, lieve schat, zul jij je kind hebben. Dat zweer ik je op mijn leven. Op alles wat ik ben en wat ik heb. Ik beloof je dat je je kind krijgt.* Maar natuurlijk kon hij haar zoiets helemaal niet beloven.

'Je hebt gelijk,' zei hij deemoedig. 'Ja, je hebt gelijk.' Ongelukkig staarde hij naar het eten op zijn bord, niet in staat om zijn blik op te slaan en haar in de ogen te kijken. Hij voelde zich schuldig, verkeerd begrepen, ellendig en eenzaam. Hij wist niets te zeggen. Behoedzaam sneed hij een stukje lamsvlees af. Hij prikte het aan zijn vork, bracht de vork naar zijn mond, hapte, en kauwde op het vlees. Sabiha zat nog steeds naar hem te kijken. Zijn mond was droog en hij realiseerde zich dat hij dat stuk vlees nooit door zijn keel zou kunnen krijgen. Hij kauwde maar door, en keek uit het raam naar de straat. De middagzon werd weerspiegeld in het raam van de buurtsupermarkt van de Kavi-broers op de hoek en heel even veranderde het gebouw, dat schuin aan de overkant stond, in een gouden tempel. Sabiha had hem nog nooit eerder John genoemd. Ook niet in het prille begin. Hij was altijd haar liefste geweest, of schat, of mijn liefje, of mijn Hercules. Mijn held. Zelfs mijn lieve Aussie. Nooit John. En nu had hij ondanks alles het gevoel dat ze hem tekortdeed.

Hij greep naar zijn glas en spoelde het walgelijke, uitgekauwde ding in zijn mond weg met een grote slok wijn. Hij voelde de taaie brok door zijn keel glijden en moest aan zijn oude hond Stip denken. Hoe die een stuk rauw vlees opslokte, en aan het schrokgeluid als het door haar keel ging. De wijn voelde hard, koud en zuur tegen zijn verhemelte. Zijn gebruikelijke wijnleverancier was blijkbaar niet bang hem als klant te verliezen. John had al een tijdje door dat de wijn slechter werd, maar hij deed er liever niet moeilijk over. Hij wist hoe de mensen hier hem noemden: de kalme Australiër. En dat was hij ook. Hij was er trots op dat hij gemakkelijk in de omgang was. Hij vond het fijn om aardig gevonden te worden. Maar nu besloot hij om deze half verzuurde troep niet langer voor lief te nemen. Hij zou diezelfde middag nog bij de wijnhandelaar langsgaan en een hartig woordje met hem wisselen.

Toen John niets meer zei, liet Sabiha een zacht, geërgerd lachje horen, pakte haar mes en vork op en ging verder met eten.

De minuten kropen voorbij, en de stilte tussen hen werd alleen onderbroken door het getik en geschraap van het bestek op hun borden. Achter hen strekte de lunchroom zich uit, met alle lege tafels en stoelen. Hun tafel stond vlak bij de deur met de verschoten groene, houten deurpost, die John zo'n tien jaar geleden voor het laatst geschilderd had. Dat was toen Houria nog leefde.

De telefoon begon te rinkelen.

Sabiha legde haar mes en vork neer en stond op van tafel. Ze liep om de bar heen en pakte de hoorn van de haak. 'Hallo,' zei ze. 'Met Sabiha.'

Het was haar vader. Ze herkende zijn stem nauwelijks, zo uit-geholt en verflauwd was de vroegere zelfverzekerde, mannelijke klank. Hij zei: 'Het is wat je al dacht, lieve kind. Ik heb kanker.' Hij lachte. Het was een hese, berustende lach, die in zijn borst bleef hangen.

Sabiha begreep uit de geamuseerde lach van haar vader dat hij de kanker met dankbaarheid verwelkomde. Het was de bood-schapper die hem eindelijk zou verlossen van de zware last van zijn leven. Zo te horen vond hij het niet zo'n storend idee dat hij binnenkort zou sterven. Ze werd bevangen door een golf van ver-driet en woede.

Hij zei haar dat hij van haar hield en dat hij hoopte dat ze hem gauw kon komen opzoeken. Hij voegde eraan toe: 'Maar alleen als jij en John het niet te druk hebben.' Ze antwoordde: 'Natuurlijk kom ik naar je toe. En dan blijf ik een tijdje bij je.' Ze zei niet: *om samen het einde af te wachten.* Maar ze begrepen allebei dat ze dat wel bedoelde. Er viel een stilte. Ze hoorde een motor ronken op de achtergrond en vroeg: 'Is dat de bus naar Tunis?'

'Ja,' zei hij. 'De bus rijdt hier net weg.'

Ze zag voor zich hoe de oude groen met gele bus vertrok van de halte voor het postkantoor, de uitlaat die zwarte rook uit-braakte en haar eigen gezicht tegen het raampje gedrukt toen ze haar geboortestad verliet om naar Parijs te gaan. Ze had gezwaaid naar haar moeder, haar zus en haar lieve vader, tot ze uit het ge-zicht verdwenen waren. Ze kon de uitlaatgassen bijna ruiken, in de zwoele hitte van een herfstochtend thuis in El Djem.

'Ben je in je eentje naar het postkantoor gelopen?'

Dat was inderdaad het geval, vertelde hij.

'En hoe gaat het met Zahira?'

Hij zei: 'Zahira is prima in orde en ze zorgt heel goed voor me. Maar het zal moeilijk voor haar worden om hier alleen te blijven als ik er niet meer ben.'

Nadat ze het gesprek beëindigd hadden, liep Sabiha terug naar de tafel en ging zitten. Ze at niet verder maar keek uit over de zonnige straat. Het lamsvlees, de gebakken aubergine en de pittige, gevulde tomaten op haar bord waren koud geworden. Ze stelde zich voor hoe haar vader na het telefoongesprek terugkeerde over de stoffige weg naar hun oude huis in El Djem. In haar verbeelding zag ze hem morrelen aan de grendel van het ijzeren hek, zoals hij altijd had staan tobben met dat onhandige ding. Toen hij het hek open had, zag ze hem het kleine binnenplaatsje oversteken naar het huis, en ze voelde met haar eigen lichaam iedere wankele stap die hij zette. Ze zag hoe hij het hoofd boog en zijn hand uitstak om zijn evenwicht te bewaren terwijl hij onder de laagste takken van de granaatappelboom door liep, waar zijn kippen 's nachts op stok gingen, naast zijn moestuintje. Voordat hij de deur bereikte, ging die al open. Zahira stond op hem te wachten in het koele huis. Sabiha zag hoe haar vader in zijn stoel ging zitten en het glas muntthee aanpakte dat Zahira hem gaf. Sabiha dacht aan haar vaders koosnaampje voor haar: Het Lastpak, en het was ineens alsof die benaming haar diepste wezen exact weergaf. Wat was hij blij geweest dat juist zij met een buitenlander was getrouwd, aan de armoede van El Djem was ontsnapt en in Parijs woonde. Hij was altijd voor haar opgekomen. Hij was trots op haar, en hij was haar grote held. Het was bijna vijf jaar geleden dat hij haar de laatste keer had opgebeld, om te vertellen dat haar moeder plotseling overleden was. Wat waren die vijf jaren snel voorbijgegaan.

Ze rechtte haar rug, keek naar buiten en overzag de straat waar Bruno, de man van de superscore, daarnet langs was gekomen. Het drong tot haar door hoe broos en kortstondig iemands leven in feite was. Het inzicht kwam zo plotseling dat haar adem stokte, zodat John een snelle blik op haar wierp. Haar eigen vader, die er altijd geweest was, zou er binnenkort niet meer zijn. Het 'altijd' uit haar jeugd bestond niet meer.

Ze wendde zich tot John. Ze had Arabisch gesproken met haar vader. 'Dat was mijn vader,' zei ze. Haar stem klonk tegelijkertijd boos en bedroefd. 'Het is hem eindelijk gelukt om longkanker te krijgen.'

'Wat erg,' zei hij. 'Kunnen ze nog iets voor hem doen?'

Ze stond op en verzamelde hun borden en bestek.

'Gaat het wel, schat?' vroeg hij.

Even stond ze op John neer te kijken. Ze wilde zeggen: Natuurlijk gaat het niet! Wat denk je? Alles waar jij nu mee bezig bent, is teruggaan naar Australië zodra mijn vader dood is. Dat weet ik best. Zijn dood zal een opluchting voor jou betekenen. Nou, ik laat me niet ontmoedigen. Ik geef het niet op. Ik zal mijn dochter in mijn vaders armen leggen, voor hij overlijdt. Je zult het zien!

'Ze hebben aangeboden hem te opereren,' zei ze, 'om zijn ene long weg te halen, en dan chemotherapie. Maar hij wil geen behandeling. Hij gaat op zijn eigen voorwaarden. Zo is mijn vader. En gelijk heeft hij.'

Ze ging naar de keuken en begon de stapel vuile borden, pannen en bestek af te wassen van de warme lunch van de mannen. Ze zou haar vader zeggen dat hij op haar moest wachten. Hij was een dappere man. Hij zou de moed vinden om te wachten.

Onder de afwas zong Sabiha een lied. Het lied ging over de

droom van een vrouw. Haar grootmoeder had het vaak gezongen toen Sabiha en haar zus nog kinderen waren. In de droom trekt een vrouw op een nacht alleen de woestijn in, en doodt een leeuw. De leeuw vormt al jaren een bedreiging voor de dorpskinderen, maar het is de mannen nooit gelukt hem onschadelijk te maken. En vandaag, terwijl ze zingend serviesgoed in het afdruiprek zette, werd de betekenis van dit oeroude lied Sabiha opeens duidelijk. Het was afgelopen met wachten. Ze zou erop uit moeten gaan om haar leeuw te vellen. Niemand anders zou het voor haar doen, en als ze niets deed, zou het binnenkort te laat zijn. Ze zou in de overgang raken en dat betekende het einde voor de kinderen.

Nog even en Zahira zou alleen zijn in hun oude huis, waar ze samen als kind gelukkig waren geweest. Ze zou niemand anders hebben om voor te zorgen dan zichzelf. Zahira zou haar best doen om de last van de eenzaamheid met opgeheven hoofd te dragen. Maar hoe zou je een dergelijke leeuw te lijf moeten gaan? Het leek Sabiha een onmogelijke opgaaf. Zahira was een oude vrijster geworden, haar kans was al jarenlang verkeken. Wat voor keus had haar zus anders dan zich waardig aan haar lot te onderwerpen?

Denkend aan haar zus en aan haar vader, stond Sabiha te huilen bij de gootsteen. Maar er stroomde nieuw vertrouwen door haar heen toen ze besefte dat haar grootmoeders lied over die dappere, strijdbare vrouw precies op het juiste ogenblik in haar was opgekomen. Ze was zomaar begonnen met zingen, zonder erbij na te denken. De woorden van het lied kwamen bovendrijven alsof ze gezongen wilden worden. Wat hadden zij en haar zus als kinderen weinig begrepen van de liedtekst. Toch werden ze meegesleept door het beeld van die vrouw die alleen de woestijn in ging. Ze zagen het voor zich, hoe de sterren fonkelden boven haar hoofd terwijl de oude, valse leeuw haar vanuit zijn hol verveeld en onverschillig in de gaten hield, met ogen die zowat dichtvielen van de slaap. Hij had geen flauw idee dat deze vrouw kwam om hem te doden. Wat was dat een sterk lied. Het was een geweldig lied. Ze had het altijd prachtig gevonden. Ze was dankbaar dat haar grootmoeder het had gekend, en daarvoor haar grootmoeders moeder, die door de generaties heen een verbinding vormde met lang vervlogen tijden. De periode toen de vrouwen van haar volk nog allemaal met hun stammen en families samenleefden. Daar, op een ver punt in het verleden, lag de oorsprong van het lied. De poëzie ervan was ingegeven door de oude goden. Dit lied was tot stand gekomen op de voedingsbodem van haar verleden. Een lied van haar herkomst. Maar nu, op het moment dat ze het nodig had, gaf het haar kracht.

*D*e volgende morgen stond Sabiha al vroeg aan het werkblad in de keuken om een hele partij flinterdunne plakjes filodeeg te maken. Het was weer zo'n mooie dag. Een bundel zonlicht viel door de open deur op de oude tegelvloer en ze kon de warmte van deze dag bijna ruiken. Ze paste twee even grote, aparte hoopjes meel af op het marmeren blad, van verschillende meelsoorten. Ze stond op het punt de twee bergjes met elkaar te mengen, toen als een huiveringwekkend spook de overtuiging in haar oprees dat alle hoop op een kind voor haar verloren was. Het kwam als een donderslag bij heldere hemel, die absolute zekerheid dat haar kind niets anders was dan haar eigen dwaze wensdroom. Haar hart gaf een zware dreun, alsof het daarna voor altijd stil zou blijven staan. Toen begon het razendsnel te kloppen en leek het gestage ritme van voorheen voorgoed verdwenen. Met gesloten ogen en open mond klampte ze zich vast aan de rand van het koude marmeren blad, terwijl haar hart tekeerging in haar borst. 'O god, help me!' fluisterde ze. De tegelvloer golfde onder haar voeten.

John kwam uit het steegje de keuken in lopen met een zak uien op zijn schouder. Hij stond stil en keek geschrokken naar Sabiha. Ze stond wijdbeens bij de rand van het werkblad, met haar maag tegen het marmer gedrukt, haar hoofd achterover en haar ogen gesloten. Haar adem kwam in korte stoten tussen haar geopende lippen door. Bij iedere ademtocht bracht ze een laag gekreun of een onverstaanbaar woord uit.

John liet de zak uien op de grond vallen en liep snel naar haar toe. 'Meisje, wat is er aan de hand?'

Ze duwde zijn hand weg, stapte achteruit van het werkblad, en bracht haar met meel bedekte vingers naar haar keel. 'Het gaat alweer,' zei ze. 'Het is alweer over!' Het lukte haar zelfs om een vreemd giechellachje uit te stoten. 'Ik stond een sesambroodje te eten en ik heb me verslikt.' Ze schraapte overdreven haar keel. Het heftige trillen en beven van haar lichaam werd minder. Ja, het ging weer beter. Bovendien had John hier niets mee te maken. Het was niets wereldschokkends. Het voelde alleen als een harde klap in haar gezicht, toen de twijfel ineens toesloeg. Maar nu was ze klaarwakker. Natuurlijk zou zij haar kind krijgen! Natuurlijk. 'Ik dacht even dat ik zou stikken.'

John stond zwijgend naar haar te kijken. Hij geloofde haar niet. Haar ogen stonden vreemd. Ze keek met een soort wilde, primitieve blik in het rond alsof ze ergens buitensporig opgewonden over was. 'Wat is er gebeurd? Wat heb je gedaan?'

'Ik heb niets gedaan. Ik zei toch al dat ik een broodje stond te eten.' Ze klonk afwerend en keek hem met grote ogen aan, alsof ze hem uitdaagde om haar niet te geloven. 'Ik at te snel. Dat is alles. Maak er toch geen drukte over.' Ze masseerde haar keel en haar vingers gaven wit meel af op haar donkere huid. Ze voelde onweerstaanbare lachkriebels. 'Ik ben echt helemaal in orde.'

Toen hield ze het niet meer en begon te lachen, een wilde proest-
lach die grensde aan hysterie. Ze had zichzelf niet in de hand,
overstelpt als ze was door alle nieuwe, heftige emoties die in haar
opborrelden. Toen glimlachte ze. Ze kon het niet helpen. *De dingen zijn veranderd. Er waait een andere wind.* Die gedachte was zo
opwindend. Ze had dat afschuwelijke moment van twijfel over-
wonnen, maar er was wel iets geknapt in haar. Een laatste weerstand. Ze stond niet langer meer stil. De jaren van lankmoedige,
stille wanhoop, het afwachten, de martelende onzekerheid; dat
alles was voorbij. Het ging door haar heen dat John misschien
achter moest blijven. Dat zij hem in zekere zin misschien al achtergelaten had. Ze keek toe hoe hij naar de gootsteen liep en een
glas water vulde. Ze had medelijden met hem. Hij reikte haar het
glas aan en stond erbij te kijken terwijl ze het gehoorzaam leeg-
dronk, alsof hij haar vader of moeder was. Ze gaf hem het lege
glas terug en hij pakte het aan en zette het op het werkblad naast
de twee hoopjes meel. Hij stond vlak bij haar. Zijn blik gleed
langs haar hele lichaam en bleef hangen ter hoogte van haar borsten, die zich aftekenden onder haar witte blouse. Ze legde haar
hand op haar borst.

'Wat gebeurt hier?' vroeg hij. 'Wat is er met je?'

'Niets. Ik weet het niet.' Ze kon haar lachen niet inhouden.
'Sorry hoor,' zei ze proestend.

Hij wilde haar op de mond kussen, maar ze draaide zich van
hem af. Opeens had hij zin om met haar te vrijen. Hij zocht haar
blik. 'Laten we naar bed gaan,' zei hij. Hij probeerde haar hand
te pakken. 'Kom op!'

Ze rukte zich los. 'Nee, hou op zeg!' Ze duwde zich af tegen
zijn borst en maakte witte handafdrukken op zijn blauwe overhemd. 'Ik moet deeg maken.'

'Dat deeg kan wel wachten!' Hij nam haar in zijn armen.

Ze bevrijdde zich uit zijn greep. Ze was sterk en vastbesloten. 'Blijf van me af, John!' Met intense wroeging en spijt dacht ze ineens aan hun eerste tijd samen, toen ze erom zaten te springen om seks met elkaar te hebben. Dan renden ze midden op de dag lachend en opgewonden de trap op zodra Houria even de deur uit was en rolden hartstochtelijk vrijend over elkaar heen in het felle zonlicht dat op hun bed viel. 'Laat me los, John! Ik moet echt dat filodeeg maken.' Ze zag hoe afgewezen hij zich voelde, doordat ze 'John' tegen hem had gezegd.

Boos en verward stapte hij achteruit.

'Het spijt me,' zei ze. Maar het speet haar niet. Ze was opgelucht.

Hij keerde haar de rug toe.

Ze keek hoe hij de zware bestceklade naar de lunchroom droeg. Het had haar pijn gedaan om zijn ogen te zien, zo gekwetst en onzeker. Ze wist dat hij de trouwste echtgenoot was op wie een vrouw kon hopen. Ze wist ook dat hij zijn loopbaan en zijn dromen had opgeofferd om met haar te kunnen trouwen en gezamenlijk het eetcafé te blijven runnen, al die jaren. Ze hield van hem en ze verafschuwde de gedachte hem pijn te moeten doen. Ze hoorde het gekletter van de messen en vorken in het eetzaaltje waar hij de tafels dekte voor de lunch en ze dacht er even aan haar schort af te doen, naar hem toe te lopen en hem te vragen mee naar bed te gaan. Ze stond een ogenblik te luisteren, draaide zich toen om naar het werkblad en ging verder met het deeg.

Al het lijden en de hoop van vrouwen door de eeuwen heen waren vergaard in de teksten van de oude liederen. Iedereen zou haar voor gek verklaren omdat ze geloofde in het bestaan van haar kind, behalve haar grootmoeder en de stille Berber-vrouwen in hun tentenkampen. Ze begon zacht te zingen. Die liederen waren de kostbare nalatenschap van haar grootmoeder aan haar. John en de caféklanten genoten altijd van haar melancholieke zang op de zaterdagavonden. Maar ook al waren ze soms tot tranen geroerd door hun eigen weemoed, zij zouden haar liederen nooit echt begrijpen. Ze stond aan het werkblad en kneedde het filodeeg. Ze maakte er een grote bal van en streelde het zachte, zijdeachtige pasteideeg met haar vingers. De glanzende bal deeg zou het kale, gezichtloze hoofd van een man kunnen zijn. Een onvoltooide man die nog ogen en een stem moest krijgen. Ze bleef zachtjes doorzingen terwijl ze het deeg in neteldoek wikkelde en het op de koude leisteen in de provisiekast legde.

Zou het ritme van haar hart voorgoed veranderd zijn? Dat vroeg ze zich af, terwijl ze een ogenblik in de donkere provisiekast stond te kijken.

Er had zich een resoluut besluit in haar gevormd, een besluit om te handelen. Het leek alsof de beslissing uit de schaduw naar voren was gekomen en vaste vorm aan had genomen. Als een boot die ongemerkt een haven binnenvaart met een geheime lading. Het was eigenlijk heel eenvoudig. Ze wist al precies wat ze moest doen. Ze zou niet langer wachten op haar kind maar het zelf gaan halen.

Ze sloot de deur van de provisiekast en draaide zich om naar de koelkast om er een lamsbout uit te halen. Ze wikkelde het papier van het schouderstuk, legde het op een plank en sleep het lemmet van het korte uitbeenmesje aan het wetstaal. Ze keek neer op het blauwachtige en rode vlees van het geslachte lam, op de dunne peesjes en vliezen, het voortreffelijke binnenste van het vlees. Er zouden nog veel meer emoties loskomen, waar ze nu nog niet eens van kon dromen. Ze voelde de goedkeuring van haar grootmoeder. Ze wist dat ze haar zegen had, heel zeker. Het was de kracht van haar grootmoeder die haar zo vastberaden maakte. Zonder haar grootmoeder was ze nooit in staat geweest om dit besluit te nemen. Ze zou er de moed niet voor hebben gehad, laat staan de fantasie om een plan te bedenken.

Ze schoof het wetstaal naar de zijkant van het werkblad en greep met haar sterke vingers de ronding van het schouderstuk beet. Ze liet het smalle mesje langs het vlees glijden en scheidde het spierweefsel van het witte bot, dat glansde in alle kleuren van de regenboog. Nooit eerder was dit bot aan het daglicht blootgesteld. Ze verbaasde zich over het volmaakte, verborgen werk van de natuur. Dat beenderen zo hard konden zijn, zo onwrikbaar en naadloos aanwezig tussen het zachte, meegaande lamsvlees. Waarom was deze geheime wereld van gebeente zo ontzagwekkend en zo prachtig? Waarom bracht een kijkje in die wereld haar vandaag zo van haar stuk, en vervulde haar met verbazing over de vreemdheid van haar eigen leven? Ze fileerde het vlees, hakte het in stukken, en legde de botten vervolgens in de bouillonketel. Ze voegde er water en kruiden bij om er soep van te trekken.

•

John legde de messen en vorken neer, vier paar op sommige tafels en op andere twee paar. De mannen hadden allemaal hun vaste plaats. Er glipte een mes uit zijn vingers. Het kletterde neer op de plankenvloer. Hij vloekte en stond neer te kijken op het gevallen mes. Wat was er met haar aan de hand? Hij haalde diep adem, bukte zich en raapte het mes op. Hij woog het mes in zijn hand en voelde een plotselinge hevige aandrang om het zware ding door het raam te smijten, het glas in scherven te zien vallen op de straatstenen en de voorbijgangers vol schrik terug te zien deinzen. Hij ademde even op het lemmet en wreef het op met de punt van zijn zwarte schort. Voorzichtig legde hij het mes op tafel.

Hij baande zich een weg door het kleine café, liep van tafel naar tafel en dekte ze zorgvuldig voor hun klanten. Daar liep André langs het raam. Hij kwam terug van het uitlaten van Tolstoj nummer vier – of was het nummer vijf? André zelf scheen het ook niet meer te weten. André tikte ter begroeting met zijn ring tegen het vensterglas en zwaaide even.

John had Sabiha nog nooit eerder in zo'n bui meegemaakt. 'John!' zei hij vol afschuw, en hij voelde een steek van wanhoop. Volgend jaar juni zou Sabiha achtendertig worden. Als er ooit nog een kind kwam, dan moest dat in de komende paar jaar gebeuren. Ze praatten er niet meer over. Ze werd er altijd zo radeloos van, dat leek het domweg niet waard. Maar misschien moesten ze het er toch over hebben. Misschien moest hij erop aandringen. Sabiha voelde zich ongetwijfeld dodelijk alleen met haar angstbeeld dat ze haar kleine meisje nooit zou krijgen. Maar hoe kon hij dat onderwerp nu aansnijden, in deze sfeer? Kon hij die stupide opmerking maar terugnemen die hij gisteren tijdens de lunch had gemaakt. Daar zou hij met liefde een jaar van zijn leven voor overhebben. Toch was het niet alleen dat. Het was alles. Het bouwde zich al jaren tussen hen op. En nu waren ze op een punt in hun leven beland dat ze beslissingen niet langer konden omzeilen. De oude mensen werden steeds ouder en gingen dood. Nu waren zij opeens aan de beurt, dat gevoel. De verandering drong zich aan hen op, ook al bleven zij zelf halsstarrig stilstaan. De oude dromen verloren hun glans, of losten zomaar in het niets op. Al die dingen, daar ging het om.

Hij was klaar met tafels dekken en liep naar de bar om zichzelf een glas cognac in te schenken. Hij sloeg de drank in één teug achterover, sloot zijn ogen en schonk zichzelf nog een keer in. Hij stak een sigaret op, nam er een trekje van en dronk zijn tweede cognac. Toen stond hij een tijdje naar de telefoon aan de muur naast de bar te kijken, met het lege glas in zijn hand. Hij blies een sliert rook tussen zijn lippen door. Haar vader die stervende was. De overgang die er onvermijdelijk aankwam als een ondier dat haar bedreigde vanuit haar eigen lichaam. En dan het ontstellende idee dat ze misschien nooit moeder zou zijn. Dat kon allemaal wel eens te veel voor haar worden. Hij drukte zichzelf op het hart om niet egoïstisch te zijn, zo min mogelijk aan zichzelf te denken en alles op alles te zetten om haar te steunen. Zonder Sabiha was zijn leven überhaupt niet de moeite waard.

Hij drukte zijn sigaret uit in de asbak op de bar en spoelde zijn glas om onder het kleine fonteintje. Hij pakte een theedoek en droogde het glas af. Misschien was het te laat om nog naar huis terug te gaan. Misschien had hij het er te lang bij laten zitten. Die mogelijkheid was nooit eerder bij hem opgekomen. Hij was een jonge man van zevenentwintig toen hij voor het eerst door die deur naar binnen kwam. December aanstaande zou hij tweeënveertig worden, een man van middelbare leeftijd. Nog een paar jaar, dan was hij vijftig. Zijn toekomst was geen bodemloze grabbelton meer, vol verrassende, romantische mogelijkheden. Zijn toekomst was nu. Dit was het geworden. Hij had niets bereikt. De wereld en zijn eigen generatie was doorgegaan zonder hem. Hij had zijn oude vriendschappen niet onderhouden. Zelfs zijn zus Kathy had hij al jaren niet meer geschreven. Behalve dat hij zijn vader en moeder vrij regelmatig een brief stuurde, had hij zijn banden met Australië totaal verwaarloosd. En zijn vader en moeder leefden in het verleden. Dat was alles waar zijn moeder het nog over had sinds ze waren verhuisd naar hun aanleunwoning in Moruya. Over vroeger: haar gouden tijd met zijn vader en de opgroeiende kinderen op de boerderij.

John hing de theedoek aan het haakje en keek op zijn horloge. Hij zou eigenlijk op weg moeten naar zijn wijnleverancier om die man op de vingers te tikken. Maar hij bleef staan waar hij stond, met zijn ene hand leunend op het versleten oppervlak van de bar. Hij keek door de open voordeur naar het vertrouwde schouwspel op straat. Hij zou deze plek missen. Chez Dom en de bewoners van de Rue des Esclaves. Hij had hier vrienden gemaakt: André, de oude Arnoul en ook Bruno, op een bepaalde manier. En Nejib met zijn gevoelige udmuziek, die op de zaterdagavonden Sabiha's zang begeleidde. Plus een of twee van de andere mannen die hier kwamen eten. Nee, het waren geen van allen zijn zielsverwanten, dat niet. Het betrof geen diepgaande, troostrijke vriendschappen met gelijkgestemden. Er zat niemand tussen die zo verzot was op lezen als hij. En toch zou hij deze mensen missen. Hij zou zijn eigen plek hier missen.

Hij had er zo lang van gedroomd om terug te gaan naar huis dat hij geen helder beeld meer had van de realiteit van een dergelijke stap. Het telefoontje van Sabiha's vader gisteren had hem zijn droom om terug te keren op een presenteerblaadje voorgehouden. Maar wilde hij eigenlijk nog wel terug? Hij keek naar buiten naar de straat, terwijl de geuren uit de keuken zijn neus binnendrongen. Hij zag de zon schijnen op Arnouls verbleekte rollen stof. De Kavi-broers in hun buurtsuper op de hoek. Wilde hij dit echt achterlaten en opnieuw beginnen in een Australië dat hij niet meer kende, en waar niemand hem nog kende? Hij wist niet wat hij wilde. De ramen waren groezelig, dat kon hij in ieder geval wel zien. In plaats van naar de wijnhandel te gaan, zou hij de ramen lappen. Als het aankwam op bakkeleien met een Fransman, dan was hij nu eenmaal in het nadeel. Eén groot pluspunt van teruggaan naar Australië was dat hij zijn moedertaal weer dagelijks zou kunnen spreken. Hoe ver was hij afgedreven van alles wat hem vroeger eigen was? Dat was de vraag. Maar zijn taal was een belangrijke dimensie van zijn leven. Die miste hij hier en zou hij altijd blijven missen, zolang hij in Frankrijk bleef. Sabiha's Engels was in de kinderschoenen blijven steken, ondanks zijn pogingen om het haar door de jaren heen te leren. Dus hoe zou het voor haar zijn in Australië?

Hij ging door de achterdeur naar buiten, pakte een emmer en een paar lappen en begon de ramen schoon te maken. Misschien zouden ze hier simpelweg blijven, en geen spectaculaire verandering in hun leven proberen te bewerkstelligen. Gewoon doorgaan tot ze gingen lijken op André en Simone en de oude Arnoul en Monique Fort, die leefden bij de dag en alles namen zoals het kwam. Doorgaan tot het niet meer nodig was om na te denken over veranderingen. Tot er geen toekomst meer was om je zorgen over te maken.

*D*e volgende dinsdag om vijf minuten over twaalf kwam Bruno Fiorentino door de achterdeur de keuken van Chez Dom binnen. Hij hield een kist groen-rode en rijpe Grosse Lisse-vleestomaten van eigen teelt tegen zijn buik gedrukt. Hij stapte de drempel over, stond stil en zette zijn vracht op de grond. Vervolgens richtte hij zich op, nam zijn pet af, veegde met de rug van zijn hand langs zijn voorhoofd en bleef neer staan kijken op zijn tomaten. Hij was trots op ze. Ze waren topkwaliteit en lagen perfect gesorteerd te glimmen in hun kist. Hij keek op naar Sabiha. Ze was druk bezig bij het fornuis en stond met haar rug naar hem toe. Toen ze zich niet uit zichzelf omdraaide, schraapte hij zijn keel en zei: 'Goedemorgen, Madame Patterner.' Hij was altijd uiterst beleefd als hij Johns vrouw aansprak. 'De stoofpot ruikt weer heerlijk vandaag.'

Dat was zo ongeveer dezelfde tekst die Bruno altijd uitsprak bij zijn binnenkomst in de keuken van het eetcafé. En op de vroege vrijdagochtenden, als Sabiha stilstond bij zijn marktkraam om hem te begroeten – wat ze altijd deed – was hij even formeel en maakte gewoonlijk een opmerking over het weer. Dat het vast en zeker lekker warm zou worden. Of, als het regende, dat het tegen lunchtijd beslist droog zou zijn. Op haar beurt vroeg Sabiha hem dan plichtmatig naar de gezondheid van Bruno's vrouw Angela, waarop hij haar verzekerde dat zijn vrouw in uitstekende gezondheid verkeerde. Deze uitwisseling van informatie, of de een of andere variant erop, vormde al drie jaar lang de complete gespreksstof tussen Bruno en Sabiha.

Zo'n drie jaar geleden was Bruno op een dag bij het café langsgekomen, leurend met zijn kastomaten. Hij was die dag samen geweest met een opvallend knappe tienerjongen, eigenlijk al zowat een jonge man. Trots had Bruno de jongen aan John voorgesteld als zijn oudste zoon. Bruno de tweede, alsof vader en zoon het geslacht moesten voorzetten van een oude, aristocratische familie. Van tijd tot tijd stonden ze samen op de markt, maar op de dinsdagen kwam Bruno de oudere altijd alleen naar het café.

Deze dinsdag was Sabiha's antwoord op Bruno's gebruikelijke begroeting een beetje anders... een beetje onverwachts. Ze draaide zich om van het fornuis en nam hem een ogenblik onderzoekend op voordat ze zei: 'Goedemorgen Bruno.' Ze leek hem kritisch te bestuderen, bijna alsof ze hem wilde gaan ondervragen. 'De harira is binnen twee minuten klaar. Je tomaten zien er weer prima uit.' Voordat ze zich omdraaide naar haar dampende pannen bleef ze net iets langer naar hem kijken dan normaal.

Bruno vroeg zich af of er soms iets mis was met zijn kleding en stiekem controleerde hij of alles goed zat. Hij was ongeveer een meter vijfenzeventig lang en halverwege de veertig. Een stevig gebouwde plattelander met levendige blauwe ogen, een licht afgeplatte neus en de gespierde armen en schouders van een worstelaar. In zijn jonge jaren had hij gebokst als halfzwaargewicht. Hij had de rustige zelfverzekerdheid over zich van al dit soort mannen die in hun jeugd hun fysieke kracht en moed met hun leeftijdgenoten hadden gemeten.

Terwijl hij langs Sabiha door de keuken naar het eetcafé liep, trof haar een vleug pittige tomatengeur. 'Jij brengt iedere dinsdag de groeizame lucht van het platteland met je mee naar de stad, Bruno,' zei ze. Ze draaide zich weer naar hem toe, keek hem recht in zijn vriendelijke blauwe ogen en glimlachte.

Met zijn ene hand al opgeheven om het kralengordijn opzij te duwen, bleef Bruno even stilstaan en wierp haar een bedachtzame, serieuze blik toe. Hij had niet direct een antwoord klaar op deze ongewone opmerking. Er viel een stilte tussen hen die ongemakkelijk had kunnen worden als hij niet had gezegd: 'Dank u,' en door was gelopen naar het eetcafé, terwijl hij de ritselende kralenslierten van het gordijn achter zich liet neervallen.

De mannen keken allemaal op van hun maaltijd toen Bruno met veel gekletter door het kralengordijn naar binnen kwam. Ach ja, het was dinsdag. De grote Italiaan was er weer. Ze haalden hun schouders op en zetten hun gesprekken voort. Maar hun stemmen klonken net iets gedempter dan voordat Bruno de ruimte binnenstapte. De sfeer was net iets minder knus en relaxed. Ze waren niet direct gelukkig met zijn aanwezigheid, maar hij was een gast van John, dus tolereerden ze hem.

Bruno bleef bij zijn gewone tafel staan. Hij leunde met zijn hand op de leuning van een stoel, en nam de ruimte in ogenschouw, inclusief degenen die er zaten. Er speelde een flauwe glimlach rond zijn lippen en zijn manier van doen was ietwat arrogant, alsof hij een herenboer was die een volle koeienstal inspecteerde. Hij trok de stoel naar achteren en ging zitten. Het was een strategische plaats, van waaraf hij de hele lunchroom kon overzien. Bruno wist dat geen van de mannen om hem heen ooit was uitgenodigd achter het gordijn.

John kwam achter de bar vandaan en begroette Bruno. Hij zette een halveliterkan rode wijn en een mandje versgesneden brood op de tafel voor hem neer.

'En, hoe staat het met de prijs van de tomaten? Nog even hoog als vorige week?' vroeg hij. 'Ben je nog steeds dik tevreden?'

Bruno brak een stuk brood af, stopte het in zijn mond en kauwde erop. Hij keek John niet aan terwijl hij zat te kauwen maar liet zijn blik rusten op de man aan de dichtstbijzijnde tafel. De man keek onverstoorbaar terug. 'De prijs is iets gezakt, deze week,' zei Bruno en lachte. 'Dat komt door die klere-Italianen. Ieder najaar verpesten ze de markt.'

De lange man die aan de tafel naast hem zat was Nejib, de udspeler die Sabiha op de zaterdagavonden begeleidde. Nejib zei: 'Het zijn je eigen landgenoten, dus waarom zou je over ze klagen?'

Nejibs tafelgenoot zat ook naar Bruno te kijken en luisterde vol aandacht naar het gesprek. Hij hief zijn hand op en frunnikte aan zijn snor. Wie goed keek, zag een uitzinnig vonkje dansen in de ogen van deze man. Ze waren vaak samen, die twee: Nejib en de stille man met de onberispelijk verzorgde snor.

Een paar andere klanten begonnen te lachen, keken naar Nejib en vervolgens naar Bruno.

John bleef naast Bruno's tafel staan.

Bruno greep het handvat van de wijnkan en schonk wijn in zijn glas. Hij hield zijn hoofd schuin en keek toe hoe de robijn-rode vloeistof uit de tuit stroomde. Op zijn gemak bewonderde hij het roze licht dat door de wijn heen scheen. Toen zijn beker-glas nagenoeg tot de rand gevuld was, zette hij het bruine kan-netje neer, schoof het opzij en pakte zijn glas. Hij bracht het naar zijn lippen en nipte eraan, alsof hij de kwaliteit beoordeelde.

'Je wijn wordt er niet beter op, John,' zei hij op spijtige toon. 'Ik kan je een goeie deal bezorgen met één van mijn landgenoten voor iets veel beters.' Hij glimlachte naar Nejib. 'Mijn landge-noten kweken namelijk niet alleen tomaten.' Hij hief zijn glas op naar het gezelschap aan de tafel naast hem en zei toen met zachte, ironische stem: 'Dat mag niet van de profeet, hè Nejib?'

John liet ze verder maar begaan met hun verholen schimp-scheuten en ging naar de keuken. Hij zei tegen Sabiha: 'Ik weet niet wat er speelt, maar een dezer dagen bedenken die twee een excuus om met Bruno op de vuist te gaan. Ik hoop alleen dat het niet hier gebeurt. Bruno kan maar beter zijn verstand gebruiken.'

In de lunchroom genoot Bruno met volle teugen van de wijn die hij zojuist had afgekeurd. Terwijl hij demonstratief zat te drinken, bleven zijn ogen gevestigd op de andere man. Uiteinde-lijk was het Nejib die als eerste zijn blik afwendde. Op dat mo-ment ontsnapte een geluid aan Bruno's keel. Het was niet echt een woord, eerder een tevreden, maar laatdunkend gegrom. Hij zette het glas op tafel, veegde zijn lippen af met zijn vingers en spreidde zijn servet uit op zijn schoot.

Hij keek op toen John zijn tafel naderde. Deze liet behendig drie diepe kommen dampende harira op zijn ene uitgestrekte arm balanceren. In zijn vrije hand droeg hij een vierde kom. John zette de kom met kikkererwten en lamsstoofpot voor Bruno neer, wenste hem smakelijk eten en ging verder naar de volgende tafel om Nejib en zijn stille metgezel te bedienen. Bruno boog zich over de kom en snoof de pittige geur van de stoofpot op, met toegeknepen oogleden van genot. Hij sloeg een kruis, nam een stuk brood in de ene en zijn vork in de andere hand en begon met zichtbaar genoegen aan zijn dinsdagmiddaglunch. Hij had net zo goed alleen aan zijn eigen keukentafel thuis kunnen zitten. Het leek alsof hij Nejib en zijn tafelgenoot niet eens zozeer negeerde als wel weggestuurd had, of compleet uit zijn gedachten gebannen.

Een uur later was Bruno de enig overgebleven gast in het café. Hij zat uit te buiken met zijn benen languit onder de tafel gestrekt en zijn laarzen over elkaar geslagen bij de enkels, terwijl hij afwisselend in zijn mond peuterde met een tandenstoker en aan een glas wijn nipte. Hij boerde. Hij zou zo kunnen doorgaan voor de beheerder van een of andere groot landgoed in vroeger dagen. De opzichter die zichzelf een poosje extra ontspanning gunt terwijl hij zijn ondergeschikten al heeft gesommeerd om aan het werk te gaan. Er was iets zelfgenoegzaams en zelfs iets van tijdloosheid aan Bruno Fiorentino's welgevormde gestalte, zoals hij daar helemaal alleen zat in het bescheiden eetzaaltje van Chez Dom. Afwezig staarde hij voor zich uit, zich louter bewust van zijn eigen dagdromen. Hij had een air van rust en innerlijk welbehagen over zich waar andere, minder zelfvoldane mannen hem wellicht om zouden benijden. Dat hijzelf misschien ook kwetsbaar was, kwam niet in Bruno op.

Hij schraapte zijn keel, legde de tandenstoker in de asbak, dronk zijn laatste restje wijn op en schoof zijn stoel achteruit. Hij wilde net opstaan van tafel toen Sabiha van achter het kralengordijn tevoorschijn kwam. Bruno hoorde de kralen ritselen en draaide zijn hoofd om. Het was ongebruikelijk om Sabiha buiten haar keuken te zien op deze tijd van de dag. Hij kon zich zowaar niet herinneren dat hij haar ooit de lunchroom in had zien komen, dus wat stond hem te wachten? Enigszins verbouwereerd liet hij zich weer op zijn stoel zakken.

Hoewel ze elkaar al drie jaar kenden, was Sabiha hem eigenlijk volkomen vreemd. Ze was een vrouw die je in stilte kon bewonderen. Ze boezemde hem ontzag in en hij had zich vaak afgevraagd hoe het voor John moest zijn om samen te leven met zo'n vrouw. Wat is een huwelijk, wat is het leven van een man, dacht Bruno bij zichzelf, zonder een gezin dat aan het einde van een werkdag op hem wacht? Zonder kinderen die zijn naam voortzetten als hij niet meer op deze wereld is? Bruno ging er niet van uit dat Sabiha hetzelfde was als andere vrouwen. Hij zag haar eerder als representant van een heel andere wereld, meer als fantasieobject voor mannen dan als ingetogen echtgenote en moeder. En ze was natuurlijk geen christen. Voor Bruno, de vrome katholiek, was Sabiha een vrouw apart. Ze was exotisch, indrukwekkend, betoverend mooi, uitermate geheimzinnig, en door de jaren heen aanleiding voor veel vage speculaties zijnerzijds.

Sabiha kwam naar zijn tafel toe en zette hem een klein, blauwwit bord voor. Op het bordje lagen twee heerlijk geurende in honing gedoopte briouats. Ze bleef even naast hem staan en wreef met haar heup heel licht langs zijn schouder. Zacht zei ze: 'Ik heb iets heel lekkers voor jou, Bruno.' Na deze verbazingwekkende mededeling draaide ze zich om en liep weg.

Bruno draaide zich met een ruk om op zijn stoel, gealarmeerd door haar woorden en door de warme druk van haar heup tegen zijn schouder. Hij voelde de warmte van haar aanraking doorgloeien tot in zijn wangen. Hij was blij dat hij alleen was in het eetcafé en dat Nejib en zijn duistere metgezel geen getuige waren van zijn verwarring. Hij keek toe hoe Sabiha het kralengordijn achter zich liet vallen. Hij bleef half omgedraaid op zijn stoel zitten, sloeg de bungelende kralenslierten gade en luisterde aandachtig hoe het getik van de kralen zachter werd. Toen was het weer stil. Hij verwachtte half dat ze weer naar buiten zou komen en hem uit zou lachen vanwege zijn ontsteltenis. Na een poosje draaide hij zich om naar de tafel en keek naar de zoete pasteitjes op het bordje voor hem.

Een onverhoeds heftige sensatie schoot door zijn onderlichaam. 'Ach!' riep hij uit, en snakte naar adem. Hij strekte zijn armen en schouders om de spanning in zijn lichaam te verminderen. Hij kon de pasteitjes ruiken, alsof hij Sabiha zelf rook. De laagjes van haar goudkleurig bladerdeeg waren rond de zoete amandelpasta met oranjebloesemwater gewikkeld en nog heet uit de oven in warme honing gedoopt. Daar lagen ze voor hem op tafel. Haar traktatie, speciaal voor hem. Hij keek om zich heen, maar niemand kon hem zien. Hij strekte zijn hand uit en nam voorzichtig een pasteitje tussen de vinger en duim van zijn rechterhand, terwijl haar zachte woorden door zijn hoofd tolden: *ik heb iets heel lekkers voor jou, Bruno.* Hij bracht het pasteitje naar zijn mond en beet erin. Het gebak was nog warm. Wie kon Sabiha's lekkernijen weerstaan! Hij sloot zijn ogen. Het smaakte goddelijk.

Bruno at beide pasteitjes op, met zijn ogen dicht genietend van iedere hap, en aldoor voelde hij de warme aanraking van Sabiha's heup waar ze tegen hem aan had geleund. Het hele gebied tussen zijn dijen stond onder een extreem aangename spanning, zoals hij dat niet meer had gehad sinds hij en Angela pas getrouwd waren. Hij kreunde even, heel kort. Wat overkwam hem? Hij likte de honing van zijn vingertoppen. Met een uitgestrekte vinger duwde hij voorzichtig het lege bordje van zich af over de tafel, zijn lippen opeengeklemd. Nu begon hij bang te worden...

Hij wist dat hij niets over dit voorval aan Angela zou vertellen wanneer ze vanavond samen bij de kachel zaten. Dit kon hij maar beter voor zich houden. En dat maakte dat hij zich schuldig voelde. Zou hij op zijn hoede lijken, vroeg hij zich af, alsof hij iets voor haar achterhield? Geen van beiden hielden ze ooit iets voor de ander geheim. Ze genoten er juist van om alle kleine, dagelijkse lotgevallen met elkaar te delen wanneer ze 's avonds bij elkaar zaten. Stel dat hij per ongeluk iets over de pasteitjes zou zeggen, later misschien, als hij het al half vergeten was? Die mogelijkheid baarde hem zorgen. Maar wat was hem nu in feite overkomen? Hoe moest hij dit alles rustig en onschuldig uitleggen, terwijl er niets uit te leggen viel? Waar hij mee zat, was niet dat hij iets gedaan had, maar dat Sabiha's aanraking, haar zachte stem en vertrouwelijke woorden hem hadden opgewonden. En dat zou Angela meteen doorhebben, zodra hij één kik gaf over het pasteitjesincident. Dat wist hij honderd procent zeker. Hij voelde bij voorbaat dat ze zijn verraad in een flits feilloos zou onderkennen. Hij werd al doodsbang bij het idee.

Hij stond op en veegde de plakkerige bladerdeegkruimels van zijn broek. Aarzelend bleef hij staan kijken naar het blauw-witte bordje, zocht met zijn tong tussen zijn kiezen naar restjes bladerdeeg en streek met zijn vingers over zijn lippen. Toen nam hij een besluit, boog zich over tafel om het bordje te pakken en liep ermee naar het kralengordijn. Hij duwde de slierten opzij en wierp een blik in de keuken. Zijn mond voelde opeens droog aan.

'Madame Patterner?' riep hij. Hij had geen idee wat hij zou gaan zeggen als zij de keuken in kwam en hem vroeg wat hij wilde.

Zijn kistje kastomaten stond nog steeds bij de open keukendeur. Tolstoj stond er vanuit de steeg naar te kijken, alsof hij ver-wachtte dat er een muis uit de kist zou springen. De hond keek naar hem op en liet een kort waarschuwend geblaf horen.

'Niets aan de hand, Tolstoj,' zei Bruno. Hij voelde zich bijna een dief. Tolstoj gromde laag en dreigend. Er was geen spoor van Sabiha of John. Op het fornuis stond een pan te dampen, de dek-sel klepperde. Bruno liet het kralengordijn vallen, liep de lunch-room weer in en zette het bordje terug op tafel. Hij duwde er met zijn vinger zacht tegenaan, alsof hij nog steeds overwoog er iets mee te doen, en het met tegenzin daar liet staan. Toen draaide hij zich om, ging naar de voordeur en stapte naar buiten.

Op de smalle stoep voor het café bleef Bruno even staan. Er was iets voorgevallen tussen hem en de vrouw van John Patter-ner. Hij wist niet precies wat het was. Maar hij wist wel zeker dat het niet niets was. Hij liep de hoek om waar zijn bestelwagen ge-parkeerd stond, deed de deur open en stapte in de cabine. Op klaarlichte dag zulke dingen denken die hij nu in zijn kop had, dat was waanzin. Hij deed een greep in het handschoenenvakje en haalde een blikje keelpastilles tevoorschijn. Keelpastilles met bramensmaak. Angela zorgde altijd dat hij een voorraadje bij zich had. Hij stopte een paarse pastille in zijn mond en zoog erop zodat de zoete bramensmaak zich door zijn mond verspreidde. Hij leunde op het stuur en keek het steegje in, terwijl hij hard op het snoepje bleef zuigen en zijn uiterste best deed om niet aan Sabiha's heup te denken. Maar de zachte aanmoediging in haar stem bleef in zijn hoofd rondzingen als een liedje. Hij kon het niet tot zwijgen brengen. Hij wilde het ook niet tot zwijgen bren-gen. Hij zoog nog harder, sloot zijn ogen en dacht aan haar heup tegen zijn schouder.

Hij deed zijn ogen open en slikte het laatste snippertje van de pastille door. Wat had hij gedaan, vroeg hij zich af, waardoor Johns vrouw zich zo had gedragen? Hij wist zeker dat hij nooit iets had gedaan of gezegd wat Sabiha kon hebben opgevat als onbetamelijk. Hij had haar nooit een of andere stiekeme wenk gegeven. Geen enkele. Het idee alleen al was schokkend. Stel dat het Angela ter ore kwam? Compleet ondenkbaar. Of was het allemaal zijn eigen verbeelding? Zijn eigen dommigheid? Had Sabiha er helemaal niets mee bedoeld? Had ze aan hem gedacht omdat hij daar alleen in het eetcafé zat en gewoon besloten om hem een extraatje te geven? Haar heup tegen zijn schouder... dat zou best een onschuldig ongelukje geweest kunnen zijn. Maar haar heup had niet zomaar zijn schouder geraakt! Nee, hij kon het nog steeds voelen; ze had haar heup tegen hem aan gewreven! Er was een druk geweest, een lichte, maar duidelijk voelbare druk. Ze had geweten wat ze deed. Het was geen ongelukje. Het was een hint geweest voor hem. Een sterke hint. Maar wat was de bedoeling, in hemelsnaam? Haar lichaamswarmte, die door het katoen van zijn overhemd drong, had hem in vuur en vlam gezet. 'Heilige Maria, Moeder Gods!' zei hij en sloeg een kruis. Hij tastte naar het contactsleuteltje en startte de motor. Hij reed de steeg uit en sloeg links af. Toen hij de voorkant van Chez Dom passeerde, trok hij snel zijn hoofd in en keek tersluiks naar binnen. John en Sabiha zaten niet aan hun gebruikelijke tafel. Het café was leeg. Hij vermeed dit keer de claxon en reed door. Boven het geronk van de motor riep hij boos uit: 'Zij drukte haar heup tegen mij aan!' Waarom had ze dat gedaan? Als het niet om jeweetwel te doen was?

Grimmig manoeuvreerde Bruno tussen het verkeer door. Maar ondanks zijn vastberadenheid en zijn angst betrapte hij zich erop dat hij zat te dromen van Sabiha's blote huid onder haar rok, op de plek waar ze zijn schouder had aangeraakt. Dit was absoluut krankzinnig, daar viel niet aan te twijfelen, en zijn hart sloeg op hol. Maar toen hij eenmaal begonnen was met fantaseren, kon hij de gedachte aan haar naaktheid en haar eventuele bedoelingen niet van zich afzetten. Hij parkeerde zijn bestelauto, stapte uit en liep om de wagen heen. Hij opende de deuren aan de achterkant, ging naar binnen en liep helemaal naar voren, waar hij een kist trostomaatjes en een kist vleestomaten tevoorschijn trok. Hij zette de vleestomaten boven op de trostomaten, tilde de kisten tegelijk op, en drukte ze tegen zijn sterke borstspieren. Hij stapte uit de bestelwagen en bleef voor de groentewinkel staan met de twee kisten tomaten in zijn armen. Opeens zag hij in hoe moeilijk het hem zou vallen om vanavond thuis gewoon de keuken in te lopen en Angela te kussen. Hij hoorde haar al zeggen: Hallo, lieve schat. Is jou vandaag nog iets interessants overkomen in de grote stad? Zou hij in staat zijn onbevangen te antwoorden: Nee, lieverd. Niets bijzonders. En hoe was het hier? Hebben de kinderen zich een beetje gedragen?

Voor de eerste keer in zijn hele huwelijksleven zou hij tegen Angela moeten liegen! Maar dat was nog niet alles. Later, als ze samen in bed zouden liggen en de kinderen sliepen, zou ze zich naar hem omdraaien, zijn hand pakken en vragen: wat is er, liefste man? Zeg het maar gewoon! Wat is er gebeurd vandaag? Wat zit je dwars? Want ze zou het weten. O ja, Angela zou meteen weten dat er iets gebeurd was. Ze zou het in zijn stem horen en in zijn ogen zien, in zijn hele manier van doen. Het was onmogelijk om iets voor Angela geheim te houden. Ze had altijd alles door. Het zweet brak hem uit.

Bruno's gedachten tuimelden wild door zijn hoofd, terwijl hij het trottoir overstak en door de open winkeldeur binnenstapte.

Hij groette de groenteboer met een stem die hij nauwelijks als de zijne herkende. De winkel stond stampvol klanten en het rook er sterk naar sinaasappelen. Hij vond een lege plek, zette de kisten tomaten neer en richtte zich weer op. Hij tilde zijn pet even omhoog en veegde met zijn mouw het zweet van zijn gezicht. Die vreemde blik die Sabiha hem had toegeworpen toen hij in het café aankwam deze ochtend. Haar ongebruikelijke opmerking. Zoals ze voor hem had gestaan en hem recht in de ogen keek, alsof ze hem iets wilde vragen. Nee, het was geen ongeluk. Het was niet alleen maar zijn eigen fantasie. Het was echt gebeurd!

Hij liep de groentewinkel uit de straat op en stond daar met zijn hand op de deurklink van zijn bestelwagen. Wat moest hij ervan denken? Hij wist wel wat hij voelde, wat zijn lichaam voelde. Allemachtig, die reactie was onmiskenbaar. Maar wat moest hij ervan denken? En wat moest hij nu beginnen? Hij rukte de deur van de bestelwagen open, sprong erin en sloeg de deur hard achter zich dicht. Vloekend startte hij de motor. Zat hij maar veilig thuis aan tafel bij Angela, met de kinderen die om zijn nek hingen, aan zijn armen trokken en allemaal door elkaar heen tegen hem schreeuwden.

Zoals de gewoonte was op vrijdagochtend gleed Sabiha even na vijven haar bed uit, muisstil om John niet wakker te maken. Ze deed haar ochtendjas aan over haar nachtpon. Het was nog donker buiten. Het enige licht dat als een gele gloed onder de randen van de gordijnen door naar binnen kroop, was afkomstig van de straatlantaarn op de hoek voor de buurtsupermarkt. Ze hield zichzelf met één hand vast aan het hoofdeinde van het bed terwijl ze met haar tenen rondtastte naar haar pantoffels. Ze liep naar de deur, daalde de trap af en ging naar buiten, het wc-hokje in. Zittend op de wc-pot, haar ellebogen op haar knieën en haar handen onder haar kin, staarde ze naar de binnenkant van de deur. Ze had alles goed uitgekiend. Nauwkeurig had ze de dagen van haar cyclus afgeteld, en deze vrijdag was dag veertien. Het was niet eens nodig om haar gewone wekelijkse routine te veranderen. Ze had de wc-deur op een kier laten staan. Ze kon een stukje de steeg inkijken, die stil en verlaten was zo vroeg in de morgen. Het was kil hierbuiten en ze

rilde. Ze had gedroomd dat haar baby om haar huilde. Het hart-
verscheurende gejammer van haar kindje dreunde door haar
hoofd als een oude, bekende ziekte. Ze was wakker geworden van
die droom en ze had gefluisterd: 'Stil maar, kleintje. Je zult nu
gauw in je mama's armen liggen.'

Automatisch begon ze koffie te zetten, alsof haar leven van alledag geen millimeter uit de pas liep; alsof hun wereld niet bezig
was in te storten. Ze warmde haar handen boven de gasvlam en
zette de melk op, in het koperen pannetje dat Houria altijd voor
deze gelegenheid gebruikte. Misschien deed Dom dat ook al,
vóór Houria. Toen de koffie klaar was, zat ze met haar ellebogen
op de keukentafel geleund, haar beide handen om de warme
beker geklemd. Ze staarde naar het fornuis zonder het te zien.
Wat ze zag, was een gedachte zonder vorm. Maar die vormeloos-
heid maakte haar juist bang. Het was de dreiging van het on-
overdachte, ondenkbare moment zelf, dat nu met genadeloze
snelheid op haar afkwam.

Ze nam een slokje koffie, zette de beker terug op tafel en brak
een stuk van een overgebleven sesambroodje van gisteren af. Ze
doopte het in de koffie en at het op. Ze dacht aan haar vader die
in zijn houten leunstoel zat, met de blauwe kussens in zijn rug.
Hij zat te wachten tot zijn lievelingsdochter thuis zou komen en
haar kind in zijn armen zou leggen. Dan kon hij met een gerust
hart sterven. En wanneer hij overleden was, zouden haar ooms
hem komen begraven. Haar vader was niet gelovig, maar zijn
broers zouden erop staan hem een religieuze begrafenis te geven. Sabiha's vader was altijd anders geweest dan de rest van zijn
familie. Vol trots herinnerde ze zich hoe hij ooit een stel soldaten
tegen had weten te houden. Ze hadden zonder bevelschrift het
huis van hun buren willen plunderen, onder het mom dat ze op

zoek waren naar wapens. Die dag stond hij als enige, ongewapende burger midden tussen de militairen en had hun gevloek en hun vuurwapens genegeerd. Hij had de dood onbevreesd in de ogen gezien. Zo was hij. Ze vertrouwde erop dat hij zijn ziekte net zo dapper het hoofd zou bieden. Dat hij de kanker rustig zou vragen te wachten tot hij zijn kleinkind vast had kunnen houden.

Ze liep met een beker koffie en twee sesambroodjes naar boven. In de slaapkamer knipte ze het bedlampje aan, schoof Johns boek opzij en zette de koffie en de broodjes op de stoel naast het bed. John hees zich op een elleboog overeind en bedankte haar voor het ontbijt. Hij keek toe hoe ze zich aankleedde.

'Alles oké?' vroeg hij haar zacht. 'Heb je lekker geslapen?'

Ze liet de jurk over haar hoofd glijden en hield haar hoofd gebogen terwijl ze de knoopjes vastmaakte. Ze keek hem niet aan.

'Doe je wel je warme jas aan?' zei hij. 'Het is veel te koud voor die jurk.' Hij sloeg haar gade en zocht naar woorden om de geladen sfeer tussen hen te doorbreken. 'Vorige week was je de saffraan vergeten,' zei hij, en lachte. 'Weet je nog?' Zijn lach was niet erg overtuigend.

'Het staat op mijn lijstje,' mompelde ze, prutsend aan het laatste knoopje. De wereld was in tweeën gesplitst en de stukken raasden in de richting van de verzengende zon. Wat er stond te gebeuren was onvoorstelbaar.

John zei: 'Schat, waarom huil je? Zég iets, alsjeblieft. Kom nou eens bij me en vertel me wat er aan de hand is.'

Ze keek hem aan. 'Ik huil niet,' zei ze, en glimlachte. 'Moet ik nog iets speciaals voor je meebrengen deze week?'

'Het spijt me echt,' zei hij. 'Wat ik ook gedaan of nagelaten heb, schat, het spijt me.' Hij ging rechtop in bed zitten en strekte zijn armen naar haar uit. 'Kom nou!'

Ze liep naar hem toe, boog zich over hem heen en drukte haar lippen vluchtig op de zijne.

Hij wilde haar vasthouden, maar zij stond alweer rechtop.

Ze bleef een ogenblik naar hem kijken. 'Ik dacht alleen even aan mijn vader.' Ze haalde haar schouders op en glimlachte weer. 'Ik kan maar beter gaan.' Het leek haar op dat moment alsof zij tweeën de eenzaamste mensen ter wereld waren. Waarom? vroeg ze zichzelf wanhopig af. Waarom zijn we zo alleen? Waar hebben we dat aan verdiend?

John pakte zijn beker koffie en nam een paar slokken. Hij slurpte zacht. Toen zette hij de beker terug op de stoel en veegde zijn mond af met de rug van zijn hand. Hij doopte het sesambroodje in de koffie en hapte erin.

Sabiha zag de broodkruimels aan zijn lippen plakken. Een sesamzaadje glinsterde als een babytandje op zijn ongeschoren kin. Ze had zich over hem heen kunnen buigen en met zachte vingers de kruimels en het zaadje weg kunnen vegen en hem kussen. Ze knoopte haar dikke jas dicht en bleef aan het voeteneind van het bed staan.

Opeens overviel hem een grote angst. Zoals ze daar naar hem stond te kijken, leek haar gezicht een masker dat akelig vreemd van onderaf verlicht werd door het bedlampje. Haar ogen stonden zo kalm, zo droevig, zo vastbesloten. Alsof ze niet hier bij hem was, maar heel ergens anders. Bij de deur draaide ze zich om, bracht haar hand naar haar lippen, kuste haar vingers en blies de kus naar hem toe. En weg was ze.

*H*et was nog steeds donker toen Sabiha het café door de achterdeur verliet. Ze sloot de deur achter zich, maar deed hem niet op slot. Even stond ze met haar rug naar de deur de donkere steeg in te kijken. De lucht was koud en rook naar de nacht. De stad was nog maar net aan het ontwaken. De kater van André zat op het dak van het bestelautootje naar haar te kijken, met in zijn ogen een glimmend vonkje licht. Ze liep de steeg uit en sloeg rechts af de Rue des Esclaves in, richting metrostation. Een schoonmaakauto reed al water sproeiend in kruiptempo langs de goot, met ronddraaiende bezems die het vuil van de vorige avond bij elkaar veegden.

Er stonden maar weinig andere mensen op het perron. Ze keek niet naar hen, en zij niet naar haar. Later zou ze zich, weliswaar vaag, de naar binnen gebogen affiche herinneren die tegenover haar in de bocht van de metrotunnel aan de muur was geplakt. Er stond een statig, oud gebouw op afgebeeld met dwars daaroverheen in cursieve gouden letters de woorden *Stolichnaya Vodka*. Die twee vreemde, Russische woorden zouden nog vele malen nadrukkelijk door haar hoofd gaan, als de ongrijpbare sleutel tot een duivels moeilijk raadsel. De metro kwam eraan. Ze stapte in en ging bij de deur zitten met haar tas op haar knieën en haar handen gevouwen op haar boodschappentas. Ze deed haar ogen dicht en boog haar hoofd.

Pijlsnel suisde de metro door de duistere tunnels, alsof het voertuig een schreeuwende vluchteling uit de onderwereld op de hielen zat. Het gepiep en geknars van de rails in de bochten klonk haar in de oren als het gegil van een opgejaagde vrouw. En toen opeens, als door een wonder dat niemand kon begrijpen, stelden het ijltempo van de metro en haar eigen eenzaamheid haar gerust. De zon zou nu al snel opkomen en de nacht zou voorbij zijn. Ze voelde een vlaag geluk door zich heen stromen als een koele, opwekkende bries op een snikhete zomeravond thuis – het moment dat haar vader opkeek van zijn krant of boek waarmee hij in zijn stoel bij de achterdeur zat, en glimlachte van blijdschap omdat hij haar daar zag staan. Ze had niet kunnen zeggen waarom ze precies op dat ogenblik zo gelukkig was.

De metro minderde vaart en stopte. Ze kwam overeind en toen de deuren opengingen stapte ze op het perron. Op de roltrap naast haar wemelde het nu van de mensen die naar beneden gingen om in de af en aan rijdende metro's te stappen. Maar zij liet de nacht achter zich en bewoog zich naar boven, het daglicht tegemoet. Ik ben Sabiha, zei ze bij zichzelf, de vrouw die omhoog rijst naar de oppervlakte. Dat is wie ik ben, en wat mijn naam betekent. De naam waar mijn ouders me mee hebben gezegend toen ik geboren werd. Ik hou van mijn naam en de herinnering aan mijn moeder en vader is me heilig.

•

Ze liep het middenpad af naar de achterste kramen van de markt en zoals altijd keken de mannen naar haar terwijl ze langsliep. Ze ging het damestoilet binnen. In het hokje deed ze haar slipje uit en propte het in haar linker jaszak, pakte toen een maandverband uit haar tas en stopte dat in de rechter jaszak. Ze sprak zichzelf moed in. Dit waren allemaal voorbereidingen op de zoveelste klinische procedure, verzekerde ze zichzelf. Ze hoefde geen zweem van afkeer, schuld of schaamte te voelen. Ze kon het zien als een voortzetting van de eindeloze onderzoeken die zij en John hadden ondergaan in de eerste jaren van hun huwelijk. Niets meer dan dat. Een middel tot hetzelfde doel. Sommige van die onderzoeken waren zonder meer vernederend geweest. Een of twee van de behandelingen waren erg genoeg om er volledig op af te knappen. Het enige verschil met vandaag was dat deze specifieke procedure niet officieel erkend was. Ze had geen papieren hoeven invullen. Ze had geen aansprakelijkheidsformulier ondertekend dat onvoorziene omstandigheden en problemen voor haar eigen rekening zouden zijn. Wat ze nu ging doen was geen onderdeel van de ingewikkelde wereld van de Franse medische bureaucratie. Ze was hier gekomen met een praktisch doel voor ogen. Dus kon ze afstand bewaren en hoefde ze niet emotioneel te worden. Ze zou de procedure ondergaan. Zich zonder klagen onderwerpen aan de noodzakelijke handelingen, precies zoals dat ook in de ziekenhuizen was gegaan.

Ze wikkelde haar duim en wijsvinger in toiletpapier, pakte de bril bij de rand vast en deed hem omhoog. Ze hees haar rok op tot haar heupen, hurkte boven de pot en plaste haar blaas leeg. De binnenkant van de deur van het toilethokje was glimmend donkergroen geschilderd. Het deed haar denken aan die keer dat ze samen met haar zus op haar moeder zat te wachten, in het ziekenhuis in Tunis. Ze was toen veertien geweest. Samen hadden ze naar zo'n zelfde glimmend groene deur zitten staren waardoor, zo was hun verteld, hun moeder terug zou komen met een klein babybroertje of -zusje. Alleen dat baby'tje was er niet. De geduldige uitleg van haar vader had haar niet kunnen overtuigen. Sabiha en haar zus stonden naar het ziekenhuisbed te kijken alsof hun moeder die daar lag onder een vreemde betovering verkeerde. Droevig had ze naar haar dochters geglimlacht, vanuit die verre plaats waar ze naartoe was gegaan met haar doodgeboren kindje. Ja, deze toiletdeur was precies hetzelfde groen als die oude ziekenhuisdeur. Ze moest zich niet door die herinnering laten meeslepen. Niet ontmoedigd raken door een vingerwijzing zoals deze.

Toen ze klaar was, stond ze op, knoopte haar jas dicht en liep naar de uitgang van het toiletgebouwtje. Daar kwam het lawaai en het helle licht van de kolossale overdekte markt haar tegemoet. De krachtige plafondlichten beschenen de vele vierkante meters kisten vers fruit en groenten feller dan het daglicht. Gele en blauwe vorkheftrucks schoven snuivend en blazend als gigantische, gladde insecten tussen de nietig lijkende marktkooplui en hun verrukkelijke landbouwproducten door. De heftrucks pikten hier en daar iets op en droegen het weg. Sabiha realiseerde zich opeens dat ze haar tas tegen haar borst geklemd hield. Ze ademde langzaam in en uit, liet de tas losjes in haar hand bungelen, en streek met haar vrije hand de haren uit haar gezicht. Ze rechtte haar rug en stapte naar buiten met haar gebruikelijke waardigheid. Ze hief haar hoofd op, keek niet naar links of rechts en bewoog zich alsof ze ergens liep waar niemand haar kon zien. Zoals in de woestijn bij nacht onder de sterren, waar de eenzaamheid een troost betekent voor de wanhopige ziel, op weg naar de dromende leeuw in zijn hol. Ze was bang, maar ze wist nu dat ze door zou zetten.

Sabiha liep tussen de rijen kramen met groenten en fruit door en hoorde nauwelijks het geschreeuw van de mannen. Ze kreeg die ochtend weinig mee van het hele schouwspel van de markt. Verdrietig en beschaamd dacht ze terug aan de dagen dat John, op haar aandringen, herhaaldelijk naar het ziekenhuis moest om potjes sperma in te leveren, zodat zijn zaad onderzocht kon worden. Het leek alsof ze hem testten op zijn mannelijkheid, alsof hij als persoon in twijfel werd getrokken. Ze had de vernedering in zijn ogen gezien, en in zijn verontschuldigende, geduldige glimlach. Ze hadden er nooit over gesproken. Maar zij had ingezien hoe ontluisterend al die onderzoeken en vragen waren, dat dit alles hun relatie en hun eigenwaarde aantastte. En zij had aan die ellendige beproevingen een einde gemaakt. 'We stoppen ermee,' had ze op een dag gezegd. 'Geen onderzoeken meer.' Daarna hadden ze er weinig woorden meer aan vuilgemaakt.

Ze waren niet in aanmerking gekomen voor de meer geavanceerde behandelingen, de nieuwe technologieën van de menselijke voortplanting. Want er was niets mís met hen. Ze hadden geen aanwijsbare aandoening, en de artsen deden niet aan zielszorg. Er werd gesuggereerd dat ze misschien een psychotherapeut moesten raadplegen. John had dat wel willen doen, maar zij weigerde. Ze zouden zich niet verder door de mangel laten halen. Hun liefde voor elkaar had het overleefd, maar was wel veranderd. Na de onderzoeken was er iets onvoltooid gebleven. De stilte tussen hen maakte dat dag in dag uit duidelijk. En toen John haar ineens op de kast gejaagd had met zijn opmerking over Bruno's kindertal, was er iets in haar gebroken. Het wachten was ten einde. Misschien maar goed dat het zo was gelopen.

Terwijl ze Bruno's tomatenkraam naderde, brak het koude zweet haar uit en ze beefde als een riet. Ze bracht zichzelf in herinnering dat ze altijd al nerveus was geweest als ze een lichamelijk onderzoek voor de boeg had. Het was haar nooit gelukt om die koortsachtige zenuwaanvallen te bedwingen, waardoor ze de rillingen kreeg iedere keer als ze haar kleren voor een arts moest uittrekken. Dan stond ze met kippenvel over haar hele lichaam in een hokje op haar beurt te wachten. Ze had zich altijd moeten dwingen om niet hard weg te rennen, maar rustig tegen de dokter en de verpleegster te glimlachen terwijl ze inwendig ineenkromp en alles in haar protesteerde.

Toen ze dichter bij de kraam kwam, herhaalde ze inwendig: het is gewoon een klinische behandeling. Ze hoopte dat deze gedachte haar een bescheiden moreel houvast kon bieden in haar nood. Het was een leugen om bestwil, waarmee ze de wanhoop op afstand moest houden. Een mantra om haar ongeloof te bezweren. Maar de woorden die in haar hoofd bleven rondtollen en haar zwakke vergelijking met de ziekenhuisbehandeling krachtig overstemden, waren Stolichnaya Vodka. Iets in haar was blijkbaar niet overtuigd. Iets wat luid protesteerde en zich met hand en tand verzette tegen haar eigen verzinsels. Het was iets ouds in haar. Een oeroude overtuiging die zich schrap zette en niet toe wilde geven aan haar steekspel met woorden. Een overtuiging die een ouder en langer bestaansrecht had dan klinische procedures. Ze herkende in deze weerstand de oprechtheid die sprak uit haar grootmoeders liederen, de wijsheid van de oude vrouwen. Die wijsheid weigerde om zich te onderwerpen aan haar kromme redeneringen. Een echo van haar legendarische Berber-voorouders was gewekt en tekende protest aan. Wees eerlijk, had haar grootmoeder altijd gezegd. Doe wat je moet doen, maar lieg er niet over. Verzin geen smoesjes, spreek de waarheid.

De waarheid? Ja, een waarheid zo oud als de wereld, die nu haarscherp tot haar doordrong, ontsluierd door haar grootmoeders advies om de dingen bij de naam te noemen. Zij was immers niet de eerste vrouw die zich waagde aan deze oplossing voor haar kinderloosheid. Ontelbare vrouwen waren haar voorgegaan. Ze stond stil en klemde haar tas weer tegen haar borst, met het plotselinge besef dat haar plan voor deze ochtend al zo oud was als het moederschap zelf. Zo oud als de eerste vrouwen op aarde. Nee, ze was niet alleen. Haar grootmoeder was bij haar.

Toen zag ze Bruno. Hij was bezig zijn bestelwagen uit te laden. Ze keek recht tegen zijn brede rug aan, in een rood met blauw gestreept overhemd. Het was of ze hem bekeek door een omgekeerde verrekijker, of hem aan het einde van een tunnel zag staan. De groentekramen en de marktkooplui aan beide kanten van hem waren wazig en onscherp. Maar hij was zo echt, zo fysiek aanwezig, dat ze haar adem inhield. Hij draaide zich om van de open deuren van de achterkant van zijn bestelwagen met drie kisten tomaten tegen zijn borst gedrukt. Zijn hemdsmouwen waren opgerold tot zijn ellebogen, zijn jeans verbleekt tot bijna wit bij de knieën. Zijn zwarte, schouderlange haar glansde. Voor hem lagen zijn geliefde tomatenrassen zorgvuldig uitgestald: Costoluto Genovese, Caspian Pink, Dorothea de Brandis... Het hadden kostbare rozen of beroemde theaterdiva's kunnen zijn, die hij met warme toewijding omringde.

Ze voelde haar buik kriebelen. Kleine pareltjes zweet verspreidden zich over haar hele lichaam terwijl ze daar stond te wachten tot hij haar zou zien.

Wat had hij een prachtig lichaam. Ze was verbaasd; tot op dit

moment had ze nooit gezien dat hij zo'n mooie man was. Die gespierde armen en schouders. Die kalmte, die gemakkelijke, lenige
bewegingen. De perfecte mannelijkheid van zijn wereld.

Bruno was echt een heel aantrekkelijke man, en dat maakte de
dreiging voor haar des te groter. Als ze hem op dit moment had
zien sterven, zou ze geen spijt gevoeld hebben, maar opluchting.
Hoe kón ze dit doen? Ze wist dat er geen weg terug meer was. Ze
bevond zich al met hart en ziel in die andere wereld. De oude realiteit had geen betekenis meer.

Op dat moment zag hij haar en stond abrupt stil, zo stil dat hij
wel een stenen beeld leek. Zijn zwarte haren waren over zijn gezicht gevallen en zijn mond stond een klein stukje open.

Zonder zijn ogen van haar af te wenden zakte Bruno langzaam
door zijn knieën en zette de kisten tomaten op de betonnen
vloer. Toen kwam hij met hangende armen overeind. Hij zag
eruit als een man die doorkrijgt dat hij door zijn vijand is beslopen en even verstijfd staat van schrik, terwijl hij zich staalt voor
de onvermijdelijke krachtmeting.

Het was Sabiha die de eerste stap deed.

Ze liep de laatste paar meter van het gangpad en ging naar hem
toe. Ze stond zo dicht bij hem dat ze zijn vertrouwde, pittige tomatengeur kon ruiken. Ze begroette hem niet, maar keek hem
aan, wachtend tot hij de bedoeling van haar aanwezigheid hier
op deze ochtend begreep. Ze zag aan zijn ogen dat hij overdon-
derd was door wat zij hem aanbood. Dat hij zo hevig naar haar
verlangde dat hij geen weerstand kon bieden. Zonder één woord
te zeggen draaide hij zich om en liep om zijn uitstalling heen naar
de achterkant van zijn bestelwagen. Ze wist dat ze uitgenodigd
was hem te volgen. De achterdeuren van de bestelbus stonden
wijd open. Daar bleef hij staan en stak zijn hand naar haar uit. Ze

nam zijn hand alsof het gewoon een hoffelijk gebaar van hem betrof, en hij hielp haar achter in de wagen te stappen. De aanraking
van zijn vingers bezorgde haar een schok door haar hele lichaam
en ze hield haar adem in. Ze stootte een angstig geluidje uit.

Binnen in de ruime bestelwagen zette ze haar tas neer, leunde
met haar rug tegen de zijwand en sloot haar ogen. Ze kreeg haar
ademhaling niet onder controle. De wagen wipte even omlaag en
meteen weer omhoog toen Bruno erin klom. Ze hoorde hoe hij
de deuren dichtdeed. De duisternis drukte tegen haar oogleden.
Ze voelde hem nu om haar heen bewegen. Hij was heel dichtbij,
zijn geur was sterk en zijn ademhaling gejaagd. Zijn vingers zochten de sluiting van haar jas, maakten de knopen los, tastten naar
de zoom van haar jurk en schoven de rok omhoog. Zijn handen
voelden haar blote dijen, en een laag gekreun ontsnapte hem
toen zijn vingers haar naaktheid ontdekten. Toen schoof hij bij
haar naar binnen, tilde hijgend haar billen op en drukte haar
tegen zich aan. Ze deed haar dijen uit elkaar, hief één been omhoog en liet het op een stapel tomatenkisten rusten. Ze kromde
haar rug, zodat hij zo diep mogelijk in haar kon komen. Hij kermde en steunde, zijn lichaam sidderde en hij stootte onsamenhan-
gende klanken uit, op jammerende, smekende toon: 'Aa! Aa!' Alsof hij een mes in zijn lijf opving.

Het intense genot kwam voor Sabiha totaal onverwacht. Ze
was ontzet. Ze vocht ertegen en schreeuwde het uit. Ze dacht dat
haar knieën het zouden begeven, greep Bruno bij de armen en
riep 'Bruno, alsjeblieft, Bruno!'

Zijn woordeloze schreeuw toen hij in haar klaarkwam, was die
van een man die tot in het diepst van zijn ziel is geraakt.

En die kreten van extase, die kwamen uit haar eigen mond.

De dunne metalen zijwand van de bestelwagen trok krom waar

haar rug er met kracht tegenaan drukte en veerde terug met een doffe dreun.

Verdoofd bleven ze tegen elkaar aan staan, hun lichamen nog steeds in elkaar verstrengeld.

Ze snakte naar adem en maakte zich van hem los. Ze grabbelde in haar jaszakken, deed het maandverband in haar slipje en trok dat aan. Ze streek haar jurk glad, knoopte haar jas dicht en zocht in het donker naar haar tas. Ze trilde van top tot teen en haar hart bonkte. Terwijl ze naar de deurknop tastte, hoorde ze een vreemd geluid. Ze draaide zich half om. Bruno zat in het donker te snikken. Er ging een huivering door haar heen. Hij zat in elkaar gedoken aan haar voeten en huilde.

Intussen had ze de deurknop gevonden, deed de deuren open en stapte de bestelwagen uit. Ze liep in de richting van het middenpad dat naar de voorkant van de markt leidde. Achter haar zwaaiden en piepten de deuren van Bruno's bestelwagen. Ze sloot haar gedachten voor hem af. Hij was toch zeker een man? Waarom ging hij daar op zijn knieën zitten huilen? Haar boodschappenlijstje kon ze vandaag wel vergeten. Ze zag zichzelf nog niet rustig kruiden uitzoeken bij de kraam van haar vriendin Sonja. Ze moest direct terug naar huis.

Terwijl ze over de markt liep, gingen Sabiha's emoties alle kanten op, tot ze even helemaal stilvielen. En toen laaiden ze weer op; jubelend en triomfantelijk stoven ze de toekomst in. Ze wist zeker dat Bruno de poort voor haar kind in haar wijd had geopend. Maar zij was zichzelf niet meer. Zijn tranen maakten haar bang, die reactie had ze niet voorzien. Zijn verdriet leek een nieuwe bedreiging in te houden, want zij had dit opgeroepen. Door haar waren ze samen die duistere, ongekende ruimte binnengegaan. Hier had ze geen rekening mee gehouden. Mannen waren toch zeker vrijgevig met hun zaad? Daar schepten ze voortdurend over op. Mannen bedrogen hun vrouwen en lachten erom. Waarom was deze man dan huilend op zijn knieën gevallen? Ze was geschokt door Bruno's verdriet.

Onderweg naar de metro voelde Sabiha zich zweverig van vervoering. Alleen door de druk van het maandverband tussen haar benen wist ze zeker dat het geen droom was geweest. Nee, het was echt gebeurd. Ze had het gedaan. En zij was niet de eerste. Vrouwen doen dit al eeuwenlang, hield ze zichzelf nogmaals voor. De zwerftocht van haar kind door de oneindige duisternis was eindelijk een halt toegeroepen. Nu was het kleintje begonnen aan de tocht naar haar moeder. Het was Sabiha's grootste verlangen om de moeder van haar kind te zijn. Om haar meisje ter wereld te brengen, haar te zien opgroeien en haar steun en toeverlaat te zijn. Ze zou haar leven geven voor haar kind, als dat nodig was. En als zij veroordeeld diende te worden vanwege de weg die ze gevolgd had om haar wens waar te maken, dan zou ze haar rug recht houden. Ze zou haar rechters in de ogen kijken en haar schuld vrijuit bekennen. *Ja, dat heb ik gedaan. Ik deed het voor mijn kind*, zou ze hun zeggen. En wie zou een zwangere vrouw durven veroordelen? Wie een baby bij zich draagt, is niet alleen.

John zat rechtop in bed en luisterde naar haar voetstappen terwijl ze de trap af ging. Hij hoorde de deur niet dichtgaan en wachtte nog even. Was ze al weg, of niet? Hij riep naar haar, maar er kwam geen antwoord. En nu was het huis stil, die typische stilte van iemands afwezigheid. Hij propte haar kussen samen met het zijne achter zijn rug en pakte zijn boek. Hij nam een slok koffie en sloeg het boek op zijn schoot open. Hij genoot van de stilte en rust op dit vroege ochtenduur. Als Sabiha op vrijdag naar de markt was vertrokken, lag hij gewoonlijk nog een tijdje in bed te lezen. Maar vanochtend staarde hij naar zijn open boek zonder het te zien. Hij dacht aan haar gekwelde uitdrukking toen ze hem een kushandje toewierp bij haar vertrek. Alsof ze voor altijd uit zijn leven verdween. Die gedachte snoerde zijn keel dicht.

Hij kleedde zich aan, trok het gordijn open en bleef bij het raam staan. De wolkenlucht was nog roze van de dageraad. Er liepen al klanten in en uit bij de supermarkt van de Kavi-broers. Buiten ging het leven zijn gewone gang. Hij pakte zijn koffie-

beker op en ging naar beneden. Hij zette de beker op het aanrecht in de keuken en liep door naar de lunchroom. Hij raapte
de post op van de vloer, opende de voordeur en keek links en
rechts de straat in. André kwam alweer terug van zijn vroege och-
tendwandeling met Tolstoj, die soepel naast hem voortschreed,
alsof hij zich in slow motion bewoog. De grijze ogen van het
grote, ruwharige beest staarden in de verte, als gefixeerd op de
bloederige prestaties van zijn voorouders die wolven verscheur-
den op de Siberische steppen. John zwaaide naar André, stapte
weer naar binnen en sloot de deur. Hij legde de post op het werkblad in de keuken, ging de badkamer in en deed zijn overhemd
uit. Tijdens het scheren hoorde hij verderop in het steegje de
stemmen van de mensen die bij de wasserette werkten.

Hij ontbeet, pakte het stapeltje post en ging naar de zitkamer.
Hij knipte het licht aan. Er hing een stilte, en de geur van hun
avonden samen. De televisie stond in de hoek op een rechtop ge-
zette halve ton, met een rood kleed erover gedrapeerd als een rok
over de heupen van een vrouw. Het oude, groene tweezitsbankje
van Houria en Dom stond naar de televisie gedraaid. Achter de
bank stonden een vierkant houten tafeltje en een rechte stoel. In
de hoek naast de tafel lagen zijn eigen boeken op een stapel. Ze
waren allemaal afkomstig van de tweedehandsboekenmarkt.

Hij legde de post op tafel naast de stapel onbetaalde rekeningen, trok de stoel naar achteren en ging zitten. Hij stak een sigaret op en keek de post door. Er was een brief van zijn moeder
bij, met zijn naam erop in haar vertrouwde handschrift en de
Australische postzegel. Hij sneed de envelop open en haalde de
twee dicht beschreven velletjes papier tevoorschijn. Er zat ook
een ansichtkaart bij. De kaart toonde een foto van de nieuwe
autobrug bij Moruya. Hij nam een trekje van zijn sigaret en be-

keek de foto. Hij herinnerde zich de schragen van de oude houten brug, en het gerammel van de Ford van zijn vader als ze er-
overheen reden op weg naar de stad. De houten brug was weg-
gespoeld door de grootste overstroming sinds decennia en de stad
had het meer dan twee jaar lang zonder brug moeten stellen. Terwijl hij zijn sigaret oprookte, gleed zijn blik over zijn moeders
regelmatige handschrift. Met haar ogen was nog weinig mis.

Hallo lieve jongen van me,
Het gaat allemaal zo z'n gangetje met je vader en mij. Vorige week
heeft de dokter hem even aan de zuurstofﬂes gehangen, meer niet.
Nu gaat het weer goed met hem. Maak je geen zorgen. Je moet de
groeten van hem hebben. Had ik je al geschreven dat oom Martin
overleden is? Misschien stond het ook al in mijn vorige brief. Mar-
tin was achttien maanden jonger dan ik. Dat zet je wel aan het
denken, hè? Elke dag die we nog te leven hebben, is winst. Mar-
tin heeft tot het laatst naar je gevraagd. Hij verwachtte heel wat
van jou. Het was een heel mooie begrafenis. Er waren denk ik wel
tweehonderd mensen. Ik wist niet dat hij zoveel mensen kende.
Hij is natuurlijk gecremeerd. Onze jongen in Parijs, zo noemde
hij je altijd. We hebben nog steeds geen regen gehad. Tante Esmé
vertelde me dat het oude Chinese Gat voor de eerste keer ooit is
drooggevallen. Ik moet terugdenken aan hoe jij en Kathy en jullie
vrienden daar in het water speelden tot in de late uurtjes. Wat
hebben jullie daar een plezier gehad, met die hele club. Ik vond
het altijd zo leuk als jullie met z'n allen in het Chinese Gat aan
het spetteren waren 's zomers. En dat doet me eraan denken, sorry
dat ik het vraag, maar hoe staat het met jullie plannen om eens
naar huis te komen voor een paar weekjes? Ik kan het gewoon niet
laten, hè? Eén dezer dagen komen jullie ons tweeën vast verrassen.

Soms zie ik je in gedachten door de voordeur hier naar binnen komen en dan slaat mijn hart gewoon op hol. Kathy heeft het over trouwen! Niet te geloven, hè? In augustus kwamen ze bij ons langs. Ze waren hier op vakantie. Op rondreis, noemde hij het. Hij is een Engelsman. Ze hebben nu eens hier en dan weer daar gelogeerd, meestal bij die keurige bed & breakfasts die hier overal langs de kust als paddenstoelen uit de grond zijn geschoten. Ik weet echt niet hoe die mensen daar allemaal hun brood mee kunnen verdienen. Je zou het hier niet meer herkennen, tegenwoordig. Die man is erg aardig, maar ik betwijfel of hij onze Kath aankan als zij de bokkenpruik op heeft. Hij is gewoon een beetje te lief, als je het mij vraagt. Kath heeft duidelijkheid nodig van een man. Papa riep net dat ik je de groeten moet doen. Ik zei dat ik dat al gedaan had. Hij zei, nou, doe het dan nog een keer. Hij is nog geen steek veranderd. Hij zou je graag weer eens zien. Dat zou hij echt fijn vinden. En je weet hoe fijn ik het zou vinden, lieverd. Het is een prachtige dag. Iedere ochtend komt hier een paartje parkieten zaadjes pikken van de bol die ik in de abrikozenboom heb gehangen. We hebben hier maar één boom staan. Weet je nog hoeveel bomen we vroeger hadden? O, daar komen ze net aanvliegen. Veel liefs, jongen van me,
Mama
PS Een dikke zoen voor je vrouw.

John vouwde de velletjes van de brief dubbel en deed ze terug in de envelop.

Hele zomervakanties hadden ze gezwommen in het Chinese Gat, hij met zijn vriend Gibbo en Kathy en haar vriendinnetjes. Hij zag de dichte rij ijzerhoutbomen op de oever voor zich, die tussen hen en het huis stonden. Het strandje met de gladde rivierstenen. Wat hadden ze daar heerlijk rondgelummeld, vaak tot middernacht. Loretta, die toeliet dat zijn hand voorzichtig de binnenkant van haar dij verkende in het maanlicht. Haar huid was koud en nat geweest, met kippenvel en zo onvoorstelbaar zacht. De zachtste huid die hij ooit had aangeraakt. Hij kon het Chinese Gat nog ruiken nu hij eraan terugdacht. De bittere lucht van rotte bladeren in het water, dat kolkend over hun huid stroomde. Het lukte hem niet om zich het Chinese Gat zonder water voor te stellen. Drooggevallen. Waar waren de groene water-agamen en de zwarte palingen dan gebleven, als de poel was op-gedroogd? Hij voelde opeens een diepe spijt dat zijn oude thuis niet meer hetzelfde was als voorheen, en hij verlangde ernaar om het opnieuw te leren kennen. Om de rivier weer te ruiken, de bush in te gaan en om zijn oude vrienden terug te zien. Ze had-den hem vaak geplaagd omdat hij zo verlegen was, en van alles naar hem geroepen om hem uit zijn tent te lokken. Hij vroeg zich af wat er van Gibbo en van Loretta was geworden, en van de anderen. Ze moesten daar allemaal nog ergens zijn.

Nadat hij de rekeningen had afgehandeld liep hij de kamer uit en begon de keuken schoon te maken. Hij wilde alles tiptop in orde hebben als Sabiha thuiskwam.

*T*oen Sabiha uit het steegje de keuken binnenstapte, had John keiharde muziek aanstaan. Hij liep naar haar toe en kuste haar op de wang. Hij schreeuwde over de song van Carole King heen: 'Dus je bent bij Bruno langsgegaan!'

Ze deed een stap terug, hief haar hand op en voelde aan haar wang alsof hij haar een klap had gegeven.

'Sorry hoor!' Voor de grap stak hij zijn handen in de lucht alsof hij zich moest verdedigen. 'Je ruikt naar tomaten, schat.'

Ze draaide de muziek uit en zette haar lege boodschappentas neer bij het fornuis. Ze deed haar jas uit en hing die in de bij-keuken. Ze beefde. In de steeg blafte Tolstoj onophoudelijk, alsof hij iets had geroken van haar angst en onrust.

John had zijn ogen op haar gericht.

Ze deed haar best om hem aan te blijven kijken. Ze wist niet wat ze moest zeggen en mompelde hulpeloos: 'Bruno is niet de enige die tomaten verkoopt, hoor.'

Hij kon zijn glimlach niet verbergen. 'Ach toe nou, schatje!

Neem me toch niet zo serieus.' Hij probeerde zijn toon luchtig en neutraal te houden. 'Ik zei gewoon maar wat. Waar zijn je boodschappen?' Ze leek zo somber en terneergeslagen. 'Bruno is nog steeds onze tomatenman, toch?' Hij keerde de bezem en ging verder met het vegen van de keukenvloer. Hij boog zich voorover om de bezem onder de voorkant van het fornuis door te halen. 'Trouwens, ik vind tomaten lekker ruiken.'

Nee, dacht Sabiha, ze voelde geen schaamte. Ze had vanochtend in de metro gezeten met gebogen hoofd en een afgrijselijk noodlotsgevoel. Ze had niet minder dan een soort privéapocalyps verwacht als gepaste straf voor wat zij in haar schild voerde. Maar er was geen gierende vuurbol op hen afgekomen. Het dak was niet op hun hoofd gevallen en de muren stonden nog overeind. Ze waren uiteindelijk niet begraven in de smeulende puinhopen van hun eigen levens. Alles stond nog op zijn plek, rustig en vredig – zeker nu Carole King haar gejammer had gestaakt. Hun dagelijkse routine had geen enkel deukje opgelopen. John stond gewoon de vloer aan te vegen.

Ze zei: 'Ik ga even op bed liggen. Een paar minuten.'

John kwam overeind en keek haar aan.

Medelijden welde in haar op. 'Ik heb een ogenblikje rust nodig.' Ze glimlachte. Ze had hem bedrogen. Althans, wat is bedrog? Hoe het ook zij, iedere getrouwde vrouw zou haar veroordelen. Ze voelde zich schuldig en ze voelde zich bang, besloot ze uiteindelijk. Maar schaamte voelde ze niet. Dat onderscheid vond ze heel belangrijk. Als het moest, zou ze schuld bekennen: ja, ik heb het gedaan. Maar ze zou geen berouw tonen of spijt betuigen. Nee, dacht Sabiha. Ik zou het zo weer doen. Als het nodig is dan zal ik het weer doen. Ze dacht nu aan Bruno. Ze kon hem ruiken aan haar kleren. Het was echt niet alleen de tomatengeur.

Het was de geur van Bruno zelf, de geur van zijn mannelijkheid. Wat vreemd eigenlijk dat John dat niet rook. Toen Bruno zijn handen tussen haar blote dijen legde, was het genot als een elektrische stroomstoot door haar hele lichaam gegaan. Onverwacht, doordringend en onontkoombaar. Bij de eerste aanraking van zijn handen had ze een aangename vlaag van duizeligheid gevoeld, en ze had gedacht dat ze flauw zou vallen. Nu sloot ze haar ogen en draaide haar hoofd weg van de onderzoekende blik van haar echtgenoot.

John steunde licht op zijn bezem, alsof hij een schipper was die op het punt stond de diepte van de bodem te peilen met het uiteinde van zijn vaarboom. Maar zij was onbereikbaar.

'Ga dan maar gauw even liggen,' zei hij.

Toen ze daarnet binnen kwam lopen, had hij meteen een verandering opgemerkt in haar donkere ogen. Alsof ze volledig in beslag genomen werd door iets – en alsof ze extreem opgewonden was. Een felle, kortstondige vonk. Haar laatste restje jeugd, misschien? Ze was mooier en droeviger dan hij haar ooit had gezien. Maar op dit moment leek ze niet langer de zijne. Ze was te diep in zichzelf verzonken. Hij kon niet tot haar doordringen. Hij dacht aan het meisje dat in zijn armen had gelegen aan de oever van de Eure die zomerdag in Chartres, en even was hij verbijsterd vanwege de transformatie die ze door de jaren heen had ondergaan.

'Ik heb een ogenblikje rust nodig,' herhaalde ze. Ze draaide zich om en ging de keuken uit.

Hij luisterde naar haar voetstappen op de trap en wachtte op het kraken van de vloerplanken, als zij door de slaapkamer boven de keuken zou lopen. Hij stelde zich voor hoe ze op de rand van hun bed zat, met haar hoofd in haar handen. Behelsde haar verdriet en de verandering die over haar was gekomen het besef van hun naderend einde? Dat ze oud zouden worden, en dan doodgaan. Dat alles welbeschouwd zo futiel was. Al haar liederen die ze op de zaterdagavonden zong, zaten er immers vol mee: de aanwezigheid van de dood en het verlangen naar vroeger. Hij had mannen zien huilen als ze zong, omdat ze herinnerd werden aan hun verre vaderland en hun sterfelijkheid. Hjj had meer dan eens een traan langs Nejibs donkere wangen zien biggelen, terwijl hij op de gevoelige snaren van zijn prachtige ud tokkelde en haar begeleidde bij haar weemoedige liedjes.

John stond nog steeds te wachten op het geluid van haar voetstappen, maar de planken hadden niet gekraakt. Dan moest ze voor de toilettafel zitten, voor de spiegel. Ze zou haar haren losdoen en zichzelf in de ogen kijken. Sabiha, zijn beeldschone vrouw. Wat kenden ze elkaar eigenlijk slecht. Ze kenden elkaars taal niet. Ze wisten weinig van elkaars kindertijd. Ze kwamen uit totaal verschillende culturen. Hij hield reddeloos veel van haar.

Hij ging door met het vegen van de keukenvloer. Hij veegde het vuil op een hoopje en draaide de bezemborstel zo, dat hij de stugge borstelharen in de brede scheuren tussen de tegels kon duwen. Toen bezemde hij de stofhoop door de achterdeur naar buiten het steegje in, en vervolgens opzij door het rooster van het afvoerputje. Hij schrobde met de borstel voor- en achteruit tot het laatste restje vuil door het rooster was verdwenen. Het regende inmiddels, en de kasseien waren glimmend zwart in het kille grijze licht. Hij stond in de deuropening en snoof de geur van de regen op. Hij dacht aan het sterke aroma van de regen als 's zomers de eerste druppels op het droge bladafval van het eucalyptusbos vielen. De heerlijke geuren hadden zich daar gedurende de droogte opgehoopt, maar kwamen pas overvloedig vrij in de vochtige lucht, die eerste minuten dat het regende. Hij verlangde ernaar om die bedwelmende geur weer te ruiken. Het was de geur van alles wat hem ooit hoopvol had gestemd over zijn leven. Hij en zijn vader hadden uitgelaten vrolijk door die eerste zomerregen gedanst, luid zingend: *Het re-gent, het ze-gent, de pan-nen worden na-at...* Zijn vader vertelde hem: *Deze regen is goud waard.* Dus dan waren ze met z'n allen in de auto gesprongen en gingen uit winkelen en vervolgens naar de bioscoop. Die zomerregen, dat was de geur van geluk.

•

Ze was op haar rug op bed gaan liggen met de blauwe wollen deken dicht om haar lichaam getrokken. Zachtjes tikte de regen tegen het raam. Ze was nu rustiger en lag te luisteren naar de vertrouwde straatgeluiden en de troostrijke regendruppels tegen het glas. Ze had geen spijt van wat ze gedaan had. Ze was blij dat ze er de moed voor had kunnen opbrengen. Maar ze voelde zich een volslagen ander mens. Ze was de vrouw geworden die in haar eentje de woestijn in was gegaan onder het licht van de sterren. De vrouw die de leeuw had gedood.

Ze zou moeder worden.

Ze zou haar kind in haar armen houden. Hier op dit bed zou ze haar baby'tje vasthouden en zou het naar haar opkijken. Het kindje zou hier liggen slapen en huilen en ze zou het aan de borst leggen. In gedachten zag ze dat kleine lijfje, warm en kwetsbaar. Zo teer en zacht als een wolkje, en verlangend naar de aanraking van haar moeder. Ze stak haar hand onder de deken, legde haar handpalm over het maandverband en dacht aan de verbluffende overvloed van Bruno's sterke zaad. Ze sloeg haar hand voor haar mond en de tranen stroomden over haar wangen. Ze was uitgeput.

Met een schok werd ze wakker uit de droom.

Het was koud in de kamer.

Ze had gedroomd van de zoete, zalige ongeëvenaarde seks. Ze kon het nóg voelen. Ze was wakker geschoten zonder meteen blij aan haar kindje te denken, maar met een gevoel van spijt. Want als ze echt zwanger was, dan had ze geen reden meer om Bruno ooit nog op te zoeken. Ze was onthutst door de heftigheid waarmee haar lichaam op hem had gereageerd. Ze ging overeind in bed zitten, en het gevoel van de droom gleed langzaam van haar af. Had zij hem kapotgemaakt? Bruno, de trouwe vader en echtgenoot? De schrik sloeg haar om het hart als ze eraan dacht hoe hij op de bodem van zijn bestelwagen had zitten huilen. Ze had gewild dat hij opgewekt overeind was gekomen, met een brede glimlach vanwege het onnoemelijke plezier dat zijn daad hem had opgeleverd. In plaats daarvan had hij huilend over de vloer gekropen!

Huiverend wikkelde ze de deken nog dichter om haar schouders en ging weer liggen. De vrouw die de leeuw doodde, had de levende leeuw niet gevreesd. Maar ze was wel bang voor hem toen hij eenmaal dood was. Vol angst had ze toegekeken hoe haar verslagen vijand, die eens een nobel dier was geweest, ten prooi viel aan de aaseters. De gluiperige hyena's met hun gele ogen en de haveloze, gulzige aasgieren. Ze kwamen uit het niets tevoorschijn als kwaadaardige nachtmerries. Pas toen besefte de vrouw dat zij ook zichzelf onder de aandacht had gebracht van deze nietsontziende, grillige goden.

Hoe kon hun bescheiden, alledaagse leven dat ze hier samen in Chez Dom leidden, overleven wat zij had gedaan? Ze voelde Bruno nog steeds in zich. Zijn gekreun klonk nog steeds in haar oren. En hoe moest het met zijn vrouw, Angela, en hun elf kinderen...

Ze sloeg de deken opzij, stapte uit bed en deed haar schoenen aan. Het begon al laat te worden; hoog tijd om het middageten voor de mannen te gaan koken. John had zijn muziek weer aangezet. Ze had zijn muzieksmaak nooit leren waarderen. Ze wilde nu niet aan hem denken. Nog niet. Als de tijd rijp was, zou ze zich met Bruno én met John bezighouden. Ze zou hoe dan ook haar schuld inlossen. Maar nu moest ze eerst eten op tafel zien te krijgen, anders werden de mannen ontevreden. Dan zouden ze naar een ander eetcafé gaan voor hun lunch en zaten zij en John zonder klanten. Ze zouden failliet gaan. En wat moesten ze dan? Behalve Chez Dom hadden ze niets.

Ze liep de trap af, ging de keuken in en zette de muziek weer uit. Ze pakte haar schort van het haakje naast de oven, wikkelde het om haar middel en strikte het van achteren vast. Ze riep: 'Lieverd, waar ben je?'

Haar keuken! Voorlopig was ze veilig.

Ze riep: 'Heb je het vlees voor zaterdag gehaald?' Er kwam geen antwoord.

Ze ging aan het werkblad staan en wette het grote groentemes aan het wetstaal.

De kater van André kwam de keuken binnen uit het steegje en bleef in de deuropening naar haar zitten kijken. Ze zag de schaduw van het dier en zei onhartelijk: 'Van mij krijg je niks, hoor.' Ze draaide zich om en keek naar de kater. Hij knipperde met zijn ogen. Zou haar grootmoeder in deze kater een van de oeroude, op wraak beluste aasgoden herkend hebben? Vaak verschenen de goden van haar oude volk immers aan de mensen in de gedaante van een dier. Sabiha zelf kende alleen stukjes en beetjes van de levenswijze en religie van haar grootmoeder. Het waren korte, onderbroken zinspelingen die ze nog in haar geheugen had. Ze was het grootste deel vergeten, zodat er alleen wat flarden van betekenis waren blijven hangen. De rijkdom van haar grootmoeders mythologie was nagenoeg verloren gegaan. Zelfs voor Sabiha, die als kind had geleerd waar en hoe ze moest kijken. Zoals naar de gele ogen van de hyena in het avondlicht, en de zwarte, slordige veren van de aasgier in de ochtend. Sabiha had nog nooit in haar leven een echte hyena of een aasgier gezien, maar toch... Afwachten, daar waren katten zo goed in. Afwachten en loeren. Omdat ze zich stilhielden, werden ze onzichtbaar. Tot het moment dat ze toesloegen. Ja, besloot ze, terwijl ze zich omdraaide naar het aanrecht en verderging met haar werk. Katten moeten familie zijn van de oude goden.

Twintig minuten later hoorde ze het bestelwagentje de steeg in hobbelen. Ze had niet eens gezien dat het weg was. John was blijkbaar weggegaan toen zij boven lag te slapen.

Hij kwam de keuken binnen en tilde twee zware draagtassen vlees op de werkbank. Hij deed een stap achteruit, schudde zijn schouders los en masseerde zijn armen.

'Dat vlees wordt zwaarder,' zei hij. 'Of ik begin een slappeling te worden.'

Ze was blij dat hij weer thuis was. Ze glimlachte naar hem. 'Ik vroeg me al af waar je gebleven was,' zei ze. 'Je muziek stond nog aan.'

Ze keken elkaar aan.

Hij deed een stap naar haar toe en hield haar vast. Ze ontspande zich in zijn armen, legde haar hoofd op zijn schouder en fluisterde: 'Ik hou zoveel van je, John Patterner.'

'En ik hou van jou,' zei hij. 'Je ruikt heerlijk.'

'Jij ook,' antwoordde ze zacht. 'Je ruikt naar thuis.'

Hij was ontroerd en lachte, hield haar een stukje van zich af en keek haar aan. 'Nu huil je alweer.'

'Sorry.'

Hij drukte haar dicht tegen zich aan. Zijn stem klonk gedempt door haar haren: 'Zolang we elkaar nog op deze manier vast kunnen houden, schat, mag je net zoveel huilen als je maar wilt.'

Ze bleven een hele tijd met de armen om elkaar heen staan. John sloot zijn ogen en snoof de geur op van haar haren en haar hals.

•

De tranen rolden over haar wangen terwijl ze de uien sneed. Ze veegde haar gezicht af met een punt van haar schort. In het eetzaaltje zong John het liedje van Carole King, terwijl hij de tafels dekte. Hoe kon ze hem ooit vertellen wat ze had gedaan? Ze pakte de snijplank op en met de brede kant van het groentemes schoof ze de fijngehakte uien in de pan – precies op dezelfde manier als Houria vroeger deed. Soms voelde Sabiha zich alsof zij Houria was. Ze roerde de uien even door de pan, pakte een stronk bleekselderij uit de mand onder het werkblad en brak er een stengel af. Ze hield de bleekselderij onder de kraan. De natte aarde die aan haar handen kleefde, rook heerlijk. Ze herinnerde zich hoe verrast ze was geweest jaren geleden, toen ze ontdekte dat Franse grond niet hetzelfde rook als de grond in de tuin van haar vader. Haar verwondering dat geen enkele soort aarde hetzelfde rook als de grond bij haar thuis. Hoelang ze ook in Frankrijk zou wonen, ze zou hier altijd een vreemdeling blijven. Zij en

John, ze waren allebei vreemdelingen in een vreemd land. Maar Houria had zich totaal niet ontworteld gevoeld hier. Hoe kwam dat? Hoe was het Houria gelukt, vroeg Sabiha zich af, om van Parijs haar thuis te maken? Het begon tot haar door te dringen dat als dit kind eenmaal geboren was, zij en John niet langer in Parijs hoefden te blijven. En voor John was Tunesië geen optie. Sterker nog: ook voor haar was Tunesië geen optie meer. Voor het eerst in haar leven bekende Sabiha zichzelf dat ze niet meer verwachtte zich ooit opnieuw in haar thuisland te zullen vestigen. Het had steeds in haar achterhoofd gezeten dat Parijs niet haar permanente bestemming was. Dat ze op een dag zou terugkeren en haar leven weer oppikken in El Djem. Maar dat laatste zat er niet in. Hoe zou zij nog in El Djem kunnen aarden? Als haar vader het kindje eenmaal had gezien, was ze vrij om te gaan en staan waar ze wilde. Haar tijd in Chez Dom zat er bijna op. Ze was tenslotte niet geëmigreerd naar Frankrijk. Ze was hier gekomen als tijdelijke hulp, tot haar tante weer opgekrabbeld was na het verlies van haar man.

Chez Dom was nooit echt het project van John en haar geweest. Het café was hun nooit helemaal eigen geworden. Vooral John had niet in Chez Dom kunnen geloven alsof dat nu zijn leven was. Eigenlijk had het eetcafé een stille dood moeten sterven, na Houria's overlijden. Zij en John hadden de tent moeten sluiten, samen weggaan en hun eigen leven opbouwen. Maar ze hadden helemaal niets voor zichzelf opgebouwd. Nu ineens was het haar zonneklaar. Na de geboorte van dit kind moesten zij en John naar Australië. Daar konden ze een nieuw leven beginnen, met z'n drieën. In Australië zouden ze een echt gezin zijn. De spieren van haar onderarm deden pijn, zo hard had ze de kruiden en specerijen staan vermalen in Doms oude vijzel. Ze richtte zich op en schudde haar onderarm los, terwijl ze haar vingers boog en strekte. Ze dacht: vóór vandaag kende ik mezelf als een eerlijke, fatsoenlijke vrouw. Maar hoe moet ik mezelf nu noemen?

Vier

*G*istermorgen zaten Clare en ik zoals gewoonlijk samen koffie te drinken. Zij las de krant en ik staarde door de ruit van de achterdeur naar onze troosteloze, dorre tuin, terwijl ik me afvroeg hoe ik mijn dag zou gaan besteden. Stubby lag met zijn kop op mijn voeten onder de tafel. Nu en dan las Clare wat nieuwsflarden voor, en viel dan weer stil. Ik dacht even dat ze iets voor begon te lezen, toen ze opeens zonder van haar krant op te kijken zei: 'Hij is waarschijnlijk moed aan het verzamelen om jou zijn roman te laten lezen.'

Zo voeren wij nu eenmaal onze gesprekken. Het duurde een moment voor het tot me doordrong dat ze het over John had. 'Een roman, waarover?' zei ik. 'John is geen schrijver.'

'Heeft hij dat met zoveel woorden gezegd? Een roman over hen, bedoel ik.'

'Maar John schrijft niet,' zei ik nadrukkelijk.

'Hoe weet jij dat?'

'Dat weet ik gewoon. Schrijvers voelen het haarfijn aan als er een andere schrijver in de buurt is.'

'Net als katten, bedoel je?' Ze lachte en wierp me een blik toe.

Ik vroeg haar om mij het laatste broodje aan te geven, als zij het niet opat.

Ze zei: 'We delen het wel,' en brak het broodje in twee ongelijke stukken. Ze reikte me het kleinste stuk aan.

'Ja, net als katten,' zei ik toen. 'Je ziet er weer uit om door een ringetje te halen, lieverd. Ik vind die outfit heel mooi. Het staat je goed.' Ik gaf mijn helft van het broodje aan Stubby. Hij keek naar me op met dankbaarheid en liefde in zijn prachtige ogen.

Clare zei: 'Dank je, papa.'

Ik heb één grote angst. De angst van een vader. Je kunt misschien wel raden wat mijn schrikbeeld is. Dat Clare hier als ik dood ben alleen zit met de krant op zaterdagochtend, en hardop stukjes nieuws voorleest aan Stubby, of zijn opvolger. Dat ze een eenzame oude dame wordt in haar vaders huis. Als dat gebeurt, dan heb ik verraad gepleegd aan Marie. Dan heb ik ons plechtig wederzijds verbond van liefde voor onze kleine meid geschonden. Dat kan ik toch niet maken? Hoe zou ik ons meisje alleen op de wereld kunnen achterlaten? Ik wil haar al een tijdje vragen of ze iemand heeft leren kennen, maar ik durf niet. Ze ziet er de laatste tijd zo goed uit. Maar als ik iets zeg over een eventuele vriend, wordt ze boos op me.

Ik keek toe hoe ze de krant over de tafel uitspreidde. Het is gewoon zo. Ze is nog steeds mijn kleine meid. Mijn kind. Mijn dochter. Ik ben haar alles verschuldigd, en zij mij niets. Zo zie ik dat, en zo heb ik er altijd over gedacht. Als je een kind op de wereld zet, dan moet je bereid zijn alles te geven. Ik word achtervolgd door mijn angst dat ik op een bepaalde manier tekortgeschoten ben en dat zij straks alleen achterblijft.

Een jeugdvriend van mij woont al meer dan veertig jaar alleen.

Hij maakt er het beste van. Hij doet het echt heel goed, leven zonder partner of familie. Hij besteedt veel tijd aan het organiseren van zijn sociale leven, zodat hij niet constant alleen hoeft te eten. Zodat hij er de hele dag naar uit kan kijken om 's avonds samen met een vriend te eten. Zelfs na veertig jaar ziet hij er tegen op om enkel voor zichzelf iets te moeten koken. Om 's avonds moederziel alleen aan tafel te schuiven en zijn maaltje te eten, als een personage in een roman van Anita Brookner. Dat went blijkbaar nooit. De avond die ten einde loopt, zonder een levende ziel in de buurt om een geintje tegen te maken. Of om lekker tegenaan te zeuren. Een radiopraatprogramma van repliek dienen, alleen om je eigen stem te horen terwijl je een eitje bakt in een koekenpan op het fornuis. Wie zou daar nu gelukkig van worden? Wat deze vriend van mij wel eens tot wanhoop drijft, is dat hij geen keus heeft. Om de paar maanden ga ik bij hem eten. Dat is mijn enige regelmatige eetafspraak buitenshuis. Hij hecht er enorm aan. Als ik hem niet bel, belt hij mij. Dan zegt hij tegen me: 'Voor jou is het anders, jij hebt een gezin.' Daar ga ik niet tegenin. Het is waar, ik heb een dochter. Ik ben een geluksvogel. Maar voor Clare is het niet oké om nog langdurig bij haar vader thuis te wonen op haar achtendertigste. Ik wil dat ze zich thuis voelt hier, in haar ouderlijk huis – het huis waar ze is opgegroeid en dat ze ooit zal erven. Maar ik wil haar beslist niet aanmoedigen hier permanent te blijven. Dat zou ik mezelf niet kunnen vergeven. Mijn dochter ertoe verleiden om mij gezelschap te houden op mijn oude dag. Zelfs al zou ik het niet bewust doen.

Ik sloeg haar gade terwijl zij behoedzaam de krant dubbelvouwde op tafel. Zo heeft ze de dingen altijd aangepakt, heel zorgvuldig. Ze neemt er de tijd voor. Toen ze vijf was, stak ze soms het puntje van haar tong uit haar mond van pure concentratie.

Kwam ze maar eens een goeie vent tegen, dat zou ik haar zo gunnen. En dan het huis uit en iets voor zichzelf opbouwen, misschien zelfs nog een gezin stichten. Is dat soms te veel gevraagd? Is het daar al te laat voor? Niet omdat ik dan gezellig opa kan gaan spelen, maar voor haar, zodat zij haar eigen realiteit vorm kan geven. Een beetje geluk met iemand delen, voordat het te laat is.

'Dat blijken ze toch meestal van je te willen, papa,' zei ze. 'Vroeg of laat, als ze er eenmaal achter zijn wie je bent. Een gratis beoordeling van hun onzinnige schrijfsels.'

'Het is niet altijd onzinnig,' wierp ik tegen. 'Weet je nog, van Caroline?'

'Caroline was de uitzondering.'

'Natuurlijk,' gaf ik toe. 'De uitzondering bevestigt de regel.' Eén ding wist ik zeker, en dat was dat John Patterner geen schrijver was. Hij had nooit iets tegen mij gezegd over boeken schrijven. Niet over mijn boeken, niet over zijn eigen boeken, of van wie dan ook. Hij zweeg in alle talen over wat hij zoal las. Dat hield hij allemaal voor zich. Hij had zelfs nooit per ongeluk verklapt dat hij iets van mij had gelezen, en ik heb het hem zeer zeker nooit gevraagd. Als mensen een boek van je gelezen hebben en ze vonden het mooi, dan staan ze te springen om het je te vertellen. En de andere mogelijkheid... die wil je echt niet horen. Schrijvers onder elkaar praten altijd over hun werk, ze houden er nooit hun mond over. Ze zijn gewoon niet te stuiten, wat dat betreft. Maar John had nooit met één woord gerept over het onderwerp schrijven. John was van het stille soort, zoals alle ware lezers. Die schermen hun dierbare boekenwereld zorgvuldig af voor anderen. Er was maar één ding waar John me over vertelde, en dat was zijn eigen verhaal. Maar ook over hemzelf en Sabiha sprak hij met iets van sobere terughoudendheid. Alsof hij het verhaal aan zichzelf vertelde. Alsof hij het allemaal voor zichzelf nog eens op een rijtje zette, om er een betekenis in te ontdekken. Misschien was hij op zoek naar iets wat hij gemist had, op het moment dat het hem overkwam.

Op regenachtige dagen zaten we nog steeds regelmatig aan onze gebruikelijke tafel achter in het Paradiso. Als het mooi weer was, of als hij zijn trek in een sigaret niet meer kon bedwingen – hij was nog steeds aan het 'stoppen' – zaten we onder de plataan op het trottoir. Maar vaak had ik de indruk dat ik daar helemaal niet samen met hem zat. Alsof hij zich nauwelijks bewust was van mijn aanwezigheid. Natuurlijk, hij had het nodig om te weten dat ik naar hem luisterde, maar ik deed er voor het verloop van zijn verhaal niet toe. En dat was één van de redenen waarom zijn relaas mij zo boeide. Ik had vaak het gevoel dat ik luistervink speelde. Dat ik dingen opving die niet voor mij bestemd waren. Ik onderbrak hem nooit. Nooit. Ik spoorde hem nooit aan en viel hem niet in de rede met vragen. Ik durfde hem niet van zijn verhaal af te brengen, voor het geval hij de draad kwijt zou raken en iets overslaan. Ik was bang om iets te missen. Een of ander helder detail dat zou opflitsen en licht werpen op dat monochrome, ingewikkelde web van zijn herinneringsbeelden. Op dat hele fabricaat dat hij maakte van zijn verloren jaren in Parijs, met andere woorden: zijn verhaal. Hij had me nodig. Natuurlijk had hij me nodig, omdat ik de perfecte toehoorder was, het meest voorbeeldige publiek dat hij zich kon wensen. Maar hij had me alleen nodig om zijn verhaal aan te vertellen. Zodat hij het zelf beter begreep en er mee uit de voeten kon. Ik speelde er geen actieve rol in. Ik was niet zijn souffleur. Het was zijn persoonlijke bekentenis en ik hoefde hem niet in te fluisteren wat ik van hem wilde horen.

Als ik thuiskom van onze sessies loop ik meteen door naar boven naar mijn studeerkamer. Ik ga aan mijn bureau zitten, kijk uit over het park aan de overkant, en maak nieuwe aantekeningen. Zomaar, voor mijn plezier. Ik heb er John nooit iets over verteld. Het is mijn geheime nevenactiviteit, mijn onzichtbare deelname aan zijn verhaal. Ik beschouw het als een extra bonus voor mijn nederige solorol als Johns publiek.

Ik heb het nooit zo exact verwoord, ook niet tegenover mezelf, maar ik weet heel goed wat deze notities voorstellen. Ik wil mijn eigen plek vinden in die uitvoerige samenvattingen van Johns relaas, inclusief mijn eigen uitweidingen. Door middel van de korte toevoegingen en langere bespiegelingen die ik opschrijf, baan ik me omzichtig een weg door zijn geschiedenis. Als een kat die door een volle linnenkast sluipt op zoek naar het lekkerste plekje om een dutje te doen. Die heimelijke inbreuk op Johns verhaal, dat is mijn recht als toehoorder. Naar mijn mening geeft iemand die jou een verhaal vertelt, zijn verhaal aan jou door. Als een geschenk. Het wordt dus je eigendom, zo zie ik het. De verteller vertrouwt je zijn relaas toe, omdat hij daar dringend behoefte aan heeft. Vertellers willen al pratend hun verhaal aan je kwijt, net als een auteur die iets opschrijft, met het oog op een eventuele lezer. Ik zie heus wel in dat ik door mijn aantekeningen bezig ben om, zoals gewoonlijk, iets anders van John en Sabiha's verhaal te maken dan de versie die zij in hun hoofd hebben. Ik geef het vorm door er mijn eigen fantasie op los te laten, zo zou je het kunnen stellen. Maar ik zou niet weten hoe ik het anders moest aanpakken.

Een schrijver kan niet zomaar willekeurig besluiten wat hij schrijft. We kunnen alleen iets maken van wat ons aangeboden wordt. Wat naar ons toe komt, niet alleen uit de buitenwereld,

188

maar ook uit onszelf. Dat laatste zou ik een gesprek met het onderbewuste willen noemen. Je volgt de aanwijzingen op van je eigen verbeelding. Maar die aanwijzingen moeten uit zichzelf boven komen drijven, je kunt ze niet dwingen. Zo werkt de gave. Dat bedoelen we als we zeggen dat sommige mensen begaafd zijn. Ze vangen de aanwijzingen op en ze geven er gehoor aan. Niet iedereen wordt op die manier gestuurd, en niet iedereen die aanwijzingen ontvangt, volgt ze op. Je moet een soepele antenne hebben, en dan nog is het een lastig karwei. Maar dat schrijven een kluizenaarsbestaan zou zijn, dat is een misverstand. Het is altijd een gesprek.

Een verhaal kan ineens bij je aanslaan, en onverhoeds een diepere weerklank bij je oproepen. Dan word je 's nachts wakker en lig je eraan te denken. Dat stadium had ik met het verhaal van John nog niet bereikt, nog niet. Misschien zou het nooit gebeuren. Maar toch zat er iets in, wat me niet losliet. Het had mogelijkheden. Het was me eerder overkomen dat ik op die manier aan het schrijven was geraakt. Misschien hoopte ik deze keer zelfs wel dat het verhaal bij mij iets zou aanboren. Dan had ik tenminste een goede reden om mijn pensionering voorlopig op te schorten. Dan hoefde ik niet meer als een spook door het huis te waren en kon ik mijn vak weer uitoefenen. Mijn eigen gave loslaten op Johns geschenk aan mij.

Schrijven en vertellen zijn twee totaal verschillende dingen. Zo was mijn vader een geweldige verhalenverteller, maar heeft hij nooit in zijn leven één woord geschreven. De schrijver laveert tussen gevaarlijke oceaanstromingen door en lijdt maar al te vaak schipbreuk. Dan is hij de weg kwijtgeraakt in wat Christina Stead de 'oceaan van verhalen' noemt. Dat gebeurt voortdurend. We verzuipen in die enorme oersoep van woorden. We gaan kopje onder. Een bekende stem kan zomaar stilvallen, en je hoort er nooit meer iets van. Dat zijn de Vliegende Hollanders van de schrijverswereld. Spookschepen. Je kunt het niet incalculeren; het verlies blijft een eeuwig raadsel. Aan de andere kant van het spectrum heb je de verhalenverteller. Die bevaart een bekend en vertrouwd stuk van een rivier, en zo houdt hij droge voeten.

'Kom,' zei ik tegen Stubby, en ik stond op van tafel. 'We gaan een wandelingetje maken en wat bladerdeegpasteitjes halen bij de mooie Sabiha.'

Clare vroeg: 'Doet ze nu wel aardig tegen je?'

'Sabiha en ik begrijpen elkaar.'

Clare schoot in de lach. 'Jij begrijpt haar misschien, papa. Neem je ook wat van die griesmeelkoekjes met amandelen mee?'

Ik zei: 'Ik dacht zelf aan een zak honingcakejes.'

'Ja, neem die ook maar.'

We keken elkaar aan.

'Wat bedoel je daar eigenlijk mee, dat jullie elkaar begrijpen?' vroeg ze. Opeens klonk ze serieus.

*H*et was dinsdagochtend vroeg. Een smal randje koud licht kierde onder de gordijnen door. John sliep nog, terwijl Sabiha naast hem lag te kijken hoe de dag geleidelijk aanbrak. Ze vroeg zich af of Bruno vandaag zoals altijd hun bestelling zou komen afleveren, en bij hen zou blijven eten. Of zou hij nu bij Chez Dom uit de buurt blijven? Ze had hem sinds vrijdag niet meer gezien en zag er als een berg tegen op om oog in oog met hem te staan. Maar ze verlangde er ook naar hem te zien. Ze kon er niet omheen. Ze zou hem dolgraag tegenkomen, maar niet in de echte wereld. Nee, het moest een soort ideaal oord zijn, waar ze alleen tegenover elkaar rekenschap hoefden af te leggen. Maar waar zou dat kunnen zijn? Stel dat hij vanmiddag op zijn gebruikelijke plaats in het eetcafé zou zitten, en traditiegetrouw Nejib en zijn norse kameraad tegen de haren in zou strijken... Ze moest er gewoon niet aan denken. Als hij straks de keuken in kwam lopen met een kist Grosse Lisse-tomaten tegen zijn borst gedrukt, hoe moest ze hem dan tegemoet treden?

Haar gedachten waren een ratjetoe. Hopelijk was Bruno te beschaamd om zijn gezicht te laten zien. Misschien schaamde hij zich wel zo diep over wat zij samen gedaan hadden, dat hij hier nooit meer zou komen. In dat geval zou zijn verdwijning uit hun levens voor iedereen een raadsel zijn, behalve voor haar. Was het echt mogelijk dat zij en John vreedzaam voort zouden dobberen, nu samen met het kind? Dat haar kind én haar echtgenoot allebei even onwetend bleven, terwijl de jaren voorbijgleden? Alsof het gebeurde een episode uit een van de romans was waar John altijd met zijn neus in zat. Maar wacht even, Bruno had daadwerkelijk op zijn knieën zitten huilen. Als dat geen voorbode was van iets vreselijks... Een grote, sterke man als Bruno die op zijn knieën was gedwongen. Het lukte haar simpelweg niet dat beeld van zich af te zetten. Ze kon haar gedachten niet beheersen. Sinds afgelopen vrijdag had ze gevangengezeten in de geest van een uitzinnige, vreemde vrouw, wanhopig op zoek naar iets om zich aan vast te klampen, om overeind te kunnen blijven.

Johns regelmatige adem stokte even en hij maakte een keelgeluid. Ze draaide haar hoofd om op haar kussen en keek naar hem in het flauwe licht. Ze hield van zijn profiel, zo vlak naast haar. Die geruststellende en vertrouwde intimiteit, zijn prachtige, sterke neus. John was haar grote liefde. Die eerste dag, toen ze in elkaars armen lagen aan de rivieroever in Chartres, had hij in haar oor gefluisterd: *Jij en ik zijn net de twee vleugels van een vlinder.* Dat beeld had ze altijd gekoesterd als een symbool van hun blijvende verbintenis. Ze had al snel ontdekt dat John een zachtaardige en romantische man was. Een ouderwetse man, vond ze hem. Maar ze had nooit precies begrepen hoe hij zichzelf zag en vaak dacht ze dat zijn eigenlijke leven zich afspeelde in de geheime wereld van zijn boeken. Hij was zo terughoudend en diepzinnig. Hij moest het beste deel van zichzelf wel afschermen van de alledaagse werkelijkheid, de wereld van frauduleuze wijnhandelaren en sluwe slagers. Dat waren mannen met wie hij nooit echt zou kunnen praten, in geen enkele taal.

Ze draaide zich om en sloot haar ogen. Had ze verraad gepleegd aan Johns prachtige symbool van de vlindervleugels? Ze wist niet of ze nu het enige juiste had gedaan, of dat ze helemaal fout zat. Daarover nadenken was een uitputtingslag. Ze kon er bij niemand mee terecht. Niemand tegen wie ze haar verhaal kon opbiechten. Ze stond er alleen voor... Behalve Bruno zou waarschijnlijk niemand begrijpen wat zij nu doormaakte. En hij zou niet bij machte zijn om haar rustig aan te horen en er samen uit te komen. Die huilebalk!

Ze deed haar ogen weer open. Ze had hem niet gezien in de donkere bestelwagen, maar ze had zijn aanraking op haar naakte dijen gevoeld. Ondanks zichzelf, ondanks alles, hadden zijn handen op haar blote huid haar opgewonden. Toen ze met hem vrijde, had ze net zo goed blind kunnen zijn. Er was iets prikkelends, iets fantastisch aan die gedachte dat blindheid het mysterieuze genot van seks zou versterken. Genot was eigenlijk nog zacht uitgedrukt, dat wist ze nu. Er was een ander, groter begrip voor nodig. *De blinde vrouw en de vreemdeling.* Ze had de neiging het hardop uit te spreken – om het met haar eigen oren te horen en de betekenis ervan te doorgronden. De naakte mannelijkheid van de vreemdeling, sterk en zacht, die doordringt in het lichaam van de blinde vrouw. Zij die hem toelaat en hij die pijn veroorzaakt en genot, een genot dat woorden te boven gaat. Haar sterke handen die hem vasthouden, die hem uit alle macht bezitten, die hem in haar greep houden! Een zacht snikje ontsnapte Sabiha.

Nu hadden de oude goden haar te pakken. Zou ze zich ooit uit hun machtige klauwen weten te bevrijden? Zou ze ooit nog innerlijke rust kennen?

Ze gleed uit bed, stapte in haar pantoffels en trok haar ochtendjas aan. Haar keel prikte en voelde droog aan. John draaide zich op zijn buik en mompelde iets in zijn kussen. Ze keek over haar schouder naar hem voor ze de deur uit liep en naar beneden ging. In de keuken boog ze zich over het aanrecht en zette haar mond aan de kraan. Gulzig dronk ze van het koude water, liet het langs haar keel stromen en in haar nachtpon lopen, als koele vingers tussen haar borsten. Ze richtte zich op, veegde haar mond af en stak het gas aan onder de melkpan. John mocht nooit iets vermoeden. Hij mocht het nooit te weten komen. John was veel te zachtaardig en te goed van vertrouwen. Hij had een te vriendelijk, rustig karakter om zich te wapenen tegen diepe wanhoop. John bezat een hardnekkige onschuld, wat hem op een bepaalde manier heel kwetsbaar maakte. Dat had ze van het begin af aan gezien. Die eerste dag al, toen hij het eetcafé binnenkwam om te schuilen voor de regen en naar haar opkeek uit zijn boek, met een blik zonder enige berekening. Geen enkele man had daarvoor ooit zo naar haar gekeken. De verlegen argeloosheid van deze vreemdeling had zij meteen aantrekkelijk gevonden. Ze had met hem samen willen zijn, en zich beschermd weten binnen die magische cirkel van zijn mannelijke onschuld. Er waren heel wat soorten onschuld, dat wist ze inmiddels. Maar Johns onschuld kwam erop neer dat hij *hoopte dat iedereen het goed met hem voorhad.* Dat had ze aangevoeld toen ze hem die eerste dag zag, en ze had hem meteen vertrouwd.

Ze schonk de koffie in en nam hun bekers mee naar boven. Op de derde tree van boven stapte ze mis. Gloeiend hete koffie stroomde uit de bekers over haar handen, en ze verbrandde zich en schreeuwde het uit van de pijn.

Sabiha dompelde de soeplepel in de grote pan en vulde de volgende kom met geurige lamsragout. Het was dezelfde lepel waarmee Dom Pakos zijn sfougato had opgeschept, al die jaren geleden. Het laatste voorwerp dat Dom in deze wereld had aangeraakt. Een ijzeren soeplepel met klinknagels, die meer dan vijftig jaar dienst had gedaan. Sabiha lepelde de ene na de andere blauw-groene kom vol met de pittige stoofpot. In haar linkerhand hield ze een doek waarmee ze de spetters jus van de randen van de kommen wreef voordat ze die op de werkbank zette. Er zat een blauwgrijze, verkleurde brandblaar van de hete koffie op de rug van haar rechterhand. De mannen arriveerden allemaal ongeveer tegelijk voor hun lunch. Ze hadden krap een uur pauze en verwachtten direct bediend te worden. Rond twaalf uur 's middags was het altijd een gekkenhuis in de keuken.

John kwam uit het eetzaaltje, pakte drie kommen en bracht ze naar binnen. Sabiha richtte zich op, veegde met één hand het zweet van haar voorhoofd en duwde de haarstrengen die losgeraakt waren terug onder haar hoofddoek. Opeens besefte ze dat er iemand in de deuropening naar de steeg stond. Haastig draaide ze zich om.

Een vleug bleek zonlicht viel over Bruno's krachtige, Romeinse gelaatstrekken. Hij drukte een kist tomaten tegen zijn borst en hield zijn blik op haar gericht. Hij had zijn hemdsmouwen tot de ellebogen opgerold en de aderen op zijn armen bolden op onder zijn huid.

Opnieuw zag ze hoe onweerstaanbaar knap hij was. Onder de intieme aanraking van zijn blik sloegen de vlammen haar uit. Ik ben twee verschillende vrouwen geworden, dacht ze machteloos.

Er lag een waas van uitputting over zijn gladde huid en hij had grote, paarse kringen onder zijn ogen.

Hij zei: 'Sabiha, ik moet je spreken.'

'Ik kom vrijdag op de markt naar je toe, dan kunnen we praten.' Ze was stomverbaasd over haar eigen woorden. Zoiets was ze helemaal niet van plan geweest. 'Dan kun je me vertellen wat je op je hart hebt.' Haar toon was onverbiddelijk. Had ze werkelijk gezegd dat ze weer naar hem toe zou komen?

Hij bewoog zich niet, maar bleef naar haar staan kijken.

'Zet die tomaten neer en ga naar binnen om te eten, nu!' drong ze met zachte stem aan. 'Vooruit, Bruno!'

John kwam door het kralengordijn de keuken in en keek naar hen. 'Vooruit? Hoezo, vooruit?' vroeg hij.
Bruno knielde en zette de kist tomaten neer. Hij stond op en keek John strak aan.

Sabiha kreeg een wee gevoel in haar maag. Ze draaide zich om naar het werkblad en liet haar hele gewicht op het koude marmer rusten. Ze sloot haar ogen – even was ze weer de blinde vrouw, die zich terugtrok in het donker. Ze hoopte vurig dat Bruno hun geheim niet zou verraden.

John zei: 'Gaat het wel, Bruno?'

Op tamelijk lompe toon antwoordde Bruno: 'Jazeker, prima. Hoe gaat het met jóú? Alles kits, John?' Hij lachte.

John zei effen: 'Ja hoor, Bruno, dank je. Maar... voel jij je wel goed?'

Bruno liet een gesnuif horen, drong zich onbehouwen langs John en duwde de kralen opzij.

Sabiha draaide zich om van het werkblad.

John stond nadenkend het eetzaaltje in te kijken naar Bruno, alsof hij van plan was hem achterna te gaan en om uitleg te vragen. Hij haalde diep adem, en blies de lucht langzaam uit. 'Wat mankeert hem nu opeens?' Hij had een kleur gekregen van ergernis.

Ze pakte Doms soeplepel weer op. 'Breng die kommen maar gauw naar binnen voor ze koud worden. De mannen zitten te wachten.'

Maar John maakte geen aanstalten. Toen ze hem verder negeerde, tilde hij het kralengordijn voorzichtig op en keek nogmaals het eetcafé in. 'Ik ga met hem praten,' zei hij.

'Waarover dan?' Ze hoorde dat haar stem schel klonk, maar ze kon er niets aan doen.

'Als hij iets tegen jou heeft gezegd, dan hoor ik dat te weten.'

Ze ontmoette zijn blik en zag dat hij zijn zelfbeheersing weer had hervonden. Dat was nou typisch John. Zou ze hem zelfs zover kunnen sussen dat hij echt dacht dat er geen vuiltje aan de lucht was? Maar nee, zo was het niet. Hij wilde het wél weten. Hij was vastbesloten het er niet bij te laten zitten. Ze zag het in zijn ogen en aan zijn hele houding. Hij mocht dan kwetsbaar zijn, maar dat betrof alleen zijn binnenwereld. Het had niets te maken met een gebrek aan besluitvaardigheid. Ze was nu ruim zestien jaar met John samen, maar ze bleef zich afvragen in hoeverre ze hem echt kende.

'Alsjeblieft, John,' zei ze nu op mildere toon, een beetje smekend. 'Je weet heel goed dat Bruno nooit een ongepaste opmerking zou maken.'

'Waarom blijf jij aldoor "Jóhn" tegen me zeggen?' Hij leek eerder bevreemd dan kwaad. 'Wat is er toch!'

'Ik ben gewoon moe,' zei ze. 'Het spijt me.' Ze deed haar best om zichzelf weer in de hand te krijgen. Ze kon het. Het moest lukken. Ze zou de demonen uitdrijven en hun leven van alledag weer op de rails krijgen, hoe dan ook.

Hij kwam naar haar toe en kuste haar op de wang. 'Het zit wel goed, schat,' zei hij vriendelijk. 'Het spijt mij ook. Je bent niet helemaal jezelf. Maar ik begrijp het heus wel, hoor.'

Ze draaide zich van hem weg, keek neer op het werkblad en raakte voorzichtig de brandblaar op haar hand aan.

Hij wachtte nog even, maar ze hield haar blik afgewend. Hij liep naar de andere kant van de keuken en rekte zich uit om een stapeltje schone kommen van de plank boven de houten werkbank te pakken. Hij zette de kommen neer op het blad naast haar en bleef een ogenblik met zijn handen op de werkbank geleund staan. Hij keek naar rechts, de lunchroom in, terwijl Sabiha links van hem met haar rug naar hem toe de kommen volschepte die klaarstonden. Ze zou nog steeds een betoverend mooie onbekende kunnen zijn. Een vrouw uit een wereld waar hij geen weet van had, en van wie de gedachten hem voor eeuwig een raadsel zouden blijven.

Hij kon Bruno zien zitten in driekwartprofiel. Hij wist dat

Bruno een fatsoenlijke man was. Betrouwbaar en opgewekt. Ze waren geen dikke vrienden, John en Bruno, maar ze hadden respect voor elkaar. Ze waardeerden hun omgang met elkaar. John beschouwde Bruno als een tevreden man.

Hij had hem nog nooit zo geagiteerd gezien als vandaag. Bruno zat neer te kijken op zijn handen die hij in zijn schoot in elkaar kneep en weer losliet. Zijn hele lichaam leek geconcentreerd op die ene, nerveuze handeling. Maar je kon het geen machteloos, wanhopig handenwringen noemen, als van een oude man. Nee, hij boog en strekte zijn vingers, greep met één hand de andere vast, ieder keer weer van hand wisselend, alsof hij de stijfheid eruit wilde masseren... Alsof hij zich gereedmaakte om toe te slaan.

Nejib en zijn zwijgzame vriend kwamen het eetcafé binnen. John sloeg hen gade. De twee groetten hun vrienden, liepen naar hun tafel en gingen zitten. Nejib zoals gewoonlijk met zijn gezicht naar Bruno toe, de ander zijdelings van de Italiaan afgewend. Maar ze keken allebei naar Bruno, waarbij Nejibs vriend zich half omdraaide op zijn stoel. Ze hadden meteen door dat er iets loos was. Ze wendden hun ogen af, keken elkaar aan en wisselden een blik van verstandhouding, zonder een woord te zeggen. Bruno leek hen niet op te merken. John wist niet waarom Bruno en de twee mannen zo vijandig deden tegen elkaar, maar het was iets wat stamde uit de tijd voordat Bruno hen hier in Chez Dom trof. Blijkbaar hadden hun wegen elkaar al bij een eerdere gelegenheid gekruist. Bruno liet geen dinsdag voorbijgaan zonder Nejib en zijn tafelgenoot op de een of andere manier te provoceren. Nejib was altijd degene die de bal terugkaatste. Maar John voelde aan dat het diepere probleem speelde tussen Bruno en Nejibs ondoorgrondelijke vriend. Bruno leek deze stille man er voortdurend aan te willen herinneren dat hij hun oude twistpunt niet vergeten was. Dat hij klaarstond om het met hem uit te vechten, wanneer de ander dat maar wilde. Een soort mannelijke erekwestie. Maar Nejib slaagde erin om de spanning tussen zijn zwijgzame kameraad en Bruno op een laag pitje te houden, en daar was John hem dankbaar voor.

John liet het gordijn vallen, pakte drie volle kommen ragout van het werkblad en liep ruggelings tussen de kralenslierten door, het eetzaaltje in. Hij zette een kom voor Bruno neer en zei: 'Eet smakelijk.' Bruno gaf geen antwoord, maar bleef neerkijken op zijn handen die nu stil in zijn schoot lagen. John wilde zich juist omdraaien, toen Bruno zijn gezicht ophief. Hij keek John recht aan met de blik van iemand die naar adem snakkend boven water komt. Iemand die diep onder het oppervlak iets vreselijks heeft ontdekt, iets wat dringend meegedeeld moet worden. Hij opende zijn mond en leek te worstelen om zijn waarschuwing te uiten, maar er kwam geen geluid uit. In Bruno's ogen zag John een man die verdronk in zijn eigen wanhoop en daar schrok hij van.

Hij bleef naast Bruno's tafel staan, in de wetenschap dat de mannen naar hem keken. John dacht dat hij van Bruno het nieuws te horen zou krijgen over de een of andere verschrikkelijke diagnose. Een onbehandelbare vorm van kanker misschien, of een ander medisch doodsoordeel dat hem binnenkort in de kracht van zijn leven zou vellen. Maar Bruno was niet bij machte om zijn zorgen uit te spreken. In plaats daarvan sloeg hij zijn ogen neer en bestudeerde opnieuw zijn handen, alsof die zijn schrikbarende toestand duidelijk konden maken. Een bedrieglijke, onontwarbare kluwen die bestond uit knokkels en vingerkootjes. Een netelig labyrint. John dacht terug aan het rijmpje van zijn moeder: *Dit is de kerk en dit is de toren, kun jij de men-*

sen zien en horen? Dat oude kinderrijmpje kreeg voor hem opeens een onheilspellende bijklank.

'Doe maar rustig aan, Bruno,' zei hij. Hij liep verder, groette Nejib en zijn tafelgenoot en zette hun maaltijd voor hen neer.

Op de meeste tafels stonden mandjes brood en op sommige stond wijn, maar op deze tafel ontbrak steevast de wijnkan. Toen ze voor het eerst in het café kwamen eten had John Nejib en zijn vriend wijn aangeboden. Nejib had het aanbod beleefd afgeslagen, maar John herinnerde zich nog steeds de reactie van de andere man. Zijn toon was kil en vol minachting geweest, alsof zijn weigering hem superieur maakte aan anderen. Hij had de haren van zijn glanzende snorretje gladgestreken en gezegd: *Ik zal nooit ofte nimmer alcohol aanraken.* Hij had zo plechtstatig geklonken dat John hem had afgedaan als belachelijk, een fanaticus. Hij mocht deze gast niet. De man zei amper een woord en leek met moeite het gezelschap in Chez Dom te dulden, afgezien van Nejib dan. Maar aan zijn hele houding was af te lezen dat hij zich ver verheven voelde boven de rest van dit werkvolk.

Een van de mannen zwaaide naar John en vroeg hem de waterkan bij te vullen. John haalde de kan op, trok zich terug achter de bar en liet de kan vollopen onder de kraan. Al deze mannen moesten het gezelschap van hun gezin ontberen. Ze woonden in de allergoedkoopste onderkomens en hun dagelijks leven hing van onzekerheden aan elkaar. Gastarbeiders, van wie de officiële status in dit land onbeslist was. Ze leidden hier een marginaal bestaan; wankel en kwetsbaar. Iedere dag werden ze er door duizenden kleinigheden aan herinnerd dat ze hier niet thuishoorden en dat hun aanwezigheid van voorbijgaande aard was. John onderkende hun toestand en had het gevoel dat hij hen begreep. In de loop der jaren had hij sommige van de mannen geadviseerd naar Australië te emigreren. Twee van hen was dat gelukt, samen met hun gezinnen. Als er ooit een brief van een van deze mannen kwam dan werd hij doorgegeven aan Sabiha, die hem vervolgens vertaalde voor John.

De voordeur sloeg met een klap dicht. Hij keek op van de gootsteen en zag Bruno met gebogen hoofd langs het raam lopen, zijn handen diep in zijn jaszakken. John draaide zich om en keek naar Bruno's tafel. Zijn maaltijd was onaangeraakt. De mannen waren allemaal gestopt met eten. John bracht de waterkan naar de tafel. Iemand zei iets in het Arabisch, waarop de gasten allemaal lachten en verdergingen met hun lunch. Chez Dom was weer vol geroezemoes, gepraat en gelach.

John liep richting keuken en bleef in de deuropening staan, terwijl hij achteromkeek naar het eetzaaltje.

'Bruno zit zwaar in de problemen,' zei hij. 'Ik wil best iets voor hem doen, maar ik zou niet weten wat.' Hij keek Sabiha aan. 'Wat zei hij toen hij binnenkwam?'

Met minutieuze bewegingen van haar mes hakte Sabiha een bosje koriander fijn, alsof ze zo in beslag werd genomen door deze doodgewone taak dat ze zijn vraag niet had gehoord. Het doordringende aroma van de verse kruiden verspreidde zich door de keuken.

*D*ie vrijdag ging ze niet naar de markt om Bruno te spreken, zoals ze hem beloofd had. Ze ging helemaal niet naar de markt, voor het geval dat ze hem per ongeluk tegen het lijf zou lopen. Ze kon de gedachte niet verdragen de pijn in zijn ogen te moeten zien, of om geconfronteerd te worden met de mallemolen van haar eigen tegenstrijdige gevoelens. Ze was gespannen en sliep slecht. Toen werd het weer dinsdag. Sabiha zat op hete kolen, maar Bruno kwam niet opdagen met hun bestelling. Tijdens de lunch kon ze geen hap door haar keel krijgen en ze duwde haar bord van zich af.

'Liefje, is er iets mis?' vroeg John vriendelijk.

Zijn vraag irriteerde haar. Ze voelde woede opkomen en sloot haar ogen.

Hij keek naar haar. 'Ik heb rondgevraagd op de markt.'

Ze knipperde met haar ogen. 'Waarnaar?'

'Bruno was vroeg naar huis gegaan. Of hij was zijn bestellingen aan het bezorgen. Niemand wist er iets van.' John nam een slok wijn. 'Het is mij een raadsel. Maar zoals jij laatst al tegen me zei, Bruno is niet de enige tomatenverkoper die we kennen.' Hij glimlachte haar toe, maar ze reageerde niet.

•

Op zondagmiddag ging John vissen met André. Het was guur, regenachtig weer. John gaf Sabiha een zoen op haar wang en ging het kralengordijn door. Ze stond bij het gordijn en keek hoe hij het eetcafé doorkruiste. Hij had een dikke bruine coltrui aan onder zijn blauwe parka, alsof hij eruit probeerde te zien als een echte visser op de grote vaart.

Haar hoofd bonsde pijnlijk. John was intussen bij de voordeur en opende die. Met de deurklink in zijn hand draaide hij zich om en zwaaide naar haar. Er knalde iets onder haar schedel en ze gilde: 'Er is iets mis met jóú John, niet met mij!'

John stapte naar buiten en sloot de deur achter zich.

Had hij haar helemaal niet gehóórd? Of hield hij zich gewoon doof? Ze had de neiging hem achterna te rennen om een reactie uit hem krijgen. Om hem desnoods nog een keer, maar dan vlak in zijn gezicht toe te brullen: *Er is iets mis met jóú, John!*

Ze bleef bij het gordijn staan en staarde het lege eetcafé in, wachtend tot haar lichaam ophield met trillen. De waarheid mocht gezegd worden. Er was écht iets mis met hem. Wanhopig keek ze de stille lunchroom rond. Ze had John bedrogen. Ze kon niet met hem praten. Ze was volledig op zichzelf aangewezen. Ze had zichzelf geïsoleerd en ze was zo gestrest dat ze er braakneigingen van kreeg.

•

Die avond in bed lag ze naast hem naar het plafond te staren. Hij zat nog rechtop tegen het hoofdeinde geleund, zoals gebruikelijk verdiept in zijn boek. Hij leek al maanden hetzelfde oude boek met het rode omslag te lezen. Ongeveer om de minuut sloeg hij een bladzijde om. Het geritsel van de pagina die werd omgedraaid raakte een gevoelige plek in haar hersenen. Ze telde iedere keer de seconden af, tot het geritsel aangaf dat hij de volgende bladzijde had bereikt. Het was bijna onverdraaglijk. Om deze verschrikking te doorbreken zei ze: 'Toen ik vanmorgen tegen je schreeuwde, waarom heb je me niet gezegd dat ik m'n kop moest houden?' Ze draaide haar hoofd om en keek naar hem. Hij las onverstoorbaar verder, alsof hij haar niet had gehoord.

Na een tijdje keek hij met peinzende blik op uit zijn boek. 'Ik wist niet zeker of ik je wel goed had verstaan,' zei hij, en glimlachte. 'Maar wie weet ís er wel iets mis met mij, schat. Je zou best gelijk kunnen hebben.' Hij lachte en vestigde zijn aandacht weer op zijn boek.

Ze draaide haar gezicht naar de muur.

Even later klapte hij het boek dicht. Toen hij haar nek zoende en haar zachtjes welterusten wenste, kon ze het amper opbrengen om antwoord te geven. Wat moest ze nog meer uithalen om hem uit zijn tent te lokken? Was dat waar ze mee bezig was? Probeerde ze een crisis tussen hen teweeg te brengen, zodat ze aanleiding had om hem woedend haar schuldbekentenis in zijn gezicht te schreeuwen? Een dun laagje zweet bedekte haar huid en ze huiverde. Als ze niet oppaste, zou ze allebei hun levens tot een complete ramp maken. Het probleem was dat ze niet helder kon denken. Ze kon niet rustig een afweging maken en beslissen wat ze nu eigenlijk moest doen. John had gelijk gehad, ze was zichzelf niet. Ze voelde zich ruw door elkaar geschud en ze was zo op van de zenuwen dat het bloed in haar oren bonkte. Langzaam ademde ze in en uit en probeerde haar lichaam tot rust te dwingen. Naast haar lag John al zachtjes te snurken. Hoe kon hij zo blind zijn, en zo stompzinnig relaxed?

Als andere vrouwen mijn verhaal hoorden, zouden ze geen spaan van me heel laten, dacht ze. Behalve mijn grootmoeder en de Berber-vrouwen uit vroeger tijden. Die zouden haar niet veroordelen. Zij zouden haar in hun groep opnemen en haar aanklagers het hoofd bieden en haar beschermen. De Berber-vrouwen waren altijd trots en indrukwekkend geweest en werden door hun mannen gevreesd. Van oudsher weigerden ze hun gezicht met een sluier te bedekken. Ze traden hun tegenstander met open vizier tegemoet en keken hem net zo lang aan tot hij zijn ogen neersloeg. De geest van verzet zit in mijn bloed, dacht Sabiha. Dat heb ik geërfd van mijn voorouders. Terwijl John geen greintje opstandigheid in zijn lijf heeft. Zijn bloed is rustig en koel, maar het mijne kookt.

Zij was niet de eerste vrouw die haar heil bij een andere man had gezocht, louter om zwanger te worden. Als haar grootmoeder nog had geleefd, had die haar vast en zeker verteld hoe vaak vrouwen in het diepste geheim voor deze hachelijke uitweg hadden gekozen. Toch had zij, Sabiha, misschien iets over het hoofd gezien. Was het noodzakelijk voor de vrouw om genot te beleven aan de heimelijke seks met die andere man, zou haar lichaam zijn zaad dan beter benutten? Wat zou haar grootmoeder daarover gezegd hebben?

John lag vredig naast haar te snurken, alsof niets hem kon deren en alsof hun huwelijk stond als een huis. Ze reikte met haar arm over hem heen, kreeg zijn boek te pakken en las de titel: *Autobiografie van Benvenuto Cellini*. Het omslag was gevlekt en kromgetrokken. Hij had het opgeduikeld op de tweedehandsboeken-markt, daar waar ooit de paarden stonden te wachten tot ze ge-slacht werden. Waarom las hij dit? Wie interesseerde zich verder nog voor deze vergeten boeken? Hij sprak er nooit over. Hij be-woog in zijn slaap en ze keek naar hem. Het was zijn trouw die haar zo hecht met hem verbond; zijn kalme, onvoorwaardelijke trouw. Zijn liefde, zijn vanzelfsprekende fatsoen, zijn bescheiden, onnadrukkelijk zelfvertrouwen. En niet te vergeten zijn onfeil-bare, gekmakende en onuitputtelijke geduld en goodwill met alles en iedereen. Met haar, met zijn eigen leven en zelfs met die bedrieger van een wijnhandelaar. Ze kon zich John heel goed als leraar voorstellen. Mild geamuseerd zou hij voor een horde on-gezeglijke kinderen staan en rustig wachten tot ze eindelijk op hun plaats zaten, naar hem opkeken en vroegen: 'Wat gaan we vandaag doen, meneer?' Zijn leerlingen zouden dol op hem zijn. En hij zou ze in hun waarde laten en ze zachtaardig behandelen. Zoals hij daar kwetsbaar en vol vertrouwen naast haar lag te sla-pen, haar eigen man, haar vreemdeling, dat maakte haar verdrie-tig. Ontzettend verdrietig. Voorzichtig legde ze zijn boek terug op de stoel, stapte uit bed en sloop de trap af.

Ze deed de achterdeur open, ging in de deuropening staan en keek de lege steeg in. Boven de daken hing de gele gloed van de roemrijke, mysterieuze stad. In al hun jaren hier in Vaugirard hadden ze Parijs nooit echt leren kennen. Het Parijs waar zij woonden, was niet de stad waar mensen aan dachten als je het woord *Parijs* liet vallen. Dat magnifieke, romantische Parijs zou wat haar betreft net zo goed aan de andere kant van de wereld kunnen zijn. Ze had er weinig van gezien. De kater van André zat te loeren op een muis, geduldig wachtend tot het beestje over de kasseien naar de overkant zou trippelen. De kater wierp haar een hooghartige blik toe, duidelijk gepikeerd vanwege haar inbreuk. De verleiding om John alles op te biechten beangstigde haar.

Ze ging naar binnen en sloot de deur achter zich. Ze schoof de grendel ervoor en stond een poosje met haar rug tegen het hout geleund, haar armen over elkaar geslagen onder haar borsten. Als ze religieus was geweest dan zou ze nu hebben gebeden, voor hen allemaal. Maar haar ouders hingen geen enkel geloof aan en daar waren ze trots op geweest. Alleen resten van de oude religie van haar grootmoeders volk hadden het overleefd. Soms had haar vader dat oude volksgeloof bespottelijk gemaakt, maar wel op een vriendelijke manier. Hij sprak er nooit grof of agressief over, maar eerder met een glimlach en een onuitgesproken, heimelijk respect. Dus was Sabiha eigenlijk altijd al twee mensen geweest, innerlijk verdeeld tussen de overtuigingen van haar vader en die van haar grootmoeder. Geen wonder dat het haar lot was tegen alle conventies in te gaan om haar kind te bereiken. Ze keek terug op de jaren die voorbij waren en besefte dat ze nooit enige andere keus had gehad. Ze legde haar handen op haar buik en fluisterde: 'Mijn kleintje!' De tranen stroomden over haar wangen. 'Je bent nu niet meer alleen, schat van me.'

*T*wee weken nadat Sabiha Bruno had verleid, werd ze 's nachts wakker en voelde bloed tussen haar benen door sijpelen. Het was geen miskraam, dat wist ze meteen. Ze was gewoon ongesteld geworden. De schok was zo groot dat ze zich even verdoofd voelde. Haar lichaam had haar in de steek gelaten. Ze kromp ineen en het bloed kwam op haar nachtpon en op de lakens. De druppelstroom van haar bloed, die het afval van haar mislukking meevoerde. Ze voelde zich bedrogen, leeg en verslagen. Het was allemaal voor niets geweest. Ze had verloren.

Ze wilde het uitschreeuwen als een ongetemd dier. Ze wilde vloeken en huilen en keihard stampen op iets moois en breekbaars. Ze moest dit bittere verdriet voor eens en altijd uit haar leven bannen. Ze wilde dood. Ze had de meedogenloze, barbaarse goden in haar leven toegelaten, en nu dreven ze de spot met haar. Voor hen was ze niets meer dan gewoon de zoveelste ongelukkige vrouw. Ze was geen heldin, maar een slachtoffer. Ze had helemaal geen leeuw geveld. Wat belachelijk arrogant van haar om zichzelf voor te stellen als de krijgshaftige vrouw uit het lied van haar grootmoeder!

John streelde haar schouder, tilde haar haren op en zoende haar nek. Zijn lippen waren warm. 'Tijd om op te staan, schat,' spoorde hij haar zachtjes aan.

Ze maakte zich zo klein mogelijk en dook diep weg in bed, met de deken strak om haar schouders getrokken. Ze zou zich van kant maken; afgelopen, uit.

'Kom op, opstaan!' John lachte ongemakkelijk. 'Je wordt nog lui op je oude dag,' plaagde hij.

Ze duwde zijn hand weg, sleurde de dekens naar zich toe en rolde zich er helemaal in. 'Ga jíj maar een keer naar de markt.'

Hij probeerde de deken van haar gezicht weg te trekken.

'Ik voel me niet lekker! Mag ik ook eens ziek zijn? Voor één keer?'

Bezorgd vroeg hij: 'Zal ik een dokter halen?'

'Alsjeblieft John! Laat me nou met rust!'

Hij stond op, trok zijn trui aan over zijn pyjama en ging naar beneden.

Aangekomen in de eenzame, koude keuken las hij zichzelf de les. Hij moest geduld met haar hebben en verdraagzaam zijn. Hij moest haar hier doorheen slepen. Hij streek een lucifer af en de vlam flakkerde op, vlak voor zijn ongeschoren wangen. Hij boog zich naar het vlammetje toe en tuurde erlangs alsof hij in een donker hoekje zocht naar iets wat gevallen was, of kwijtgeraakt. Hij stak het gas aan, zette de melk op en warmde zijn handen boven het pannetje. De kater van André kwam uit het steegje naar binnen en streek langs zijn benen. De vacht van de kater was vochtig en kil van de nachtlucht. Hij slaakte een vertrouwelijk kreetje en John hurkte neer en aaide hem over zijn kop. De kater begon luid te spinnen en duwde zijn harde kopje tegen Johns hand. Toen de melk lauwwarm was, goot hij er wat van op een schoteltje en zette dat op de vloer.

John keek toe hoe het diertje de melk oplikte. 'Wat moet ik nou beginnen?' Hij keek naar de tevreden kater en vervolgde: 'Ik had een kat toen ik klein was, een vrouwtje.' Zijn kat was achttien geworden. Het beestje hield vaak Stips kop tussen haar klauwtjes en waste de hond met haar tong. Dan kneep Stip haar ogen dicht van genoegen. De kat, die geen naam had, was groot en rossig met slaperige groene ogen. Ze volgde hem en Stip overal op het erf van de boerderij, maar ging nooit mee de beek over. Als hij en Stip het water overstaken, ging de kat op de oever zitten en keek hen na, als een vrouw die zit te wachten tot haar jongens thuiskomen. Je kon erop rekenen dat ze op diezelfde plek zou zitten als ze 's avonds terugkwamen. Hij had haar gered van een nest wilde kittens, dat zijn vader tussen de braamstruiken had gevonden aan de rand van het grote, omheinde veld. Zijn vader had de overige kittens in een lege suikerbaal gestopt, de zak boven zijn hoofd gezwaaid en hard op het aambeeld in de schuur neer laten komen. 's Avonds zat John op de veranda toe te kijken hoe zijn kat op konijnen loerde, haar lijf zo plat mogelijk in het kikuyugras gedrukt, vlak bij de braamstruiken waar ze was geboren. Dan zag hij haar opspringen. Hoog in de lucht ontrolde haar lichaam zich als een veer en ze stortte zich boven op een volwassen wild konijn. Met haar machtige kaken brak ze het ongelukkige beest meteen de nek. Ze sleepte haar prooien altijd mee naar huis en slachtte ze af aan de voet van het waterreservoir. Vervolgens bracht ze een portie konijn naar Stip die op de veranda lag, deponeerde het warme vlees vlak voor Stips neus, en duwde het naar voren met haar poot. Toen ze doodging, wikkelde John haar

huilend in zijn mooiste trui en begroef haar onder de sinaasappel-
boom, naast de zomerstallen. Hij was echt heel verdrietig geweest
en Stip lag met haar kop op haar poten naar zijn betraande gezicht te kijken. De botten van zijn kat moesten nog steeds op dat
plekje in de grond zitten. Stip was op een veel tragischer manier
aan haar einde gekomen. Daar wilde hij op dit moment beslist
niet aan denken. Het was gewoon te triest geweest. John dacht
liever niet aan trieste of tragische dingen.

De koffie dampte. Zijn moeder had Stip zo genoemd vanwege
de witte stip aan het uiteinde van haar staart. John zelf had zijn
dieren nooit namen gegeven. Het oude paard van zijn vader was
een grote, lomp voortsjokkende bruine ruin geweest die Beau
heette. Wat kon die scheten laten. Gigantische scheten. Als zijn
vader Beau aanspoorde om de oever van de beek op te gaan, dan
liep het paard onveranderlijk aan de lopende band te ruften. Het
stonk afschuwelijk. Je zou van je stokje gaan als je te dicht achter
hem liep.

John schonk de koffie in, met de stank van Beaus scheten in
zijn neusgaten.

Zijn gedachten zwierven door zijn hoofd en belandden bij het
verhaal van André. Andrés vrouw Simone was nu vijfenzestig en
had de overgang al jaren achter de rug. 'Eén keer probeerde ze me
te vermoorden,' had André hem verteld. André zat op het dol-
boord van zijn boot aan zijn pijp te trekken en tuurde met half
dichtgeknepen ogen over het donkere water. 'Ik ging net de
kamer uit. Ik had bijna de deur achter me dichtgetrokken toen
zij zich acuut omdraaide en de deur zo keihard opengooide dat
hij tegen mijn borst knalde. Ik viel plat op mijn rug in de gang.
Ze sprong boven op me, stampte me helemaal beurs, schreeuwde
tegen me en schold me uit voor rotte vis. Een paar uur later kwam

ze thuis met de boodschappen en vroeg me alleen maar of ik kalfsvlees of kip wilde voor het avondeten. Geen woord over die aanval. En ik had het lef niet om erop terug te komen, voor het geval dat zij weer uit haar vel zou springen. Ik zat onder de blauwe plekken. Pas weken, nee maanden later, zei ze op een avond toen we televisie zaten te kijken: *Ik dacht even dat ik gek werd. Dat is alles wat ze er ooit over gezegd heeft.*' André keek John opgeruimd aan en gniffelde: 'Laten we hopen dat Sabiha jou zoiets niet flikt.' Lachend trok hij aan zijn pijp.

•

Ze lag in het oude bed van Houria en Dom, boven in hun slaapkamer. Terwijl het bloed gestaag uit haar lekte, kwam het woord *bezoedeld* bij Sabiha op. Alles – dit bed, hun liefde, hun herinneringen, het was allemaal bezoedeld. Hun levens. Ze strompelde uit bed en pakte een maandverband en een schone onderbroek uit de bovenste lade van de toilettafel. Ze trok de schone slip met het maandverband aan, en kroop weer in bed.

John kwam binnen, glimlachte naar haar en zette een dienblad met twee dampende bekers koffie op de stoel naast het bed. Hij ging op de bedrand zitten en streelde haar haren. 'Je bent nooit ziek, jij,' zei hij. Zijn hand bleef met uitgespreide vingers op haar hoofd rusten, alsof hij haar zegende.

Even later stond hij op, liep naar het raam en keek uit over de straat. Hij zag een van de Kavi-broers staan in hun buurtsuper op de hoek. Ze werkten dag en nacht door, die twee. Ooit wilden ze als miljonairs terug naar India. De jonge man leunde op de toonbank naast de kassa en las een krant. Hij ging even rechtop staan, voelde aan zijn rug, boog zich weer voorover en sloeg een pagina van de krant om. Hij rookte een sigaret en naast hem in de vensterbank stond een geopend flesje Coca-Cola. Er waren geen klanten in de winkel. De straat was totaal verlaten.

'Als jou ooit iets overkomt,' zei John, 'dan betekent dat het einde van Chez Dom.' Het was gaan regenen. De Kavi-broer gaapte, rechtte opnieuw zijn rug en krabde aan zijn ballen. Hij nam een slok cola, zette het flesje terug op de vensterbank, gaapte nogmaals en sloeg de volgende pagina van zijn krant om. Nu draaide John zich om en keek naar Sabiha. Haar ogen waren open, maar ze bewoog zich niet. 'Denk je dat er een dokter moet komen?'

Haar stem klonk gesmoord van onder de dekens. 'Nee. Ga nou maar gewoon de boodschappen doen op de markt en laat mij even.'

'Drink je koffie dan op, voor hij koud wordt.' John voelde hoe het verdriet hem bekroop. 'Maak je nog wel een boodschappenlijstje voor me?' Hij kleedde zich aan in het flauwe licht van hun slaapkamer en ging toen naar beneden naar de keuken om een kladblok en pen te halen.

Toen hij terugkwam zat ze rechtop in bed met opgetrokken knieën. Ze hield de beker koffie met beide handen vast. Haar onderarmen rustten op haar knieën, haar ogen waren gesloten. Ze zag er moe en afgetobd uit. Ze dronk niet van haar koffie, maar hield de beker een stukje voor zich uit alsof ze haar goden een heilig drankoffer aanbood.

Hij had al jaren geleden met liefde een kind willen adopteren, maar daar had Sabiha absoluut geen oren naar. Ze wilde haar eigen kind. John dacht bij zichzelf dat het begrip *overgang* een zware, verborgen lading in zich moest dragen. Terwijl het zo'n gewoon woord was. Hij had er eigenlijk nooit bij stilgestaan tot-

dat André hem dat verhaal vertelde. Gebeurde het altijd zo plotseling en heftig als bij Simone? Of waren er voortekenen die de
naderende verandering aankondigden, zoals vreemde, verontrus-
tende stemmingswisselingen? Blinde razernij zonder aanleiding?

Hij zag een beeld voor zich van Sabiha in de verte, aan de rand
van een korenveld. Ze liep aan de andere kant van de hoge, rij-
pende tarwe, haar hoofd en schouders staken boven het wuivende graan uit. Ze was alleen en in gedachten verzonken, zich niet
bewust dat hij haar gadesloeg. Het leek wel een schilderij. De zon
scheen en de wolken in de verte zagen er niet dreigend uit. Het
weer was stabiel. *Mijn allermooiste, allerliefste man*, had ze hem
ooit genoemd. In die dagen hoefde hij in een cafeetje alleen zijn
voet maar onder tafel tegen de hare te wrijven om haar te doen
zuchten, haar ogen te sluiten en haar hand uit te strekken naar de
zijne. Geluidloos smeekten haar lippen hem: *Ik wil dat je mijn
borsten kust!* En nu? Hoe hard zouden ze moeten schreeuwen om
elkaar te bereiken, dwars over de gapende, steeds breder wordende kloof tussen hen? *O, ben jij dat! John Patterner. Mijn hemel, ja.
Nu je het zegt herinner ik het me weer. Natuurlijk. Jij bent de man
met wie ik trouwde en met wie ik al die lege, zinloze jaren doorbracht in dat stomme café in de Rue des Esclaves. Wat lijkt dat allemaal dwaas, nu. Wat hadden wij een erbarmelijk, kleingeestig bestaan. Wat waren onze levens platvloers. Hoe vulden wij onze dagen?
Ach ja... met niets, eigenlijk. Het stelde niets voor. En moet je ons nu
eens zien. We waren altijd al vreemden voor elkaar, jij en ik. Maar
dat schijnen we nu pas te beseffen.* Ze schaterlachte, omdat ze zo'n
triest stel waren geweest. Absurd gewoon. Ze had hem afgewezen, haar afkeer was fysiek geworden. Daarmee wees ze hun levens af, en hun herinneringen. Alles was uiteindelijk waardeloos
gebleken. *Blijf van me af, John!* Zonder haar en hun zestien jaar

samenzijn, was hij inderdaad niets. Hij had in zijn leven niets tot stand gebracht. Terwijl hij daar bij het raam van hun slaapkamer stond, kijkend naar de jonge man in zijn verlichte winkel op de hoek, begon John het ergste te vrezen. Sabiha kwam in de overgang en dat zou hen kapotmaken. De waarheid zou aan het licht komen: ze hadden er niets van terechtgebracht.

Hij keerde zich van het raam af, liep naar het bed en ging naast haar zitten. Hij legde zijn handpalm tegen haar wang. Ze verstrakte bij zijn aanraking. 'Ik hou van je,' zei hij. Was dat angst, die doorklonk in zijn stem?

Sabiha dronk haar koffie, zuchtte en keek hem aan. Ze probeerde te glimlachen, maar dat mislukte. 'Ik weet gewoon niet wat me scheelt,' zei ze ten slotte. 'Als ik het wist, zou ik het je echt vertellen.' Nu zat ze hem vierkant voor te liegen. Viel er nog iets te bedenken wat ze hem niet zou aandoen?

Ze zaten elkaar aan te kijken.

Eén kort ogenblik was er misschien de mogelijkheid geweest om elkaar in de armen te vallen en om vergiffenis te smeken. Misschien had zij haar hart uit kunnen storten en misschien had hij alles begrepen en haar vergeven. Maar het moment was voorbij voor ze het aan konden grijpen, zoals de schaduw van een wolk die vliegensvlug over een akker schuift.

Sabiha zei: 'Als je gaat, kun je nu beter vertrekken.' Ze legde haar hand op de zijne. 'Anders kom je te laat.'

Ze zag hem weggaan. En zij... ze wilde liever dood dan een onvruchtbare echtgenote zijn. De gedachte aan haar eigen dood kalmeerde haar. Die mogelijkheid was er. De dood wachtte hoe dan ook op haar en ze kon hem omarmen als zij daartoe besloot. Net zoals haar vader zijn eigen naderende dood had aanvaard. Kalm, waardig en zelfs een beetje geamuseerd. En school er niet minstens zoveel betekenis in de keuze voor de dood als in de keuze om maar gewoon door te leven? Wie zou het zeggen? Hoe kon iemand anders jou vertellen hoe je over je eigen dood moest denken? De dood is even heilig als het leven, dacht ze. Hoe je hem tegemoet treedt, hoe je hem verwelkomt. Het was een langzame, onontkoombare privéceremonie. Een definitief ritueel van acceptatie.

Ze viel weer in slaap en droomde over thuis. Het zuchten van de wind in de elektrische leidingen langs de binnenplaats, de grote donkere massa van het vervallen amfitheater dat door het stof heen opdoemde, als een droom van zichzelf. Het huis van haar vader.

*H*et was zaterdagavond en de mannen waren klaar met eten. John was druk in de weer met tafels afruimen, wijn bijschenken en zoete muntthee serveren. De gasten bestookten hem met goedmoedige plagerijtjes en hij deed zijn best om ze mild maar gevat van repliek te dienen. Het eetzaaltje weergalmde van de gesprekken en de lucht was dik en wazig door de sigarettenrook. In de keuken deed Sabiha haar schort af en hing het naast haar jas in de bijkeuken. Ze liep naar boven de slaapkamer in en deed haar blouse en lange broek uit. In haar ondergoed ging ze voor de toilettafel zitten en bekeek haar spiegelbeeld. Ze had het grote licht niet aangedaan maar alleen de kleine, Chinese schemerlamp die op de linkerhoek van Houria's oude toilettafel stond. De groenbronzen voet van het schemerlampje had de vorm van een bamboestengel en het kapje was gemaakt van talloze amberkleurige glasdraden. In de zachte gloed schenen haar krachtige, donkere gelaatstrekken haar heel anders toe dan gebruikelijk. Ze leek een betoverend mooie, ondoorgrondelijke vreemde voor zichzelf.

Nadenkend zat ze in de spiegel te kijken. Er waren zoveel dingen die de knappe vrouw tegenover haar had kunnen bereiken. Behalve dat ene waar ze sterker naar verlangde dan wat ook. 'Waarom?' vroeg ze de spiegel. 'Waarom wordt mijn kind de liefde van haar moeder onthouden?'

Ze keek naar de lamp. Ze was dol op dat lampje. Op een zondag, ruim tien jaar geleden, had ze het staan bewonderen in de etalage van een antiekwinkeltje. Het was tijdens een wandeling met John langs de rivier. Ze stonden met hun armen om elkaar heen de uitstalling te bekijken en zij zei tegen hem: 'Wat is dat een schitterend lampje.' Zonder iets tegen haar te zeggen ging hij de week daarop in zijn eentje terug naar de antiekzaak. Hij deed een aanbetaling op de lamp en betaalde het complete bedrag iedere maand verder af. Een tijd later was zij het lampje allang weer vergeten. Maar op een dag, bijna een jaar nadat ze het in de etalage had gezien, kwam ze thuis met de boodschappen en stond het lampje op haar toilettafel. Het prachtige kapje gloeide van het zachte, amberkleurige licht. Op zaterdagavonden, na het avondeten met de mannen, zat ze hier vaak even alleen naar haar lamp te kijken. Dan liet ze haar werkdag in de keuken van zich afglijden, en stelde ze zich open voor die heel andere wereld van de oude Berber-liederen.

Ze keek weer naar haar spiegelbeeld. De vrouw die ze door en door kende. De vrouw waar ze niets van begreep. De vreemdelinge in de spiegel, die voor zichzelf een raadsel was. De mooie, deugdzame vrouw. De kinderloze vrouw. De trouwe, liefhebbende echtgenote. De gevallen vrouw. De verslagen vrouw. De echtbreekster.

Het was heel stil in de slaapkamer. Ze zat voor haar spiegel en keek lange tijd naar haar eigen gezicht. Haar handen rustten op haar blote dijen. De klank van de mannenstemmen beneden leken afkomstig uit een andere wereld. En dat gold ook voor het lawaai uit de keuken, waar John met het vaatwerk kletterde en het geroep van de mannen om wijn, koffie of muntthee beantwoordde. Het was allemaal even ver weg en onwerkelijk.

Tot de snaren van Nejibs ud haar tegemoet zongen – de fijngevoelige serenade van een vertrouwde stem. De muziek klonk nog aarzelend, als een bescheiden poging om de avond in te leiden. Het snarenspel van de ud was melancholiek, vol van beloften, dromen en herinneringen. De klank van tijdloze hoop en verlangens. Pas toen ze hoorde hoe Nejib zijn instrument zacht strelend begon te bespelen, voelde ze de kracht van de oude liederen groeien bij haar vanbinnen. De muziek van Nejibs antieke ud en de woorden van haar liederen werkten als een verzachtende balsem op de pijnlijke chaos van haar ziel.

Een traan rolde over haar wang. Ze hief haar hand op en veegde hem weg.

Ze maakte haar haren los en liet de spelden een voor een in het kleine groene schaaltje vallen dat van haar moeder was geweest. Het was het enige zichtbare aandenken aan thuis. Nejib speelde alweer met meer zelfvertrouwen. Af en toe stopte ze even met het uitborstelen van haar haren en luisterde naar hem. Ze dacht aan haar vader en vroeg zich af hoelang hij nog kon wachten op haar en haar kindje. Het kind was er nog steeds. Het zat nog niet in haar baarmoeder, maar wel in haar gedachten. Het kind was vasthoudend. Het was het enige stukje onschuld dat haar overbleef.

•

Toen Sabiha door het kralengordijn het eetcafé binnenstapte, werden de mannen stil en keken naar haar. Allemaal, behalve Nejib.

Nejib boog zich nog dieper over zijn geliefde instrument en tokkelde zo teder op de snaren alsof hij de wangen van zijn slapende zoontje liefkoosde.

Ze liep het café door naar de voordeur zonder acht te slaan op
haar publiek. Even bleef ze de lege straat in staan kijken. Ze was
gekleed in een jurk die tot haar enkels kwam, gemaakt van een
diep roodbruin wollen weefsel, waarin goudkleurige en metallicblauwe draden verwerkt waren. De jurk had een hoge, zwarte zijden kraag. Sabiha droeg haar haren in een dikke, hoog opgestoken vlecht. Ze zag een auto voorbijrijden, vaart minderen bij de
hoek, rechts afslaan, en toen was hij verdwenen. Er volgde een
tweede auto. Het licht van de koplampen gleed over de donkere
winkelpuien. Daarna was de straat weer verlaten. Ook nu stond
er maar één van de Kavi-broers op zijn toonbank geleund een
sigaret te roken en een krant te lezen. Het witte licht dat uit zijn
winkel kwam, reflecteerde op het natte wegdek als een doorschijnend ijslaagje. Boven zijn hoofd met de kastanjebruine turban flakkerde het blauwe licht van de televisie. Hij had haar verteld dat zijn naam 'dichter' betekende.

Ze keerde zich van het raam af en begon te zingen.

Nejib hief zijn hoofd en ontmoette haar blik. Ze glimlachte.
Hij boog zich weer voorover, maar speelde niet op zijn instrument. Het eerste lied zong ze speciaal voor hem, in de stilte die
hij voor haar had gecreëerd. Het was een klassiek vrouwenlied,
over huis en haard en over kinderen. Ze zong het voor Nejib
omdat hij heimwee had naar zijn vrouw en verlangde naar zijn
kinderen, die opgroeiden zonder hem. Ze zong zijn dromen toe.
Toen begon hij weer te spelen. In het begin tokkelde hij zo zacht
dat de snaren alleen leken na te trillen in het binnenste van de
toehoorders. *Ik ga beslist naar huis*, had hij haar op een avond

toevertrouwd. *Als ik genoeg geld gespaard heb om de olijfgaard en de boerderij van mijn overleden oom te kopen, dan ga ik naar huis.* Sabiha had hem gevraagd: *Waar is het bedrijf van je oom?* En hij had zich het uitzicht over de Medjerda-vallei voor de geest gehaald, vanaf de rotsachtige heuvel waar de boerderij van zijn oom stond. Hij vertelde haar dat de hoeve al sinds mensenheugenis half verscholen lag in de beschuttende schaduw van ruïnes, tussen oeroude olijfbomen die daar sedert honderden jaren vrucht droegen. Toen hij was uitverteld, bedankte hij haar. Omdat ze haar liederen iedere zaterdagavond liet horen en omdat ze naar zijn dromen over thuis had geluisterd. *Als we geen vrouw hebben om naar onze dromen te luisteren,* zei hij met een blik op zijn zwijgende kameraad, *dan houden mannen op met dromen en raken ze verbitterd. Dat weet ik. Ik heb het zien gebeuren. Het is mijn eigen vader overkomen toen mijn moeder bij ons wegging. Mijn vader werd oud, lang voor zijn tijd. Ik was nog maar een jongen toen ik het licht van mijn vaders dromen in zijn ogen zag wegsterven.*

Sabiha wist precies wat voor type man Nejibs metgezel was, en ze begreep niet dat Nejib hem zo dicht in zijn buurt kon verdragen. In hun thuisland zou deze man overheidsambtenaar zijn geweest, geüniformeerd en wel. Maar welke positie hij ook zou bekleden, hij zou haar vader niet geïntimideerd hebben. En zij was ook niet bang voor hem. Ze stond nu naar hem te kijken. Hij sloeg zijn ogen neer en friemelde aan de rand van zijn theeglas. Een neerbuigende glimlach speelde rond zijn lippen onder zijn gladde snor. Hij besefte kennelijk heel goed dat ze zijn kwaadaardige, corrupte geest doorzag. Hij stoorde zich aan haar vrijmoedige blik, maar durfde haar niet in de ogen te kijken. Zo'n soort man was hij dus. Hij strekte zijn benen onder de tafel, hief met een overdreven gebaar zijn glas op en nam een slok thee.

Allemaal bluf. Hij was bang voor haar en hij verfoeide haar. Dat wist ze. Een man als hij had geen reden nodig om iemand te haten. De haat zat in zijn karakter ingebakken, net als liefde en tederheid in de aard van andere mannen.

Al zingend zocht Sabiha met haar ogen de blik van iedere man en hield die steeds even vast. Ze zong haar grootmoeders liederen voor elk van haar toehoorders persoonlijk, en ze zong ze voor zichzelf. John kwam de keuken uit en leunde tegen de bar, zichtbaar genietend van zijn korte pauze. Hij rookte een sigaret en had een glas wijn binnen handbereik. Sabiha keek hem aan en glimlachte. Ze zong ook voor John. Naarmate de avond voorbijgleed, zong ze haar angsten van zich af tot die compleet opgeslokt waren door de troostrijke klankenstroom van haar grootmoeders liederen. Ze begon in te zien dat ze terug moest naar Bruno. Ze zou opnieuw door de woestijn jagen in de nacht, over het koude witte zand onder de sterren, met de snelheid van een wijfjesvalk die haar jongen zoekt. Als een ongeruste moeder, die elk obstakel wegvaagt dat tussen haar en haar kind staat. Ze moest volhouden. Haar oplaaiende moed klonk door in haar stem.

Ze voelde een ware golf van optimisme opkomen. Ze zou niet opgeven. Als het haar tijd weer was, zou ze Bruno opzoeken en hem nogmaals verleiden. En deze keer zou ze zich laten gaan en genieten van het moment. Dan zou zijn zaad vast en zeker geen doel missen en zij zou haar kind krijgen. Ze lachte stralend en zong uit volle borst. De mannen stonden versteld. Ze waren verrukt en getroffen door haar zelfvertrouwen, haar verschijning en de schrijnende melancholie van haar lied.

Vijf

*H*et is zover. Clare heeft iemand ontmoet. Hij is niet het soort man dat ik voor haar in gedachten had. Ik kwam thuis van mijn zaterdagse bezoek aan het zwembad en daar zat hij, in de keuken, op mijn stoel met zijn hoofd op zijn armen. Zijn bovenlichaam nam de hele tafel in beslag. Hij luisterde naar het voetbalnieuws, een geopend blikje van mijn voorraad speciale biertjes bij de hand. Clare en Stubby waren nergens te bekennen. Ik kwam de keuken binnen en hij bleef over de tafel hangen, terwijl hij met een schuin hoofd naar me opkeek. Ik zag alleen zijn rechteroog langs de klep van zijn honkbalpet gluren.

'Ik ben de vader van Clare,' zei ik behoedzaam.

'Hoi,' zei hij.

'Wie staat voor?'

'Wij staan voor, man. Even stil zijn!'

Later legde Clare me uit: 'Hij is een fanatiek supporter van de Hawthorns, papa, dat moet je maar van hem accepteren. Hij wilde niet onbeleefd zijn.'

Zelf ben ik nog nooit naar een voetbalwedstrijd geweest. In mijn boeken komen geen voetbalhelden voor. Iedereen die ik hier in Melbourne ken, vertelt me al jaren dat ik een van de grootste emotionele ervaringen van mijn leven misloop. Jammer dan, ik ga niet.

Ik vroeg Clare: 'Wat doet Robin voor de kost?'

'Hij is een stand-upcomedian.'

Ik was diep geschokt.

'Je gaat niet op hem zitten afgeven, hoor papa!'

Hij is jonger dan Clare, en ik maak me echt ongerust. Hoe moet dat gaan over twintig jaar? Dan loopt zij tegen de zestig en heeft ze een trouwe levensgezel nodig, terwijl hij ongetwijfeld een vijfenvijftigjarige mafketel zal zijn, die de meiden aan het lachen maakt op zijn werk. Waar dat werk ook mag zijn. Ik heb nog nooit een stand-upcomedian zien optreden. Het plaatselijke cabaretleven is voor mij net zo ontoegankelijk en vreemd als voetbal. Voetbal en comedy; iedereen is er tegenwoordig dolenthousiast over, behalve ik.

Ik ging de trap op naar mijn studeerkamer, schonk mezelf een stevige borrel in en las mijn meest recente aantekeningen door over het vervolgverhaal van John en Sabiha. Mijn toevluchtsoord! Ik voegde hier en daar nog wat zinnen en korte passages toe, die volgens mij wel veelbelovend waren. Het voelde goed om weer te schrijven. Door te schrijven zet je je ideeën in beweging richting een uiteindelijke lezer. Dat is het goede, oude gevoel. Het duurde helaas niet lang, maar ik genoot van de stukjes en beetjes die ik op papier kreeg. Tegenwoordig ben ik al blij met kleine dingen.

Johns verhaal leidde me af van het feit dat ik verder weinig afleiding had. John was mijn wekelijkse bezoek aan de therapeut.

Hij had onlangs een beetje gedeprimeerd geleken, toen hij me vertelde over die toestand met zijn vrouw en de Italiaan. Ik had met hem te doen en nodigde hem uit om op een zaterdagavond bij ons te komen eten met zijn vrouw en dochter. Hij zei dat ze op zaterdagavonden altijd druk waren met pasteitjes bakken. De zondagopening was niet erg bevorderlijk voor hun rust. Ik vroeg: 'Welke dag zou jullie dan uitkomen?' Hij zei dat hij erover na zou denken en het met Sabiha bespreken. Ik zag Sabiha al bij ons aan de eettafel zitten, met opgestoken haar en in een van haar lange gewaden die ze 's zaterdagsavonds had gedragen als ze zong in Chez Dom. Dat beeld sprak me buitengewoon aan. Ergens wist ik wel dat ik het nooit in werkelijkheid zou meemaken, dus maakte ik er het beste van en liet mijn verbeelding de vrije loop.

John te eten vragen was een poging van mij om onze vriendschap te verdiepen. Maar misschien was het niet het juiste moment. Ik voelde hem terugkrabbelen, dus zei ik er verder niets over. Trouwens, mijn fantasieën over dat etentje werden steeds minder glorieus. Ik stelde me voor hoe John, Sabiha en hun kleine meid samen met Honkbalpet, Clare en mij rond onze eettafel zouden zitten, starend naar ons bord. Hoe we er ons hoofd over zouden breken wat we in godsnaam tegen elkaar moesten zeggen. Ik neem aan dat Honkbalpet met een half oor en oog gewoon de wedstrijdherhalingen op tv zou blijven volgen. Hij doet die pet nooit af, zelfs niet tijdens het eten.

Ik zei tegen Clare: 'Hij lijkt míj niet zo grappig.'

Ze antwoordde: 'Hij is alleen grappig als hij aan het werk is.'

'Nou nou, een heuse professional dus? Wil hij niet even gratis leuk doen, voor ons?'

'Papa, ik hou van hem.'

Nu was ik echt uit het veld geslagen. Ik stond op, ontkurkte een fles Henschke en leegde nagenoeg in één teug mijn eerste glas, voordat het bij me opkwam Clare ook een glas aan te bieden. Stubby lag onder tafel en keek me waarschuwend aan. Ik stond op het punt iets te zeggen – ik ben nu even vergeten wat. Maar Clare was me voor en zei abrupt: 'Ik weet wat je denkt. Zeg het maar niet. Dit is echt heel belangrijk voor me.'

Ik schonk mezelf nog maar eens in. Clare was iets aan het koken. Het viel me nu pas op dat ze daadwerkelijk iets klaar stond te maken op de kookplaat van haar moeder. Nu ik de keuken eens goed rondkeek, was het overduidelijk dat ze boodschappen had gedaan. *Clare had eten gekocht.*

Ik vroeg: 'Komt hij vanavond hier eten?'

'Hij heet Robin, papa. En ja, hij komt hier eten, na de wedstrijd van de Geelong Cats.'

'Maar hij was toch voor de Hawthorns?'

'Al het voetbal interesseert hem. Hij volgt de hele competitie op de voet.'

'Gaan zijn grappen daarover? Over voetbal?

'Hij maakt geen grappen. Dat is meer jouw terrein.'

'Wat ben je aan het koken?' Ik kwam naast haar staan en wierp een blik in de pan. 'Het ruikt fantastisch. Je bent bolognesesaus aan het maken! Hoe weet jij hoe dat moet?'

'Iedereen in Australië weet hoe je bolognesesaus moet maken.' Ze wendde zich naar me toe. 'Wees alsjeblieft aardig voor Robin, papa.'

'Ja, natuurlijk. Ik ben toch zeker geen man die vijanden maakt? Nou dan. Ik ben altijd aardig voor mensen.'

'Beloofd?'

'Beloofd.'

'Met je hand op je hart?'

'Met mijn hand op mijn hart, liefje.'

Ze boog zich naar me toe en zoende me op mijn wang. 'Je bent een schat, papa.'

'Jij ook, snoezepoes van me.'

'O, maar je moet me wel beloven dat je me niet zo noemt als Robin erbij is.'

'Dat kan ik echt niet beloven,' zei ik, terwijl de moed me nog verder in de schoenen zonk. Als John klaar was met zijn verhaal, kon ik misschien beter teruggaan naar Venetië en daar in alle rust wegkwijnen. Gewoon de onfortuinlijke Gustav Aschenbach spelen. Een tragische dood in Venetië was altijd nog een optie, en wat is een mens zonder opties?

Clare vroeg op een toon van ander-onderwerp-graag: 'Zeg pap, hoe gaat het met die vriend van je, John?'

'Hij heeft nogal wat oud zeer te verwerken. Hij is een beetje somber.'

Ze strooide oregano in de pan en roerde het door de saus. Zwijgend stonden we een ogenblik naar de aangenaam borrelende bolognese te kijken.

Ik liet mijn ogen over het aanrecht gaan. 'Heb je Parmezaanse kaas gekocht?'

'Natuurlijk.'

Natúúrlijk! Die Clare toch. Opeens was ze op-en-top huisvrouw.

Bedachtzaam roerde ze enige tijd in de saus en zei toen met dromerige stem: 'Ik vraag me af of ik ooit nog een baby zal krijgen.'

Ik kon mijn oren niet geloven. 'Je hebt me nooit verteld dat jij interesse had in baby's krijgen.'

Ze keek me aan en glimlachte. In haar ogen stond de zekerheid te lezen dat ik, haar oude vader, niet bij benadering zou kunnen begrijpen wat zij voelde. Het was een oneindig tedere glimlach, die haar minstens vijf jaar jonger maakte dan ze was. 'Ik wil kinderen van Robin, papa. Ik heb nog nooit van iemand anders een kind gewild.'

'Wil hij kinderen?' Ik stelde me een stuk of vijf dwergachtige stand-upcomedianhummels voor, met de ogen van Clare en allemaal een honkbalpet op. Waarom ze me dwergachtig leken? Ik had geen idee.

'Hij wil kinderen van mij,' zei Clare.

Daar had ik even niet van terug.

Ze lachte en zei: 'Papa toch! Kop op. Het komt allemaal goed. Het is heel normaal. Jij en mama hebben dat toch ook gedaan.'

'Maar... heeft hij een huis voor dat toekomstige gezinnetje van hem?' vroeg ik mistroostig.

'Niemand heeft tegenwoordig zomaar een huis, papa. We blijven gewoon hier wonen tot we een flat kunnen bemachtigen. We zijn allebei gek op het strand. We gaan iets in Elwood zoeken. De huizen zijn daar niet goedkoop, dus het kan nog wel even duren.'

Ik klokte bijna een heel glas wijn in één keer naar binnen en veegde mijn mond af met de rug van mijn hand. De dosis vitaliteit die ik altijd overhield aan het baantjes trekken op zaterdag was nu volledig opgebruikt. Opeens voelde ik me stokoud.

Ze keek me aan met kleinemeisjesogen en zei: 'Vind je dat goed, papa? Dat Robin en ik hier een tijdje intrekken?'

'Natuurlijk vind ik dat goed.' Bij de gedachte aan Honkbalpet die dag en nacht in mijn huis rondscharrelde, rezen de haren me te berge.

'Zeker weten?'

'Heel zeker. Dat zou je moeder zo gewild hebben.'

'Maar wil jij het ook?'

'Ja, lieverd.'

Ik zag dat ze niet overtuigd was.

'Ben je blij voor me, papa? Echt blij?'

Ik trok haar tegen me aan en gaf haar een stevige, vaderlijke knuffel. Om de een of andere reden zat mijn keel dicht van ontroering. 'Het overvalt me alleen een beetje, schat.' Ik klonk alsof ik gewurgd werd.

Ongeduldig rukte ze zich los en roerde zo energiek in de bolognesesaus dat de spetters tegen de opstaande deksel van de kookplaat vlogen.

'Het is gewoon zo plotseling,' zei ik. 'Waar heb je hem eigenlijk ontmoet?'

'Het is niet plotseling. En trouwens, liefde is altijd plotseling. Het gebeurde in een kroeg, waar hij zijn act deed. Ik vond hem supergrappig. Ik zat keihard te lachen, harder dan wie ook van het publiek, en hij begon zijn grappen naar mij toe te spelen. Toen werden we verliefd.' Ze stampte met haar voet op de grond. 'Echt waar! Wat valt daarop aan te merken, gemene rotzak!'

Het beeld dat ze schetste, vervulde me met ontzetting. Mijn mooie, lieve Clare die viel op deze halfgare idioot. In een kroeg nog wel. Ze was natuurlijk aangeschoten geweest en had zich kapotgelachen om niets. Wanhopig om haar draai weer te vinden in het leven, tien jaar ouder dan de rest van de cafégasten. Mijn arme kleine meid! Wat zou Marie hiervan gezegd hebben? Baby's, mijn god! Stel je voor dat ik nog opa werd! Als ik het leven nog had, zat die mogelijkheid erin. Nee, dat zag ik echt niet zitten. Ik dacht aan het hotelletje op het Lido waar ik had gelogeerd voor ik terugging naar huis. Ik kon vanavond nog de telefoon pakken, Signora Croce een seintje geven en dan zou ik daar binnen anderhalve dag weer terug zijn.

Langzaam slofte ik de trap op. Stubby volgde me op de voet,

met een ernstige uitdrukking in zijn ogen. Ik liep mijn studeerkamer in en deed de deur achter me dicht. Ik ging aan mijn bureau zitten en verdiepte me in mijn aantekeningen. Ik had dringend behoefte om een tijdlang in het verhaal van iemand anders
onder te duiken.

*D*ag veertien van Sabiha's cyclus viel weer op een vrijdag. Het ritme van haar lichaam drukte haar leven uit in vrijdagen. Ze verliet Chez Dom door de achterdeur en voelde de kille ochtendlucht langs haar gezicht strijken. Er hing een sterke vuilnisbakkenlucht in de donkere steeg. Ze had John achtergelaten in bed, lezend, en zijn handen warmend aan een beker koffie. Dit was zijn kostbare, wekelijkse uur van eenzaamheid. Wanneer hij daar alleen zat te lezen, fantaseerde hij dan dat hij een ander was? Iemand met meer vrijheden en een veel voornamer leven dan hij nu had? Dat vroeg ze zich af. Stelde hij zich voor dat hij Benvenuto Cellini was, de kunstenaar waar zijn boek over ging?

Ze haastte zich door de stille straten naar het metrostation Porte de Vanves. Maar haar gedachten bleven cirkelen rond haar man, die argeloos verdiept was in zijn boek. De verhalen waar zij van genoot, haalde ze uit de liederen die ze zong. Haar grootmoeder en haar vader hadden ze woordelijk aan haar doorgegeven toen zij een klein meisje was; zingend en vertellend, 's avonds bij het vuur. Sabiha was geen lezer. Dat was haar te eenzaam. Net als haar grootmoeder geloofde zij dat verhalen niet konden bestaan zonder toehoorders. Een verhaal is het geschenk van de verteller aan zijn publiek. Pas als de mensen ernaar luisteren komt het verhaal tot leven, of het nu gezongen wordt of verteld. Dat was het bijzondere aan verhalen. Ze dacht er heel anders over dan John, die vond dat schrijven een stap verderging dan vertellen. Zij was vast van plan om veel voor haar kind te zingen. Haar dochtertje, met het warme, slaperige lijfje tegen haar borsten gedrukt, moest de belangrijke verhalen van binnenuit leren kennen. Ze zou de klanken in haar moeders lichaam voelen vibreren, en tegelijkertijd haar stem horen. Johns boeken leken Sabiha armzalige, beperkte dingen. Ze gaven hun geheimen niet bloot. Boeken waren een wereld op zichzelf, maar die wereld kwam nooit tevoorschijn uit het stille, gesloten omslag. Boeken maakten dat Sabiha zich een buitenstaander voelde.

Ze stapte uit de metro, nam de roltrap omhoog en sloeg de straat naar de markt in. Hier was de stad al urenlang wakker. Ze kon nooit de helder verlichte ingang van de markthallen tegemoet lopen zonder er een soort gigantische tovergrot van Aladdin in te zien. Na zestien jaar voelde ze nog steeds een sprankje van de grote opwinding die haar was overvallen bij haar allereerste aanblik van de markt. Zelfs vandaag. Zo'n ongelooflijke voedselrijkdom! Zoiets had ze in haar hele jeugd in Tunesië nog nooit gezien. Ze kon de markt nog steeds niet als iets vanzelfsprekends beschouwen. Voor haar zou het altijd een wonderbaarlijke plek zijn.

Haar voorgenomen bezoek aan Bruno deze ochtend had niets van de grootse eenvoud waarmee ze hem de eerste keer tegemoet was getreden, integendeel. Ze kreeg het al benauwd toen ze de stinkende toiletten inging om zichzelf gereed te maken. Het was

allemaal zo koelbloedig en berekenend wat ze deed, het was ongelooflijk. Plus dat de kans bestond op een nieuwe mislukking.
En wat waren die toilethokjes deprimerend. Ze voelde zich een
dier in het nauw, terwijl ze boven de wc-pot hurkte. Maar ze
moest doorzetten, niet opgeven. Ze kon het leven zonder haar
kind niet meer aan.

Ze kwam het toilet uit en liep over het middenpad, met haar
slipje en het maandverband weer in haar jaszakken verstopt.
Bruno's kraam stond achteraan op de markt, in de uiterste hoek
links. Vanaf het middenpad sloeg ze links af, stak een aantal zij-
paden over en hield alsmaar links aan. Terwijl ze tussen de kramen met fruit en groenten door liep, voelde ze zich beverig worden. Ze kreeg kippenvel op haar dijen. Het leek een soort lichte
koorts zoals ze vroeger als klein meisje wel eens had. Destijds was
het de angst voor haar klassenleraar die haar soms de rillingen bezorgde. Wat had ze graag gewild dat haar moeder haar thuishield
op die dagen! Maar ze wist nu dat het niets voorstelde. Dit was
geen symptoom van een lichamelijke ziekte.

Ze zag drie vrouwen die kinderwagens voortduwden, de een
na de ander. Alsof ze expres op haar weg waren geplaatst als een
teken, afkomstig van een hogere macht. Toch had ze andere
vrouwen nooit benijd om hun kinderen. Ze was ervan overtuigd
dat andere vrouwen het moederschap niet zo beleefden als zij het
op een dag zou ervaren. De baby's van anderen interesseerden
haar niet. Sabiha was helemaal niet bezig met het roze wereldje
van moeders en baby's. Ze had zich nooit afgevraagd waarom
niet. Zij en haar baby waren nu eenmaal uniek. Ze waren onaf-
scheidelijk. Het was voor haar net zo goed een raadsel. Een heilig
mysterie. Ze wilde er geen verklaring voor, ze wilde het alleen
maar in vervulling laten gaan.

Zou Bruno woedend zijn als hij haar zag? Zou hij haar toe-schreeuwen dat ze moest maken dat ze wegkwam? Haar beschul-digen dat ze probeerde zijn huwelijk en zijn leven te verwoesten? Haar hoofd kookte over van die angstige gedachten. Maar ze bleef doorlopen. Het was of dit, of rechtsomkeert maken en terug-gaan... naar de wereld van fatsoen.

Als in die wereld van goede zeden bekend werd wat zij had ge-daan, zou ze voor de mensen niets anders zijn dan een ordinaire slet. Ze ging nu voor de tweede keer naar Bruno. Hoorde dit nog steeds bij hetzelfde heldhaftige project om haar kind op te eisen, zoals de eerste keer? Het leek er niet op. Dit bezoek was een wan-hoopsdaad. Ze had een voorgevoel van een naderend einde. Ze vreesde dat haar doelbewuste onderneming haar uit handen was geglipt. Dat ze verstrikt was geraakt in een riskante affaire waar ze zich nooit meer heelhuids uit zou kunnen redden. Dit was het moment waarop een mooie droom in een nachtmerrie verandert. Alsof het complexe net van haar illusies werd teruggeworpen in de afgrond van haar eigen ziel – welke monsters zouden er nu bovenkomen?

Ze zagen elkaar tegelijkertijd.

Ze stond stil, met haar hand tegen haar keel gedrukt.

Daar was Bruno, aan het uiteinde van de afscheiding tussen de fruit- en groentekramen en de afdeling voor de groothandel. Hij stond met een man te praten en staarde haar over diens schouder aan. Hij bleef kijken, alsof hij gehypnotiseerd was.

De man met wie Bruno in gesprek was, draaide zich nu ook om en keek naar haar. Had Bruno iets over haar gezegd? Ze stond aan de grond genageld van schaamte. Stond Bruno hem nu te vertellen: *Zie je die vrouw daar staan, die naar ons kijkt? Die komt voor mij. Snap je wat ik bedoel? Ze kan het gewoon niet laten. Heb ik het even getroffen, of niet soms?* Die twee mannen stonden misschien samen om haar te grinniken. Om Sabiha, de hulpeloze vrouw, die zich belachelijk maakte. Maar de onbekende man draaide zich weer om naar Bruno, schudde hem de hand en liep weg zonder om te kijken.

Bruno liep naar haar toe, en maakte een boog om het uiteinde van de laatste vakken met fruitkramen. Even verdween zijn gestalte achter een piramide van goudkleurige meloenen, toen kwam hij weer tevoorschijn. Zijn passen waren traag. Ondanks de ochtendkilte stond zijn roodgeruite overhemd open bij de hals en waren zijn mouwen opgerold tot aan zijn ellebogen. Zijn zwarte krullen raakten zijn schouders. Zijn leren schort gaf hem het aanzien van een man die een machtig trekpaard bij de halster zou kunnen houden en op de knieën dwingen. Hij was heer en meester van zijn plaats hier.

Een pijnscheut trok door haar blaas, alsof er een stomp mes in haar ingewanden werd geduwd. Ze kromp ineen en legde een hand in haar zij. Hij kwam vlak voor haar staan, zonder te glimlachen. Zijn blik liet de hare niet los. Hij pakte haar hand en leidde haar terug langs de route die hij rond de kramen had afgelegd.

Het duizelde haar toen hij haar aanraakte. Ze liep met hem mee naar zijn bestelwagen zonder de grond onder haar voeten te voelen. Ze wilde het uitschreeuwen en haar hand losrukken uit zijn greep en wegrennen.

•

Hij nam haar liefdevol en teder, met gefluisterde woorden van verlangen, zachtjes snikkend en lachend. Eén vluchtig, krankzinnig moment stelde ze zich een ander leven voor met hem, een leven waarin zij tweeën hun verhaal zouden afmaken, tot de dood hen scheidde. Een verhaal zonder zijn elf kinderen, zonder zijn vrouw Angela, en zonder John. Een verhaal waar zelfs haar kind niet in voorkwam. Louter het liefdesverhaal van haar en Bruno, en de allesoverheersende, hemelse gewaarwording van seks. Op dat ene, verrukkelijke moment was er nergens anders plaats voor in haar geest...

Ze snakte naar adem, en toen hij zich terugtrok werd ze door ontroering overmand. Deze keer was zij het die huilde.

Snikkend tastte ze rond in het donker, boende haar tranen weg, deed haar maandverband in haar broekje en bracht haar kleren op orde. Ze voelde dat hij stond te wachten. Er was iets dierlijks in zijn kalmte en geduld, zijn onnatuurlijke zwijgen, de algehele stilte. Ze hoorde alleen zijn ademhaling. Toen ze klaar was, richtte ze zich op en keek in het donker naar de plek vlak naast haar, waar hij stond. Ze had ergens tussen haar kleren een zakdoekje gevonden, snoot haar neus en veegde over haar ogen. De lichtspleet tussen de achterdeuren van de bestelwagen weerspiegelde in zijn ogen, twee lichtpuntjes in het aardedonker.

'Niets zeggen!' zei ze. Ze knoopte haar jas dicht.

'Mijn Sabiha,' fluisterde hij, met een teder verdriet in zijn stem. Hij strekte zijn hand uit en raakte haar schouder aan, zijn toon was die van een smekeling. 'Ik denk de hele tijd aan jou. Was je maar niet naar me teruggekomen, vandaag. Ook dan zou ik voor altijd een ander mens zijn, dat zeker.' Hij lachte nauwelijks hoorbaar. 'Maar nu ben ik pas echt verloren. Nu ben ik verdoemd. En het maakt mij niet uit.' Hij kuste haar zacht op de lippen. 'Ik hou van je, mijn allermooiste, mijn Sabiha.'

Ze stond de kus toe, en deed een stap terug. 'Jij hebt elf kinderen met Angela. Ik heb er niet één.' Ze veegde opnieuw haar tranen af. 'Waarom kun jij niet gewoon een man voor me zijn?'

'Dit is één grote marteling voor me.' Hij sprak rustig verder, alsof hij haar niet had verstaan. 'Ik doe 's nachts geen oog meer dicht.' Zijn stem klonk zo zacht dat het nauwelijks meer was dan gemompel. Hij hield haar arm vast en drukte haar tegen zich aan. Ze stribbelde niet tegen. 'Ik sta 's nachts op en loop over straat te dwalen,' zei hij. 'Ik kijk naar de wolken en de maan en ik zeg steeds je naam. Dan vraag ik je wat je aan het doen bent, en of je aan me denkt, en of jij ook niet kunt slapen en naar de maan kijkt.' Hij lachte voor zich uit. 'Je zou glimlachen en denken: wat is dat voor een dwaas, als je me voor de etalage van de slager zag staan onder de straatlantaarn. Dan kijk ik naar de weerspiegeling van mijn mond, die jouw naam zegt. In die spiegelruit lijk ik wel een spook. De geest van een totale vreemde, die mij achtervolgt. Iemand die ik ken van heel vroeger, maar nu niet meer. Ik ben helemaal de weg kwijt, Sabiha. Ik wil aldoor je naam zeggen, ook waar Angela en de kinderen bij zijn. Dat is een soort kwelling waar ik van geniet. Wat gebeurt er met me? Ik wil zo graag weten wat jouw naam voor mij betekent. Wat het echt betekent. Sa-bi-ha... ik blijf het maar herhalen. Het is een groot raadsel. Ik doe mijn best het antwoord te vinden.' Zijn stem haperde. 'Vergeef me, liefste Sabiha, ik kan het niet helpen. Zo ben ik nu geworden. Ik ben Bruno Fiorentino niet meer. Als de mensen bij ons in de buurt mij van achter hun gordijnen zien ronddolen 's nachts, dan weten ze genoeg. Bruno Fiorentino is knettergek geworden.' Hij lachte weer kalmpjes, alsof hij die gedachte wel vermakelijk vond.

Ze tastte naar de deurkruk, maar hij hield haar arm stevig in zijn greep.

'Sabiha! Zonder jou houdt alles op voor mij.' Zijn toon was nog steeds bedaard. Hij trok haar naar zich toe en hield haar dicht tegen zich aan. 'Het kan me niet schelen of ik gek ben,' fluisterde hij in haar haren. 'Je hoeft je niet ongerust te maken. Laat de mensen maar denken wat ze willen, Sabiha.'

Ze leek van haar wilskracht beroofd. Ze was uitgeput. Ze leunde met haar hoofd tegen zijn borst en gaf zich gewonnen, heel even maar. Ze voelde zijn sterke, brede borst. Ze rook zijn geur. Hij rook vreemd en vertrouwd tegelijk, en totaal anders dan John. 'Bruno,' zei ze, maar verder kwam ze niet. Stond ze op het punt hem om vergeving te vragen? Maar wat begreep hij eigenlijk van haar?

Ze stonden tegen elkaar aan in de donkere bestelwagen, omringd door de geluiden van de markt.

'En dat is nog niet het ergste,' zei hij. Weer sprak hij heel rustig en onbevangen. Alsof ze elkaar van kinds af aan kenden, en dit een logisch vervolg was op hun gezamenlijke escapades in hun jeugd. Alsof het heel gewoon was dat hij haar al zijn geheimen toevertrouwde.

Ze wachtte af.

Maar hij zei niets meer.

Ze trok zich terug uit zijn armen en veegde nogmaals met het verkreukelde zakdoekje over haar ogen. 'Ik hou van niemand anders dan van John.'

Bruno zei: 'Het ergste is dat ik niet meer met Angela kan vrijen. Ik denk alleen aan jou, en mijn eigen vrouw raak ik met geen vinger meer aan.' Hij maakte een ongelovig geluid. 'Angela is er stil van. Ik wilde het haar vertellen, over ons. Ik had alles voor mezelf op een rijtje gezet, maar toen ik de blik in haar ogen zag, kon ik geen woord over mijn lippen krijgen. Zij weet niet wat ze

ervan moet denken. Wat moet ik tegen haar zeggen? Mijn oudste zoon begrijpt er ook niets van. Als we 's avonds zitten te eten
kijkt hij me over de tafel heen aan alsof ik een vreemde voor hem
ben, niet meer de vader van wie hij houdt. En nu vraag ik me af,
en dat doet echt verschrikkelijk pijn, lieve Sabiha, is mijn eigen
zoon zijn vader gaan haten? Hij ziet natuurlijk hoe ongelukkig
zijn moeder is. Hij moet zich wel ontreddderd voelen. Of zie ik in
de ogen van mijn zoon en mijn vrouw alleen maar mijn eigen
schuldgevoel, dat naar me terugkijkt? Maar wat voelen zij dan? Ik
weet het niet. Ik zie geen verschil meer tussen wat echt is en waar
ik bang voor ben.' Hij zweeg even, en slaakte een diepe zucht.
'Weet je, ik ben doodsbang dat alles er op een keer uitkomt. Dan
wordt het toch echt. Ik leef in twee werelden, Sabiha. Die van
hen en die van ons tweeën. Echt waar. Nu ik hier met jou sta te
praten, begrijp ik opeens hoe het zit. Maar als jij er niet bent,
raak ik in de war en loop ik overal aan te twijfelen. En jij zit
voortdurend in mijn hoofd. Dag en nacht. Maar nu jij weer naar
mij teruggekomen bent, is het allemaal zo helder als glas. Diep
vanbinnen weet ik dat ik Angela trouw ben, en dat ik haar trouw
zal blijven tot mijn laatste snik. Ja, dat lijkt misschien een beetje
verknipt, dat ik zoiets sta te beweren. Maar in die andere wereld,
van jou en mij, hou ik alleen van jou.' Hij viel stil. De vering van
de bestelwagen kraakte zwakjes. 'Als die twee werelden op elkaar
botsen, dan ontploft de hele boel.' Dat was zijn slotsom. Het was
doodeenvoudig allemaal. Er was geen speld tussen te krijgen, en
naar haar mening werd niet gevraagd. Het leek alsof hij haar een
verbazingwekkend, imposant natuurverschijnsel uit de doeken
had gedaan, waar hij bij toeval op was gestuit.

Sabiha stond met haar ogen dicht te wachten tot hij uitgesproken was.

Alex Miller

'Beloof je me dat je de volgende vrijdag weer naar me toe komt?'
Hij streelde haar wang met zijn vingertoppen.

'Dat kan niet.'

'Ik heb hiervan gedroomd, en nu is het me echt overkomen en
ik ben er blij om. Ik kan nu niet meer terug.'

'Ik kwam naar jou toe omdat ik zwanger wil worden,' zei ze.
'Dat is alles. Niet omdat ik van je hou. Ik hou van John.'

Bruno zweeg.

Zijn adem streek langs haar wang. Ze hoorde hem zuchten en
voelde zijn hand rond haar borst.

'Bruno, wees nou toch een man,' zei ze. Ze trok zijn hand van
haar borst af. Hij bood geen weerstand en sloeg zijn arm om haar
schouder. Zacht drukte hij haar tegen zich aan. 'Waarom ben je
niet gewoon blij met wat ik je gegeven heb? Waarom ga je niet
verder met je eigen leven? Er zijn genoeg andere mannen die dat
zouden doen.'

'Welke andere mannen? Heb je andere mannen gehad?'

'Nee! Natuurlijk niet. Jij bent de enige.'

'Aha,' zei hij. 'Ja, ik geloof je wel.' Op redelijke toon, alsof hun
situatie heel normaal en hanteerbaar was, vervolgde hij: 'Kijk
eens, als ik niet weet wanneer jij weer bij me terugkomt, dan
wordt dat voor mij een grote kwelling. Maar als jij nou zegt wanneer ik je weer zie, dan kan ik er alvast over dromen en de uren
aftellen.'

'Ik ga naar huis,' zei ze.

Plotseling werd het stil. Er hing verwachting in de lucht. En
toen voelde ze een schokje tussen hen. Ze trok zich niet los, maar
wachtte af wat er zou komen.

Hij lachte. Het was een zachte lach, mild en met een mengeling van ontzag en verbazing. 'Jij hebt me veranderd. Ik ken me-

244

zelf amper terug.' Daar moest hij weer om lachen, een laag, vertrouwelijk geluid. Met een geamuseerde stem zei hij: 'Sorry hoor,
maar ik weet nog niet zoveel van mijn nieuwe zelf. Ik noem mezelf "de nieuwe man". Die man heb jij in mij gezien, hij zat op
jou te wachten. En toen jij hem riep, kwam hij naar je toe.' Zijn
arm lag nog steeds om haar schouders. Hij drukte haar even dichter tegen zich aan en zei toen rustig: 'Ik denk dat deze nieuwe
man niet lang meer te leven heeft.'

Ze zei: 'Zeg dat niet! Alsjeblieft! Zulke dingen moet je niet zeggen.' Ze had een gruwelijk voorgevoel dat nu hij dit uitsprak, het
werkelijkheid zou worden.

'Ik heb het gezien,' zei hij nuchter. 'Ik weet waar het gaat gebeuren. Nu kan ik alleen niet van tevoren naar mijn priester om
te biechten. Ik kan niet eerlijk meer zijn. Ik hou ons geheim in
mijn hart verborgen. Ik lieg tegen God.' Hij vervolgde: 'Toen ik
de vorige keer aan je voeten lag te huilen was dat uit wanhoop.
Dat was de oude Bruno, die zag dat hij een slechte, overspelige
kerel was geworden. De oude Bruno wist dat hij verloren was. De
nieuwe Bruno, de man die jij van me gemaakt hebt, was nog niet
helemaal in vorm. Maar nu wel. Hij weet dat er geen weg terug
meer is naar de man die hij ooit was.' Hij zweeg weer en haalde
zijn vingers afwezig door haar haren.

Ze rukte zich van hem los en trok haar jas recht. 'Ik ga,' zei ze.

'Kom je bij me terug?'

'Nee. Het is afgelopen.'

'Nee, mijn liefste Sabiha, dit zal nooit afgelopen zijn.' Zijn
stem klonk ontspannen. 'Tot het met jou en mij gedaan is. Al het
andere, dat is afgelopen. Mijn Angela. Mijn gezin. Het zal nooit
meer worden als vroeger. Thuis is het een en al leugen en bedrog.
Als 's avonds mijn kinderen aan me hangen en mijn vrouw me

van de andere kant van de kamer aankijkt, is ze bang om naar me te glimlachen.'

'Laat me alsjeblieft gaan!' smeekte ze. Ze begon in paniek te raken.

'Natuurlijk,' zei hij. 'Het spijt me.' Hij reikte langs haar heen en opende de achterdeuren van de bestelwagen. In een oogwenk was ze weer Madame Patterner voor hem. De deuren zwaaiden open, piepend in hun scharnieren, en het felle licht van de markt stroomde naar binnen.

Hij ging aan één kant staan en stak haar zijn hand toe om haar uit de wagen te helpen.

Ze aarzelde, was even verblind door het licht en zei toen dank je wel tegen hem, alsof hij een vreemde was. Iemand die hoffelijk een deur voor haar openhield ergens in de loop van een doodgewone dag. Ze pakte zijn hand en stapte op de grond.

Hij liet haar hand los. 'Kom je vrijdag?' vroeg hij. 'Dan kunnen we praten. Ik kan met niemand anders praten dan met jou.'

'Ik kan echt niet komen,' zei ze. Ze liep de markt op en liet de bestelwagen achter zich. Ze kon voelen dat hij haar nakeek. Voor ze bij de laatste fruitkraam de hoek omging, keek ze om. Hij stond in de deuropening van zijn bestelwagen. Wat bedoelde hij met: *Ik heb het gezien?* Ze was bang. Was er maar een plaats waar ze kon schuilen en waar niemand haar zou vinden, tot dit allemaal voorbij was. Bruno stond erbij als een man op het schavot die zijn lot aanvaard heeft. Een veroordeelde die zich glimlachend tot zijn beul wendt met de woorden: *Het was het waard.*

*D*e dinsdag daarop kwam Bruno zoals de gewoonte was even na twaalven door de achterdeur het café binnen en zette hun kist tomaten neer. Hij zei niets maar stapte plompverloren langs Sabiha heen tussen de kralenslierten door het eetzaaltje binnen. Sabiha en John wierpen een spiedende blik door het gordijn. Bruno zat op zijn oude plek te wachten tot John hem zijn lunch zou brengen. Hij deed Sabiha denken aan een klein jongetje dat zijn beste beentje voorzette. Een schooljongen die zichzelf aanmaande om geen herrie te schoppen. Het braafste jongetje van de klas. Hij maakte zich onzichtbaar. Daar zat hij, kalm en stilletjes, neerkijkend op zijn handen in zijn schoot. Hij keek niet eens naar Nejib en zijn onvermijdelijke metgezel. Bruno gedroeg zich voorbeeldig.

John ging naar hem toe en zette hem zijn maaltijd voor. 'Bedankt, John,' zei Bruno.

John zei: 'Geen probleem, Bruno, graag gedaan.'

Bruno at zijn bord netjes leeg en vertrok meteen. Hij bleef niet rondhangen, zoals anders.

John zei tegen Sabiha: 'Wat Bruno ook dwarszit, hij schijnt het onder controle te hebben.'

Zij was daar niet zo zeker van. Waar was de roekeloze, smoorverliefde Bruno gebleven? De 'nieuwe man', die totaal de weg kwijt was?

Het werd vrijdag en Sabiha ging naar de markt, maar ze vermeed het gedeelte waar Bruno's kraam stond. Op dinsdag kwam hij weer bij hen. En weer was hij het keurig nette jongetje. Hij hield zijn mond stijf dicht. Ze had hem graag gevraagd wat hij met zijn gedrag hoopte te bereiken. Hoelang zou hij dit volhouden? Het kon onmogelijk zo door blijven gaan, het was gewoon te kunstmatig. Was hij maar echt die stoere kerel geweest waar zij hem eerst voor aanzag, een doorsnee-opportunist, in plaats van deze wereldvreemde naïeveling. Wachtte hij soms op een seintje van haar? Dacht hij dat zij hem zou komen vertellen wat hij moest doen? Of wachtte hij op een teken van een andere, geheimzinnige oorsprong? Van zijn God, of zijn intuïtie? Ze had het akelige gevoel dat hij zomaar ineens zou kunnen ophouden met dit belachelijke vertoon, en iets gewelddadigs doen. Juist zijn bovengemiddelde fysieke schoonheid maakte hem nu absurd in haar ogen. Een god, die zich voordeed als een braaf jochie. Hij had zijn waardigheid verloren. Wanneer ze terugdacht aan wat Bruno en zij samen hadden uitgevoerd, kon ze wel door de grond zakken van schaamte. En haar kind, als dat ooit werkelijk ter wereld zou komen? Dat kon onmogelijk iets te maken hebben met die vrijdag op de markt in Bruno's bestelwagen.

•

Ze was juist even weg om boodschappen te doen, toen de telefoon ging. John nam op en kreeg Zahira, de zus van Sabiha aan de lijn. Ze belde uit de telefooncel bij het postkantoor in El Djem. De verbinding was zo slecht dat John haar nauwelijks kon verstaan. Bovendien sprak Zahira zo zacht en met zo'n sterk accent dat hij haar een paar keer moest vragen om het nog eens te zeggen.

'Kun je alsjeblieft wat harder praten!' Hij voelde zich alsof hij aanwijzingen gaf aan een kind.

Maar ze bleef onverstaanbaar en herhaalde alleen haar boodschap op dezelfde preveltoon als daarvoor. Uiteindelijk vroeg hij haar om later terug te bellen, wanneer Sabiha er weer was.

Toen Sabiha thuiskwam, zei hij tegen haar: 'Je zus heeft gebeld. Maar ik kon geen woord verstaan van wat ze zei.'

Sabiha hing haar jas op en deed haar schort voor. De achterdeur stond open. De kater van André zat aandachtig naar hen te kijken, alsof ook hij belangrijk nieuws verwachtte. Tolstoj stond op een afstandje van de keukendeur en keek de steeg in.

Sabiha was de rest van de dag gespitst op de telefoon, maar haar zus belde niet terug. Ze bleef die avond lang op en stond nog een hele tijd in de lege lunchroom met alle lichten uit. Met haar armen over elkaar onder haar borsten keek ze de straat in. In de winkel van de Kavi-broers liepen de klanten in en uit. De wereld daarbuiten was in hoog tempo aan het veranderen. Houria zou de buurt zoals hij nu was niet meer herkend hebben. De twee broers uit India waren de enige winkeliers in hun straat met een duidelijk doel voor ogen. De winkels van André en Arnoul waren hopeloos ouderwets en verlopen, de overblijfselen van een vorige generatie. Verder was hier niets meer Frans.

Ze draaide zich om en keek naar de telefoon aan de muur achter de bar, alsof ze door ernaar te kijken kon zorgen dat hij ging rinkelen. Maar het apparaat bleef zo stil alsof de lijn was doorgesneden. Ze had de neiging om erheen te lopen en te checken of ze nog wel aangesloten waren.

Om elf uur gaf ze het op. Ze ging de badkamer in, waste zich en liep naar de trap. Als haar vader was overleden, had John dat ongetwijfeld kunnen opmaken uit Zahira's relaas. En anders had Zahira wel teruggebeld. Het ging niet om de dood van haar vader, dat wist Sabiha zeker. Waarschijnlijk was zijn toestand onverwacht hard achteruitgegaan. Er moest wel iets serieus aan de hand zijn, anders kreeg je Zahira met geen stok de deur uit om in haar eentje bij het postkantoor een telefoontje te gaan plegen. Dat zou ze alleen doen als het dringend nodig was. Ze moest vanmorgen wakker geworden zijn en meteen gezien hebben dat het veel slechter met hun vader ging. Of had hij Zahira gevraagd om haar namens hem te bellen? Bij de gedachte aan haar vader die naar haar vroeg, slaakte Sabiha een kreetje van machteloosheid. Ze wilde niet gaan huilen, nog niet. Ze bad vurig tot... nou ja, welke god dan ook, dat ze deze keer zwanger was. Het avontuur met Bruno was nu bijna twee weken geleden, maar ze voelde nog geen voorteken. Helemaal niets. Er waren momenten dat ze waarachtig geloofde dat ze zelfmoord zou plegen als ze weer ongesteld werd. Ze kon de spanning nauwelijks verdragen. Haar lichaam hield zich afzijdig. Geen spoor van verandering. Leeg. Ze had de neiging om het uit te schreeuwen: *Geef mij m'n kind!*

Bruno had een doodgewone, cynische man moeten zijn. Dat was een stuk eenvoudiger geweest. Wat dacht hij nou helemaal? Waar wachtte hij op? *Ik heb het gezien.* Wat bedoelde hij? Haar grootmoeder schoot haar deze keer niet te hulp. Ze leek in het niets verdwenen. Weg, in de stilte. Dat lege afwachten, dag in dag uit. En al die nachten, waar geen eind aan kwam. Maar er was niets waar ze zich aan vast kon houden.

Terwijl ze naar boven ging, voelde ze zich oud en afgeleefd. Halverwege de trap bleef ze staan met één hand op de leuning en gesloten ogen. Ze moest al haar moed bij elkaar rapen om John onder ogen te komen. Ze had het gevoel dat hij het wist.

Hij zat in bed met het licht aan, een nieuw boek in zijn handen. Benvenuto lag nog steeds op de stoel naast hem, alsof John nog geen afscheid kon nemen van deze oude vriend. Ze kleedde zich uit. Ze keek niet op, maar ze wist dat hij naar haar zat te kijken. Zorgvuldig vermeed ze zijn blik. Als ze hem per ongeluk aankeek, zou ze naar hem moeten glimlachen, en hij zou hopen op een vrijpartij wanneer ze eenmaal in bed lag. Ze moest er niet aan denken om nu seks te hebben. Niemand behalve zijzelf kon de poel van ellende zien waar zij hen in had gestort. Ze zou het hem nooit vertellen. Hij mocht nooit iets te weten komen van haar ontrouw. Ze trok haar nachtpon aan, liep om het bed heen naar haar kant en ging liggen.

'Welterusten schat,' zei ze. Ze probeerde een beetje warmte en tederheid in haar stem te leggen. Ze deed haar ogen dicht.

John strekte zijn hand uit en legde die op de welving van haar heup. 'Ik hou van je,' zei hij zacht.

'Ik ook van jou.' Bruno had op één punt gelijk gehad: ook zij zou nooit meer de weg naar zichzelf terug kunnen vinden. Ze was haar vroegere zelf volledig kwijtgeraakt in deze doolhof.

Johns hand bleef op haar heup rusten, terwijl hij haar bovenbeen met zijn duim en vingers licht masseerde.

Ze hield haar ogen gesloten en probeerde John in gedachten het zwijgen op te leggen. Ze wist dat als hij haar nu iets vroeg, zij niet in staat was om hem een leugen voor te schotelen. Nu eens zwoer ze zichzelf dat ze het hem nooit zou vertellen, dan weer stond ze op het punt om alles eruit te gooien. Ze had geen enkele zekerheid over, geen vaste grond onder haar voeten. Ze kon zichzelf niet meer volgen. Om alles stug voor John te verzwijgen leek haar opeens een nog veel groter kwaad dan hem met Bruno te bedriegen. Liegen tegen degene van wie je houdt! Degene die jou vertrouwt! Verschrikkelijk! Het leek wel of er een steen op haar borst lag.

Ze voelde het gewicht van zijn hand door de deken heen. Uiteindelijk streelde hij nog even haar heup en haalde zijn hand weg. Ze hoorde hem een bladzijde van zijn boek omslaan. Hij schraapte zijn keel. Dat was iets bekends, wat hij altijd deed als er iets wrong tussen hen. Een zacht kuchje. Een korte geruststelling voor zichzelf dat er niets echt mis was, of dat ze het op zijn minst wel weer goed konden maken. In zoverre was ze zeker van hem. Hij zou niet bij haar aandringen op uitleg. Hij zou wachten tot ze weer voor hem openstond. Ze moest zelf beslissen wanneer zij hem in vertrouwen wilde nemen. Hoe zou dat zijn, als hij zich wel zou laten gelden? Als hij haar bij de schouders pakte, haar naar zich toe zou trekken en zou zeggen: dit pik ik niet langer. Hou op met je geheimzinnige gedoe. Maar dat zou hij nooit doen. Hij zou haar gevoelens respecteren en geen vragen stellen, tot ze er zelf mee kwam. Bij John was ze veilig. John zou wachten. Ze kon ervan op aan dat hij zou wachten. Maar hoelang zou hij wachten? Een jaar? Een eeuwigheid? O ja, het zat er dik in dat John bereid was voor eeuwig te wachten. Dat hij nog liever onwetend zijn graf inging dan haar op de een of andere manier pijn te doen. Ze sliepen nog steeds in hetzelfde bed, maar zij, zij had hem in de steek gelaten.

Beneden klonk een luid gekraak en ze schrok op.

John zei: 'Het is de trap maar, lieverd. Ga maar rustig slapen.'

Ergens achter het huis liet een krolse kat een smartelijke schreeuw horen.

Buiten op straat was het doodstil.

Ze lag te luisteren. Er was echt niets te horen. Alsof iedereen zich stiekem uit de voeten had gemaakt, en zij en John als enigen in deze buurt waren overgebleven. De enigen die de waarschuwing niet hadden gehoord: *Hier blijven wordt je dood.* Als ze nu in slaap viel, zou ze beslist een nachtmerrie krijgen. Ze voelde dat die op haar lag te wachten. Ze herinnerde zich dat ze als kind zichzelf soms dwong om wakker te blijven, uit angst dat een monster haar 's nachts zou komen halen en haar meesleuren. En het monster was gekomen. Ze was meegesleurd. Hulp zou haar niet meer baten. Ze was bang voor dat griezelig brave jongetje Bruno.

John zei zachtjes: 'Liefje, je ligt toch niet te huilen?'

Ze haalde snuivend haar neus op en slikte haar tranen in. 'Nee, hoor.'

Even later draaide hij een bladzijde om.

*M*idden in de nacht werd Sabiha wakker. Ze luisterde. Had een dringende kreet haar uit haar slaap gehaald? In de kamer heerste stilte en ook daarbuiten leek alles rustig. Onder de gordijnranden kwam een beetje licht door, afkomstig van de eenzame straatlantaarn op de hoek. Naast haar lag John gelijkmatig te snurken. Er was geen opschudding op straat. Geen jankende honden. Niets. Alleen het verre, gestage gedruis van de Parijse nacht. Was haar vader zojuist gestorven en had hij haar geroepen, op het moment dat hij deze wereld verliet? Ze kreeg het koud bij die gedachte. Haar vader, roepend om zijn favoriete dochter die zo ver van hem verwijderd was. De dochter die hij was kwijtgeraakt. Misschien verweet hij zichzelf in zijn laatste momenten dat hij haar weggestuurd had om zijn zus Houria bij te staan, al die jaren geleden. Haar vader die zijn laatste zucht van verlangen naar haar uitblies, die haar sterke hand in de zijne moest missen. Hij moest het doen zonder haar vertrouwde gezicht dat over het zijne was gebogen en zonder haar troostende kus op zijn voorhoofd. Haar lieve vader. Waarom had Zahira niet meer gebeld? Sabiha voelde een vreselijk berouw dat ze niet naar huis was gegaan om haar vader op te zoeken. Nu zou ze hem nooit meer zien.

Toen drong de waarheid met een schok tot haar door. Het was helemaal haar vader niet, die haar had geroepen. Het was haar grootmoeder! Ze liet haar handen onder haar nachtpon glijden en streek over haar borsten. Ze waren gevoelig, alsof ze ze een beetje bezeerd had, en haar tepels waren hard. Dit was niet de kortstondige zachtheid die ze vaak een dag of twee voor haar menstruatie voelde – aanstaande vrijdag moest ze eigenlijk ongesteld worden. Maar dit was iets anders, iets wat blijvender was, iets belangrijks. Ze was er zeker van. Dit gevoel was volkomen nieuw voor haar. Ze wist het, ze was zwanger!

Ze voelde zich zo aangedaan dat ze naar adem snakte. Een vlaag warmte trok door haar hoofd en haar lichaam. Het was de warmte van een ander wezentje, dat zich in haar bevond. Ze was in verwachting. Haar kind was verwekt. Zacht begon ze te huilen. Kon ze nu John maar wakker maken en hem het grote nieuws vertellen! Ze zou haar meisje krijgen! Ze kon de brede glimlach voelen die haar grootmoeder haar toewierp. Ze had haar nek uitgestoken. Ze had alles op het spel gezet en haar kind gered van de vergetelheid. Nu was er geen plaats meer voor spijt of wankelmoedigheid. Ze moest vertrouwen hebben. Welke moeilijkheden ook op haar pad kwamen, zij zou sterk zijn, ter wille van haar dochter. Ze huilde van opluchting en dankbaarheid, van verbazing en ongeloof. Eindelijk zou ze moeder worden. Ze dacht aan die zomernacht, jaren geleden met John, toen ze dacht dat hij haar zwanger had gemaakt. In haar hoofd was dit hetzelfde kind. Het kindje waar er maar één van was. Haar kind.

Ze legde beide handen plat op haar buik en sloot haar ogen. Ze zou wachten tot vrijdag, en dan nog een paar dagen, misschien een week, voor ze naar de dokter ging om het te laten bevestigen. Maar ze wist nu al dat de tekenen haar niet bedrogen.

Ze fluisterde: 'Ik ben moeder.' Wat kon er nu nog misgaan? Ze zou onmiddellijk naar huis gaan, naar haar vader. Hij was niet gestorven vannacht. Ze zou naast haar vaders bed zitten, zijn handen pakken en die op haar buik leggen. Die sterke handen van hem die haar hadden vastgehouden toen zij een klein meisje was. Toen de kalme onverschrokkenheid van haar vader de wereld voor haar een veilige plaats maakte. Ze waren elkaars helden geweest. Wat had ze onmetelijk veel van hem gehouden, toen ze klein was. Wat had ze hem intens bewonderd. Ze had hem zo perfect begrepen dat het soms wel leek alsof zij hem was. Haar papa. Ze had nog nooit zo vast geloofd in de voortzetting van het oude volk als op dit moment. Nu ze lag te denken aan haar stervende vader, wist ze zeker dat de stemmen van haar voorouders altijd bij haar zouden blijven. Ergens daarbuiten. In de mysterieuze, bovenaardse stilte. Waarom zou dat niet zo zijn? De stem van haar grootmoeder had haar uit haar slaap gewekt. Dat had ze zich heus niet zomaar ingebeeld.

Ze zou, met haar kindje in haar buik, op weg gaan om haar vader op te zoeken. Ze zouden een tijdje met z'n drieën samen zijn in het oude huis. Ze zou haar vader bevrijden, zodat hij afscheid van de wereld kon nemen. Waren haar hartslag en die van het kind niet perfect op elkaar afgestemd? Het was haar bloed, dat door haar lichaam werd gepompt en dat minuscule, prachtige hartje deed kloppen. Sabiha zag de glimlach van haar vader voor zich, wanneer hij zijn handen op haar buik zou leggen. Hij zou zijn ogen sluiten en weten dat er een nieuw leven onder zijn handen groeide. Nu haar kind eraan kwam, was ze ervan verzekerd dat de dood van haar vader niet zijn definitieve einde betekende.

Even dommelde ze weg. Toen ze weer wakker werd, begonnen de vragen in haar hoofd rond te tollen. Lastige vragen, die ze toch binnenkort zou moeten beantwoorden. Allereerst zou ze John vertellen dat ze zwanger was. En Bruno? Moest ze hem zeggen dat hij de vader zou worden van haar kind? Ze zag Bruno nu als een eigenaardig labiele, en zelfs tamelijk infantiele man. Ze beschouwde hem al lang niet meer als het toonbeeld van stoere mannelijkheid. De man met de *perfecte score*. Waar die tergende opmerking van John allemaal toe geleid had! Hij had deze hele zaak op gang gebracht: *Wist je dat Bruno elf kinderen heeft?* Ze had geen andere keus gehad dan het hem dubbel en dwars betaald te zetten. Die dag was haar geduld met hem in één klap op. Ze had begrepen dat ze eropuit moest om haar eigen oplossing te vinden. Er was toen een ongekende stoot energie door haar heen gegaan. Ze kon het nog voelen. Vanaf dat moment had ze geweten dat ze óf de touwtjes in handen moest nemen, óf voorgoed kinderloos blijven. Nou, ze had het voor elkaar. Haar kind zat veilig in haar baarmoeder. Dus waar was ze dan bang voor?

Ze draaide haar hoofd om op haar kussen en keek naar John. Zou ze hem alles bekennen, van het begin af aan? Hoe moest ze vanaf nu tussen de tegenstrijdigheden van haar leven door laveren? Terwijl ze daar in het donker lag te piekeren, begon ze de leeuwen en beren te zien op het pad van haar toekomst. Die roofdieren leken opeens veel gevaarlijker dan wat er achter haar lag. De leeuw uit het lied van haar grootmoeder was uitgeschakeld, haar kindje was verwekt. Maar dat was pas het begin van alles. Het einde van haar riskante onderneming was nog lang niet in zicht.

Peinzend lag ze naar John te kijken. Het scheen haar toe dat mannen gedoemd zijn voor eeuwig alleen te blijven. Mannen, zei ze bij zichzelf, zijn anders dan vrouwen. Hun alleen-zijn is ingebakken in hun ziel. Diep vanbinnen blijven mannen hun hele leven eenlingen. Hoe zeker ze ook weten dat een vrouw van hen houdt, toch blijven mannen altijd op zichzelf aangewezen. Wij kunnen ze op hun eenzame plaats van afzondering nooit bereiken. John is nu alleen, terwijl hij naast mij ligt te slapen. En als hij verdiept is in zijn boeken, is hij ook alleen. Hij zit in die oude, doodse papierbundels te graven naar het antwoord op zijn eenzaamheid. Hij zoekt bevestiging van zijn afzondering in de gedachten van andere mannen, in de hoop dat hij een echo waarneemt van zijn eigen eenzame gevoel. En als hij erop stuit, dan zegt hij tevreden tegen zichzelf: *Zie je wel! Dat wist ik toch!* Als hij te veel wijn drinkt, omarmt hij zijn eenzaamheid alsof het zijn verdiende loon is. Wanneer hij samen met André de Seine op vaart om te vissen en voor een gesprek van man tot man, dan zijn ze in hun hart nog net zo alleen. Dat weten ze en dat doet hun verdriet, maar ze kunnen gewoon niet eerlijk tegen elkaar zijn. Die onoprechtheid woekert als verpestend onkruid rond in hun gedachten en hun vriendschap. Uit armoe trekken ze zich terug in zichzelf en proberen een greintje troost te vinden in hun eigen isolement. Eenzaamheid is de enige waarheid van de man. Dat is het verschil tussen ons en hen.

Een zwangere vrouw is niet alleen. Maar een man heeft zelden een zielsverwant, dus is hij altijd op zoek naar iemand die niet echt beschikbaar is. Hij is altijd onbevredigd. Vrouwen zijn moeder of dochter, of allebei; en ze leven van nature niet in afzondering. Mannen wel, en dat zal altijd zo blijven. Bruno zit er faliekant naast als hij denkt dat hij een nieuwe man geworden is. Wat

een illusie. Nee, ík ben degene die herboren is: ik ben een nieuwe vrouw. Dat is de werkelijkheid. Bruno's waandenkbeeld is niet
tegen de waarheid bestand, en hij zal alleen en diepbedroefd ach-
terblijven. Maar door mijn moederschap ben ik onbetwist veranderd. Dat is het verschil.

Ze had medelijden met John, met Bruno en met die arme
oude dwaas André. Met alle mannen eigenlijk – zelfs met haar
vader. Het is niet alleen Bruno, dacht ze. Ze hebben allemaal iets
kinderlijks. Mannen komen nooit de ideale vriend tegen van wie
ze dromen. De held naar wie ze verlangen. Ze duiken diep in hun
eigen ziel, wanhopig op zoek naar troost, en wat vinden ze? Hun
eigen, behoeftige zelf.

De gedachten dwarrelden door haar hoofd tot ze uiteindelijk
weer in slaap viel. Ze droomde van een zonbeschenen veld rijpend
koren in de Medjerda-vallei, en zij was nog een klein meisje. Het
begon als een fijne droom. Voor haar zag ze de gedaante van haar
grootmoeder, in het zwart gekleed. Ze liep voor haar uit door het
gouden graan. Sabiha moest zich haasten om haar grootmoeder
in te halen. Ze wilde haar een prachtige bloem laten zien die ze
tussen de korenhalmen had gevonden. Haar grootmoeder bewoog zich heel, heel langzaam voort. De droom ging verder,
maar gaandeweg begon Sabiha te beseffen dat hoe snel ze ook
liep, en hoe langzaam haar grootmoeder ook was, zij haar nooit
zou inhalen. Haar frustratie dat ze de kracht of de wil niet had
om die ruimte te overbruggen werd sterker en sterker. Uiteindelijk werd Sabiha wakker met een schok van ontsteltenis.

Ze lag klaarwakker in bed. De beelden uit haar droom trokken
aan haar voorbij en ze had het gevoel dat er iets vreselijks stond
te gebeuren.

Ze realiseerde zich dat John niet meer naast haar lag.

Even later hoorde ze hem de trap op komen en rook ze de vers-gezette koffie. Haar hart bonkte. Toen schoot het door haar heen dat ze zwanger was. Hoe had ze dat kunnen vergeten, zelfs maar voor een paar seconden? Ze ging rechtop zitten. En toch was ze het vergeten. Veel langer dan een paar seconden. Ze wilde haar borsten controleren om zichzelf ervan te vergewissen dat ze haar zwangerschap niet had gedroomd, maar op dat moment kwam John de slaapkamer in en deed het licht aan. Hij droeg een dien-blad met hun koffie en broodjes.

Hij zei: 'Goedemorgen, schat. Heb je lekker geslapen?' Hij zette het blad op de stoel naast het bed, greep naar haar ochtend-jas en wikkelde die rond haar schouders. 'Het is steenkoud bui-ten. Steenkoud en nat.'

Ze moest naar hem gekeken hebben met een ongewone uit-drukking op haar gezicht. Hij lachte en zei: 'Is er iets? Je kijkt alsof je een spook hebt gezien.'

Ze barstte in tranen uit en morste koffie op de deken.

John sprong overeind en nam de beker van haar over. Toen sloeg hij zijn armen om haar heen en hield haar tegen zich aan. Hij wiegde haar zachtjes heen en weer. 'Liefje toch. Alles is in orde, hoor.' Die heerlijke geur van haar haren. Hij glimlachte. Ze was net een kind dat een nare droom had gehad. 'Ik hou zoveel van je, schat,' fluisterde hij met zijn neus in haar losse vlecht.

Ze kon niet stoppen met huilen. Toen ze eindelijk tot zichzelf kwam, snoot ze haar neus en veegde haar ogen af. Hij zat daar zielstevreden en zelfvoldaan naar haar te glimlachen. Ze besloot hem alles te vertellen.

Terwijl ze haar mond opendeed en de woorden zich al in haar hoofd vormden, stuitte ze op een krachtige weerstand. Als een sterke hand die haar tegenhield, dezelfde hand die haar ervan weerhouden had om haar grootmoeder in te halen in haar droom. Alsof ze na lang talmen aan de rand van een steile afgrond stond en zichzelf niet kon dwingen om te springen. Een diepe, onvoorziene drang tot zelfbehoud weerhield haar ervan om John het schokkende feit mee te delen dat zij zwanger was van Bruno. Het was gewoon te immens om onder woorden te brengen. Ze kon het niet.

John zei: 'Je moet onmiddellijk je vader op gaan zoeken. Je mag het echt niet langer uitstellen. Stel dat je vader sterft voor je de kans hebt gehad om op de juiste manier afscheid van hem te nemen...' Hij haalde zijn schouders op. 'Nou ja, dat zou je jezelf nooit vergeven, dat weet je.' Hij legde zijn hand op de hare, boog zich over haar heen en kuste haar voorhoofd. 'Je bent doodmoe omdat je je zoveel zorgen maakt over dit alles. Dat zie ik zo aan je. Vraag Sonja of ze hier een week het koken wil overnemen. Die twee grote kanjers van meiden van haar, die kunnen best een paar dagen op de kruidenkraam passen. Zingen kan Sonja niet, maar koken wel. We zullen het hier met z'n tweeën wel rooien tot jij weer terug bent. Jij mag je er absoluut niet druk meer over maken.'

Hij sloeg zijn armen om haar heen en hield haar dicht tegen zich aan. 'En van nu af aan ga ík vrijdags naar de markt. Dat had ik je al tijden geleden aan moeten bieden. Ik ben een vuile egoïst, om hier iedere vrijdag in bed te liggen lummelen met die waardeloze boekjes van me. Alsof ik dat per se nodig heb voor mijn geluk. Terwijl jij door weer en wind naar de metro sjouwt en over die rotmarkt met boodschappen loopt te slepen, week in, week uit. Vanaf nu doe ik dat, discussie gesloten.' Hij leunde achterover en keek haar aan. Hij strekte zijn hand uit en veegde een traan van haar wang. 'Is dat oké? Voel je je alweer een beetje beter, nu?'

'Dank je wel,' zei ze.

Hij stond op van het bed. 'Geen punt,' zei hij. 'Een kleinig-heid. Ik schaam me alleen dat ik het niet eerder heb bedacht.' Hij boog zich voorover, keek haar in de ogen en ging zachter praten. 'Je bent een sterke vrouw. Ik weet dat je hier doorheen komt, en daarna gaan we er weer met frisse moed tegenaan.'

*D*ie middag, toen de klanten weer naar hun werk waren te-ruggekeerd en John en zij klaar waren met afwassen, trok Sabiha zich terug in de zitkamer onder de trap. Ze ging op de bank liggen met een deken over zich heen. John zat in zijn eentje aan hun tafel bij het raam in het eetzaaltje. Hij las een boek. Hij sloeg een bladzijde om, nam een trekje van zijn sigaret, en kneep zijn ogen dicht tegen de rook. Hij was zich vaag bewust van de straatgeluiden en de gestaag stromende regen, alles tegen de achtergrond van het grauwe novemberlicht. André liep langs het raam met opgestoken paraplu, zijn pijp in zijn mond en Tolstoj aan de riem. Hij keek door het caféraam naar binnen en groette John met een hoofdknik.

De telefoon rinkelde. Sabiha schrok wakker, gooide de deken opzij en kwam van de bank af. Ze greep zich met een hand aan de leuning van de bank vast om haar evenwicht te bewaren. Dui-zelig strompelde ze het zitkamertje uit, het eetcafé in. John had de telefoon al opgenomen. Hij hield de hoorn in haar richting.

'Het is Zahira,' zei hij. Hij ging terug naar de tafel bij het raam en pakte zijn boek op, dat hij omgekeerd op tafel had gelegd toen de telefoon ging. Hij hield het boek open voor zich, maar las niet verder. Hij keek naar Sabiha. Ze sprak Arabisch aan de telefoon, en hij begreep er geen woord van. Ze onderging altijd een verandering op het moment dat ze van het Frans overschakelde op haar moedertaal. Het was niet alleen de grotere klankenrijkdom van haar stem, maar er veranderde ook iets aan haar houding. Het Tunesische dialect klonk hem vertrouwd in de oren, hoewel hij het niet kon verstaan. Hij beschouwde het als een soort muziek. Hij hield van de klank van die taal, en ooit had hij een halfslachtige poging ondernomen om het te leren. Maar Sabiha bleek een ongeduldige lerares, en hij een slechte leerling. Dat was gedurende hun eerste jaar samen geweest, toen Houria nog leefde. De Arabische lessen waren meestal geëindigd in grote hilariteit. Hij glimlachte toen hij aan die periode terugdacht.

Sabiha had zich half van hem afgewend en stond een beetje gebogen in de hoorn te praten, alsof ze zich inspande om iemand te zien. Al luisterend bewoog ze haar hoofd een beetje, klaarblijkelijk om de boodschap goed tot zich door te laten dringen. Toen praatte zij weer, met rustige, bedaarde stem.

Hij was vergeten hoe je ook alweer *ik hou van je* moest zeggen in het Arabisch. Dat was de eerste zin die ze hem had geleerd. Hij lag boven op haar op haar bed in hun oude kamertje onder het schuine dak, keek haar in de ogen en herhaalde de woorden keer op keer, terwijl zij zachtjes zijn uitspraak verbeterde. 'Het lukt je nooit,' zei ze tegen hem, een beetje ademloos vanwege zijn gewicht op haar borst. 'Je maakt wel de geluiden, maar je geeft ze geen betekenis. Je spreekt Arabisch alsof het Australisch is.' Ze lachten allebei en begonnen te vrijen. Zij wist al hoe ze *ik hou van je* in het Engels moest zeggen. Ze sprak het heel mooi uit. Hij vond het heerlijk om te horen, dat fluisterzachte accent van haar als ze Engels sprak.

Ze beëindigde het telefoongesprek en vulde een glas water bij het fonteintje achter de bar. Toen kwam ze naar hem toe en ging tegenover hem aan tafel zitten. Terwijl ze uit haar glas dronk keek ze hem over de rand heen aan. Haar keel bewoog bij iedere slok. Toen ze het hele glas leeg had gedronken zette ze het op tafel en zei: 'Zahira vertelde me dat mijn vader ligt te wachten tot ik thuiskom.' Ze ontmoette zijn blik. 'Zodat hij rustig kan sterven. Hij is ongeduldig. Hij is er klaar voor.'

John legde zijn hand op de hare. 'Ik vind het heel erg, schat.'

'Weet je wat hij tegen Zahira zei? Hij zei: *Als Sabiha maar eenmaal hier is, heb ik overal vrede mee.*' Ze voelde een brok in haar keel bij de gedachte dat haar vader dat tegen haar zus gezegd had: *Als Sabiha maar eenmaal hier is, heb ik overal vrede mee.* Ze was zo lang weg geweest. Er was iets gebroken in haar connectie met haar thuis, een breuk die nu nooit meer hersteld zou worden. Het ging niet louter om de naderende dood van haar vader. Het was de overtuiging dat de laatste schakel met haar kindertijd op het punt stond te verdwijnen. Misschien was die zelfs al verdwenen, jaren geleden, en had zij het nu pas opgemerkt. Ze dacht aan het nieuws dat ze voor haar vader had. Een nieuw leven dat in haar baarmoeder groeide. Ze kon het nog niet opbrengen om het tegen haar eigen man te vertellen. Wat had ze er lang naar uitgekeken om haar vader dit nieuws te brengen, en nu zou het doortrokken zijn van verdriet. Haar mooiste droom, die ze zo lang had gekoesterd, leek nu iets van heel lang geleden.

John stond op, liep om de tafel heen en ging achter haar staan. Hij legde een hand op haar schouder en met de andere masseerde hij zachtjes de strakgespannen spier onder aan haar nek. Ze voelde zijn aanraking tot diep in haar borst, sloot haar ogen en liet hem begaan.

*D*e volgende ochtend bracht John Sabiha een beker koffie en een broodje op bed. Hij ging bij haar zitten op de bed- rand en nam teugjes van de hete koffie met melk. Het was koud in de slaapkamer, en veel te vroeg om meer te zeggen dan hoogst- noodzakelijk was. Ze zouden broer en zus kunnen zijn, afwezig voor zich uit starend met hun dampende bekers in hun handen. Ze wist dat het nu op het punt stond te gebeuren. Ze voelde hoe het zich opbouwde achter de stilte. Ze zat erop te wachten. Het einde was in zicht.

John stond op van het bed, pakte hun lege bekers en veegde de broodkruimels van de voorkant van zijn overhemd. 'Je bent maar een week weg,' zei hij. 'Voor je het weet, zitten we weer samen hier.' Hij had een retourvlucht voor haar geboekt naar Tunesië. Ze zou maandag vertrekken. Omdat het niet precies duidelijk was hoeveel tijd ze nodig zou hebben, had hij de datum van te- rugkeer opengelaten.

Toen hij naar de markt was vertrokken kwam zij uit bed en

kleedde zich aan. Ze ging naar beneden, de keuken in en begon aan haar dagelijkse werkzaamheden. Ze moest de zoete pasteitjes voor het weekend klaarmaken. De kater van André drukte zijn koude vacht tegen haar been. Ze stapte opzij en de kater gaf een kreetje. Ze rechtte haar rug, goot de *smen* in de pan en draaide het gas laag.

Vandaag moest ze eigenlijk ongesteld worden, maar er was geen druppel bloed te bekennen. Haar borsten waren nog steeds gevoelig en gezwollen, een reactie op de geheimzinnige veranderingen in haar lichaam. Ze had kippenvel op haar armen. Ze draaide zich om, liet een stukje brood op de grond vallen voor de kater en fluisterde: 'Felix! Ik ben zwanger!' Ziezo, het was eruit. Nu was het niet echt een geheim meer.

De kater snuffelde aan het brood, porde er laatdunkend tegenaan met zijn neus, keek naar haar op en miauwde verontwaardigd. Ze voelde dat hij haar niet mocht. Hij was tenslotte een aasgod! Ze kiepte de smen samen met een grote schep amandelen in de keukenmachine. Haar grootmoeder zou het haar allemaal uitgelegd hebben. Zodra je je baby in je armen houdt, wordt alles je vergeven.

De gedachte aan haar grootmoeder kalmeerde Sabiha.

Hoe kón iemand ooit een kindje zien als een vergissing? Een moeder en haar kind! Hoe konden die het bewijs vormen voor een zware misstap? Eén ding was zeker: haar grootmoeder zou niet in paniek geraakt zijn. Ze zou geduldig gewacht hebben totdat ze wist hoe ze haar toestand het beste bekend kon maken. Het antwoord zou naar haar toe komen, daar was haar grootmoeder immers heilig van overtuigd. Het staat in de sterren geschreven, mijn liefste kind. Net zoals de Berber-vrouwen nooit hun kamelen aanspoorden om op te schieten als ze de grote weg naar Tunis overstaken. Ze negeerden die weg volledig en volgden een veel oudere route, een spoor dat alleen zichtbaar was voor degenen die hun herinneringen deelden. Het was een heilig pad dat er altijd zou zijn, ongeacht wat nieuwe generaties er voor obstakels aanbrachten. Ze pakte twee grote handen vol dadels, deed ze in de keukenmachine bij de amandelen en voegde er vervolgens gedroogde vijgen aan toe. Ze goot er het oranjebloesemwater bij, zette de machine aan en keek toe hoe het mengsel een dikke pasta werd.

•

Die avond keken zij en John televisie. Zij zat op het groene bankje en hij in de grote bruine leunstoel. Het was een koude avond en ze hadden de gaskachel aangestoken. Er was een film op tv over de oorlog. Sabiha volgde het verhaal niet echt. De geur van het verse pasteigebak hing nog in de lucht. Ze was later op de ochtend naar de buurtsuper op de hoek gegaan om voor het middageten nog wat extra melk te halen. In de winkel had een vrouw die in de rij voor de kassa stond naar haar staan staren. Toen ze de ogen van de vrouw ontmoette, had deze geglimlacht en naar Sabiha's buik gekeken. Hoe kon die vrouw dat nu weten? Sabiha had zich naakt gevoeld onder de blik van de onbekende. Bescheiden had ze haar ogen neergeslagen. Zouden andere moeders zodra ze haar zagen, weten dat ze één van hen was? Waren er signalen waar zij geen weet van had?

John maakte een geluid en ze keek in zijn richting. De lucht was bedompt vanwege de brandende gaskachel. Hij lag weggezakt in zijn diepe, oude stoel. Zijn ogen waren dicht en zijn kin was op zijn borst gezakt. Ze kreeg een beeld voor ogen hoe hij eruit zou zien als hij een oude man was. Misschien was hij eigenlijk al een oude man. Ze voelde ineens een hevige tederheid voor hem. Ze wilde dat ze weer net zo hecht zouden worden als vroeger; alsof ze elkaars handen en voeten waren, één en dezelfde persoon. Ze stond op, zette de televisie uit en ging weer zitten.

John opende zijn ogen en hees zichzelf rechtop in zijn stoel. 'Ik droomde daarnet,' zei hij. 'Heb ik soms iets gezegd?'

'Je maakte wel een geluidje.'

'We waren samen in de bush, in Australië. Het was een golvend, open landschap.' Hij fronste naar de gaskachel en probeerde zich zijn droom te herinneren. 'De zon scheen en aan de horizon dreven alleen wat schapenwolkjes.' Hij keek haar aan. 'Jij was bij me, in Australië. Niet op een speciale plek, maar gewoon thuis bij mij. Er was een wedstrijd gaande. We moesten over van die rood met wit gestreepte horden springen, zoals bij de paardenraces op de Braidwood-renbaan, waar wij als kind naartoe gingen. Het was een peulenschil. We keken elkaar aan en lachten naar elkaar, terwijl we over de ene hindernis na de andere zweefden.' Hij legde zijn armen op de stoelleuningen en stond met zichtbare moeite op. 'Goeie god, deze stoel kom je haast niet uit.'

Ze wilde hem zeggen: *Ik ben zwanger, schat.* Ze wilde zeggen: *De wereld is voorgoed veranderd. Er is een vuurbal op ons huis terechtgekomen en die heeft ons opgeslokt. Mijn allerliefste John, mijn goede, trouwe man, mijn kalme Australiër... We zijn elkaar meer dan zestien jaar trouw geweest, jij en ik. We stonden altijd zij aan zij, maar op deze avond staan we tussen de puinhopen van onze levens.* Ze wilde zeggen: *Ik heb je bedrogen, en ik hou van je.* Het onvermijdelijke raasde nu met grote snelheid op haar af, uit de stilte. Er was geen ontkomen meer aan...

Hij kwam naar haar toe en strekte zijn hand uit. Ze greep zijn hand en hij hielp haar overeind.

Ze stonden tegenover elkaar en keken elkaar in de ogen. En toen, heel voorzichtig, alsof hij haar tot op dat moment nooit had durven aanraken, sloeg hij zijn armen om haar heen en kuste haar op de mond. Hij deed een stap terug en keek haar weer aan. Er kwam geen woord over zijn lippen. Wist hij ervan?

Er kwam een beeld bij Sabiha op. Ze waren daar ergens, in de onbedwingbare toekomst die op hen afstormde. Zij zat naast zijn bed, en hij was een oude man. Het meisje dat nu nog kleiner dan een speldenknop in haar buik zat, was in deze verre vooruitblik al een jonge vrouw. Zij stond in de deuropening en keek naar het bed waar John Patterner, haar geliefde vader, op sterven lag. In haar fantasie hield Sabiha zijn hand vast en hij keek naar haar op vanaf het kussen van zijn sterfbed.

En in deze denkbeeldige toekomst vertelde ze hem zacht: 'Jouw dochter, liefste man van me, is niet je dochter.'

Hij glimlachte en kneep in haar hand. 'Dat heb ik altijd geweten.'

Wat was dat simpel, door de kristalheldere, sterke lens van een toekomstige tijd, om de waarheid te vertellen en vergiffenis te krijgen.

Maar in het verschrikkelijke hier en nu zei ze alleen: 'Ik hou van je, John Patterner.'

Met tedere vingers veegde hij haar tranen weg, glimlachte en keek haar in de ogen. 'Ik ook van jou.'

'Het spijt me zo,' zei ze.

Hij sloeg zijn arm om haar schouders en trok haar zachtjes mee de kamer uit. 'Je bent moe, meisje. Je had al in bed moeten liggen. Jij en ik hoeven nergens spijt van te hebben, lieve schat. Het was het allemaal waard.'

*J*ohn kwam de keuken binnen via de achterdeur. Hij zoende haar op de wang en zij rilde even bij de aanraking van zijn koude lippen. 'We hebben alles.' Hij zette de boodschappentas op de werkbank naast haar. 'Sonja komt maandagmorgen hierheen en dan breng ik je naar het vliegveld.' Hij deed zijn jas uit, zijn sjaal af en was met een paar stappen in de bijkeuken, waar hij ze ophing.

Op de markt had Sonja hem vorsend aangekeken en gezegd: 'Je gaat toch niet vreemd, hè jongen?' Ze was een stevig gebouwde, kleine vrouw van halverwege de vijftig. Ze zag eruit alsof ze altijd die korte, brede vijftiger was geweest; moeder van twee volwassen dochters, allebei nog single. Haar huid leek geen dag ouder dan die van haar twee meiden. Sonja had de wangen en handen van een tiener, romig en glad.

John was in de lach geschoten.

'Het is geen geintje,' zei ze. 'Sabiha is zichzelf niet meer, de laatste tijd. Je zou eens wat meer aandacht aan haar moeten besteden. Zo'n vrouw als zij krijg je nooit meer. Daar is geen tweede van. Dus maak jezelf maar niets wijs.' Ze was bezig haar kruiden-mengsel *ras el hanout* af te wegen. Sabiha hield vol dat Sonja de beste ras el hanout leverde in heel Parijs. 'Blijf jij maar netjes thuis en gedraag je,' zei Sonja streng tegen hem. Ze overhandig-de hem de zakjes kruiden een voor een en noemde de inhoud van ieder zakje bij naam. Ondertussen gingen haar ogen over Sabiha's lijst, van boven tot onder. Het laatste artikel was een grote glazen pot geurige honing, van het soort dat in Franse winkels niet te krijgen was.

'Jij bent nu eenmaal geen Tunesiër,' zei Sonja.

'Wat bedoel je daar nou mee?' vroeg John, maar zij herhaalde alleen: 'Jij bent geen Tunesiër,' alsof dat geen nadere uitleg be-hoefde. 'Tot maandagochtend dan.' Sonja was het type vrouw dat zich niet kon onttrekken aan een moederlijk verantwoordelijk-heidsgevoel voor zo ongeveer iedereen die ze kende. 'Zorg goed voor haar!'

Sabiha zei: 'Heb je Bruno toevallig nog gezien?' Ze schrok, toen zijn naam over haar lippen kwam.

John liep naar het werkblad en kwam naast haar staan. 'Hij was er niet. Er was een dekzeil over zijn kraam gespannen.'

'En zijn bestelbus?'

'Stond er niet.' John haalde zijn schouders op. 'Zou ik Angela op moeten bellen? Wat vind jij? Gaat het ons eigenlijk iets aan?'

Ze voelde een misselijkmakende steek van angst. Ze moest John echt alles opbiechten, vandaag nog. Ze kon het niet langer voor hem verzwijgen. Hij mocht het niet van een ander te horen krijgen. Dat zou te afgrijselijk zijn.

•

Op de een of andere manier gleden de uren van de dag voorbij en Sabiha kwam niet tot een bekentenis. Ze hadden het druk en haar paniek ebde weg. Ze zaten allebei weer in hun vertrouwde tredmolen, en voor ze het wisten was het avond. Ze waren afgepeigerd en klaar om in bed te stappen. Maandag rond twaalven zou Sabiha in El Djem zijn, bij haar stervende vader en bij Zahira.

Op vrijdagmiddag ging ze naar het ziekenhuis, naar de afdeling gynaecologie en verloskunde. Ze moest twee uur wachten tot er een vrouwelijke arts beschikbaar was. De dokter onderzocht haar en bevestigde dat ze zwanger was. Toen ze op de terugweg in de metro zat, had ze een gevoel van anticlimax. Ze probeerde zichzelf op te peppen. Aanstaande maandag zou ze immers haar baby al mee naar huis nemen, naar El Djem. Maar ze kon zichzelf niet overtuigen. Haar argumenten voelden doods aan. Zij en Zahira zouden afscheid nemen van hun vader. Het was het einde. Ze zou opgetogen en gelukkig moeten zijn, maar in plaats daarvan voelde ze zich mat, verdrietig en merkwaardig leeg. Alsof haar kindje nooit alles voor haar kon betekenen waarvan zij gedroomd had. Stel je voor, dacht ze bij zichzelf, zou het moederschap een teleurstelling kunnen worden?

Teruggekomen in Chez Dom rolde ze deeg uit voor een bakblik vol verse honingbriouats voor de zaterdagavond. Haar tranen mengden zich met het deeg. Het was de overwinning van het alledaagse leven, met al zijn onbevattelijke tegenstrijdigheden. Sabiha dacht: vlak voor de *samoen* heerst stilte. Voor die hete, droge wind losbarst, is het zo intens stil dat alle vocht uit de lucht wordt gezogen, uit je longen, én uit je geest. 'Nu lachen de goden,' zei haar grootmoeder vroeger over dit geluidloze moment. Sabiha had zich altijd afgevraagd wat de oude vrouw bedoelde, maar vandaag begreep ze het. Op deze dag doorgrondde Sabiha net als haar grootmoeder de lach van de goden. De zandstormen van de samoen zijn onontkoombaar. Dus welke richting je ook kiest, het zal nooit de goede zijn. Want er is geen juiste richting.

*D*ie avond begon er een gure, winterse regen te vallen. Het bleef de hele zaterdag regenen. Op de radio werd gezegd dat de regen zou overgaan in sneeuw en dat het gevaarlijk kon worden op de weg. Tegen de tijd dat de mannen arriveerden voor hun zaterdagavondmaaltijd, dwarrelde er wat natte sneeuw tussen de ijskoude regendruppels door. John stond achter de bar en zette brood en wijn klaar. Hij zag de mannen binnenkomen, sommige alleen en andere samen. Hij kende ze allemaal bij naam en groette iedereen persoonlijk. Hun kleding rook vochtig. Ze beantwoordden zijn groet en deden hun capuchon af, schudden de nattigheid van hun jack en zochten hun gebruikelijke plaats op.

Om acht uur waren de meeste tafels bezet. John liep druk heen en weer tussen het eetzaaltje en de keuken om de mannen te bedienen. De ramen waren beslagen en de gesprekken geanimeerd. Het was warm en gezellig in het tjokvolle eetcafé en iedereen was de ijskoude regen buiten allang vergeten.

Toen de maaltijd ten einde was en John de tafels had afgeruimd, kwam Sabiha tevoorschijn van achter het kralengordijn. Ze droeg haar roodbruine jurk. Haar haren waren hoog opgestoken en een halssieraad, gemaakt van haar grootmoeders oude zilveren munten, glinsterde boven haar borsten. Nejib zat al te tokkelen op zijn ud. De prachtige, ijle klanken zweefden tussen het stemmengeluid en de dikke sigarettenrook door. Nejibs zwijgende tafelgenoot had zich naast hem geposteerd.

John zag dat geen van de mannen rechtstreeks naar Sabiha keek. Opnieuw voelde hij hoe diep verbonden hij was geraakt met deze vertrouwde plek, en hoezeer hij de discretie en het rustige respect van hun gasten op prijs stelde. Het gaf hem een thuisgevoel, dit familieachtige, eenvoudige samenzijn op de zaterdagavonden in Chez Dom. Het was iets wat hem dankbaar stemde, iets wat hij zou missen. Hij moest weer denken aan de dag dat hij hier bij toeval binnen was komen lopen, en Sabiha en haar tante in de keuken had horen zingen achter het kralengordijn. Op sommige avonden ervoer hij nog steeds een vleugje van die betoverende eerste ontmoeting. Dat gevoel toegelaten te worden en deel uit te mogen maken van de levens van de goedhartige, gulle Houria en haar oogverblindend mooie nichtje. John was het nooit helemaal kwijtgeraakt, het idee dat hij hier te gast was. Een welkome gast. En daar was hij nog steeds blij mee. Hij had het nooit als vanzelfsprekend beschouwd. Hij stond te glimlachen bij deze gedachte, toen hij de blik opving van Nejibs metgezel. De gezichtsuitdrukking van de stille man bleef ondoorgrondelijk, maar hij keek weg van John, zijn ogen gleden richting deur.

John was verbaasd om te zien dat Sabiha dit keer stilzwijgend voor de mannen was gaan staan en wachtte tot ze hun aandacht had. Wat was ze van plan? Normaal gesproken begon ze gewoon te zingen en dan vielen de mannen vanzelf stil. Maar vanavond hadden ze iets ongewoon rusteloos over zich. En juist deze avond bleef ze kalm bij de cafédeur staan, die dicht was om de ijzige kou buiten te houden, en wachtte ze tot de mannen waren neergestreken. Toen ze doorkregen dat zij naar hen stond te kijken verstomden de gesprekken. Nejib legde zijn hand op de kast van zijn instrument. Het gekletter van de regen tegen de ramen was plotseling opvallend luid in de stilte.

'Goedenavond allemaal,' zei Sabiha. Ze sprak Frans en stond er formeel bij. Alsof ze niet de kokkin was die zojuist hun eten had klaargemaakt, of de zangeres die op het punt stond een lied voor hen aan te heffen, maar een heel andere vrouw. Iemand die zich genoodzaakt zag hen te benaderen vanuit een andere, niet vertrouwde positie. Het was nu helemaal stil. De mannen vroegen zich af wat ze te zeggen had, en alle ogen waren op haar gericht.

Ze zei: 'Mijn vader ligt op sterven.'

De mannen schoven ongemakkelijk heen en weer en een enkeling mompelde een paar meelevende woorden.

'Maandag ga ik naar huis, naar El Djem, om afscheid van mijn vader te nemen. Dus zal ik er aanstaande zaterdag niet zijn om voor jullie te zingen, en ook niet om volgende week jullie maaltijden te koken.' Ze pauzeerde even en glimlachte. Haar uitdrukking was zachter geworden en ze keek de mannen een voor een aan. 'Mijn goede vriendin Sonja, die de kruiden verkoopt waar jullie allemaal zo gek op zijn, zal de hele volgende week voor jullie koken. Maar ze gaat niet voor jullie zingen.' Er klonk gelach. 'Sonja kan beter koken dan ik.' Een ongelovig gemompel ging door het eetzaaltje. 'Maar ik kan weer beter zingen dan zij. Ik wil jullie vragen, vrienden van Chez Dom, laat ons alsjeblieft niet in de steek tijdens mijn afwezigheid.' Ze draaiden zich naar elkaar om en zeiden wat een onmogelijke gedachte dat was. Het idee alleen al, dat zij ooit weg zouden blijven bij Chez Dom! 'Sonja en John zullen goed voor jullie zorgen tot ik weer terugkom.' Ze wendde zich tot Nejib. Hij ving haar signaal op en begon de snaren van zijn instrument te strelen.

John zag hoe Sabiha zich vanaf haar plaats bij de deur omdraaide en Nejib aankeek. Hun blikken die elkaar vasthielden. Ze begon te zingen, en zangeres en muzikant bezielden elkaar door hun perfecte, wederzijdse begrip van de muziek. John wist dat hij tot dít hoekje van Sabiha's gevoelswereld geen toegang had. Even stak het hem dat Nejib dat op hem voorhad. Die volkomen harmonie met haar op dit gebied. Zoiets viel niet aan te leren. Het moest er bij je geboorte al in zitten, precies zoals hij de Australische bush, de geluiden en de geuren van zijn eigen thuis had meegekregen. Dat was onvervangbaar. Je kon het ook niet met een ander delen, behalve met iemand die het eveneens met de paplepel ingegoten had gekregen.

De mannen keken nu openlijk naar Sabiha, want als vrouw was ze voor hen gesluierd door haar zang. Ze rookten hun sigaret en namen slokjes wijn of muntthee, volledig in de greep van haar lied. De melodieuze weeklacht die dromen bij hen opriep over hun gezin en de heilige steenakkers van hun voorvaderen.

De voordeur werd opengesmakt en knalde met kracht tegen Sabiha's schouder. Ze stond te tollen, wankelde en viel ruggelings tegen de muur. Losse verfbladders en houtsplinters vlogen door de lucht. Het vensterglas trilde, een vlaag ijskoude lucht stroomde naar binnen en de regen ratelde op de vloerplanken bij de deur.

Een man die aan de tafel het dichtst bij de deur zat, kwam schielijk overeind.

Bruno struikelde het café binnen. Hij stond onvast op zijn

benen te zwaaien en keek verwilderd om zich heen. Zijn ogen stonden woest en verbijsterd, als van een opgejaagd dier dat niet weet waar hij het zoeken moet om aan zijn kwelgeesten te ontsnappen. Hij was druipnat en keek koortsachtig rond alsof hij zijn vijanden probeerde te lokaliseren, zodat hij wist hoe hij zich het beste kon verdedigen.

Nejib gebaarde kort naar de man die opgesprongen was en nog steeds bij de deur stond. De man ging weer zitten.

John zette behoedzaam een kan wijn terug op de bar, liep naar Bruno en greep hem bij de arm.

Bruno leek uit zijn trance te komen en mepte John met geweld van zich af. Hij deed een stap naar voren en bleef staan bij de tafel waar hij op dinsdag altijd zijn lunch gebruikte. Op een teken van Nejib stonden de twee mannen die nu aan deze tafel zaten geruisloos op en weken achteruit.

John was weer van de schrik bekomen. Alert nam hij het hele eetzaaltje in zich op. Hij voelde zich kalm; hij wist precies hoe hij dit moest aanpakken. Hij zag opeens dat Nejibs kameraad zoals altijd die starre expressie van ietwat verveelde minachting op zijn gezicht had. En intuïtief wist hij dat deze man niet verrast was door Bruno's bruuske entree. Nee, hij had erop zitten wachten. Nooit eerder had iemand de Italiaan óf dronken óf op zaterdagavond in Chez Dom zien verschijnen.

Toen de twee Arabieren zich terugtrokken van zijn tafel graaide Bruno naar de leuning van zijn gebruikelijke stoel. De stoel kantelde en Bruno deed een onvaste stap naar achter, maar bleef de stoel vasthouden. Vervolgens strompelde hij weer naar voren, met de stoel in een wilde boog zwaaiend achter hem aan. In een langgerekte beweging, zonder echt te vallen of te gaan zitten, slaagde Bruno erin om de stoel op twee poten op de grond te krijgen en zijn achterste erop te laten zakken. Iemand lachte. Bruno zat zo stil als een stenen beeld, gevaarlijk ver voorover geleund en met zijn kin op zijn borst gezakt. Zijn onbehouwen manoeuvre leek hem compleet te hebben uitgeput. Toen liet hij zich geleidelijk achteroverzakken, zette de twee achterste poten van de stoel op de vloerplanken en hief zijn blik op naar Sabiha.

Sabiha had de deur dichtgedaan en stond er nu met haar rug tegenaan.

Langzaam spreidde Bruno zijn grote handen op de tafel voor hem alsof hij van plan was op te staan van zijn stoel. Het leek of hij naar haar toe wilde gaan, of dat hij op het punt stond een vonnis uit te spreken.

In de doodse stilte was even een lichte tik hoorbaar van de kast van de ud. Met uiterste voorzichtigheid had Nejib zijn geliefde instrument op de plankenvloer gezet. Twee van de mannen draaiden zich om, wierpen een blik op hem, en keken toen snel weer naar Bruno. Ook Bruno had zich met een ruk omgedraaid bij Nejibs beweging en bleef hem nu dreigend aanstaren.

John zag Nejibs kameraad zijn stoel een fractie naar links schuiven. Het was op zich geen alarmerend gebaar. De man had alleen zijn knieën bevrijd van onder de tafel, zodat hij snel overeind zou kunnen komen. Nu zat hij iets van de tafel af gedraaid en hield zijn onverschillige ogen rechtstreeks op Bruno gericht. John besloot hem goed in de gaten te houden en op alles voorbereid te zijn. Vreemd genoeg was hij niet nerveus, maar bedaard. Hij was er helemaal klaar voor om in te grijpen, wat er ook stond te gebeuren. Hij zou Bruno in bescherming nemen, zoveel was zeker. En Bruno zelf, die kon hij zonder problemen aan. John was niet bang voor een dronkenlap.

Bruno hief zijn rechterhand op en wees naar Nejib. 'Sta jij hier nu te zingen voor dit zwarte stuk *stronzo*?' barstte hij los op luide, verachtelijke toon. Hij draaide zijn hoofd om naar Sabiha en keek haar aan. 'Voor deze zwarte, stinkende drol!'

Zacht en dringend zei Sabiha: 'Alsjeblieft Bruno! Hou hiermee op! Ik smeek het je.'

John keek naar haar. Ze hield haar beide handen samengeknepen onder haar kin, alsof ze stond te bidden.

Ze kon het niet weten, maar Sabiha's houding op dit moment was precies die van haar eigen moeder, zeventien jaar geleden, toen deze de bus nakeek die wegreed met háár dochter erin. John gaf Sabiha een wenk om zich afzijdig te houden, maar het kon zijn dat ze hem niet zag, of anders had ze besloten hem te negeren.

Bruno keek naar Nejib. 'Opstaan!' schreeuwde hij. 'Sta op, zwarte klootzak!'

John zag geen spoor van angst in Nejibs ogen.

Maar Nejibs stille vriend stond als eerste overeind, stapte weg van zijn stoel en ging opzij van de tafel staan. Langzaam, en met duidelijke tegenzin, stond ook Nejib op. Hij deed geen poging om bij de tafel weg te komen.

Bruno duwde zich van zijn tafel af en richtte zich op. Zijn stoel viel met een klap achterover. Hij liep waggelend naar de open ruimte tussen zijn eigen tafel en die van Nejib. Bruno en Nejibs kameraad stonden nu tegenover elkaar. Een kleine twee meter afstand scheidde hen nog. Nejibs vriend was fragiel gebouwd vergeleken met Bruno, van wie het bokserslichaam onkwetsbaar leek voor welke mogelijke aanval van de kleinere man dan ook. Dat zou zonder meer een ongelijke strijd worden.

De regen kletterde hard tegen de ramen en de voordeur klapperde alsof hij een windstoot had opgevangen. Zwijgend liep de kleine man op Bruno af. Hij leek zich niet te haasten en zijn tengere gestalte oogde ontspannen. Aan zijn uitdrukking viel af te lezen dat hij weinig belang hechtte aan deze confrontatie. Iedereen was stil, stomverbaasd over het lef van de kleine man, en de aandacht was volledig op hem gericht. Toen hij Bruno bereikt had, hief hij zijn linkerarm op en sloeg die om Bruno's schouders. Hij vlijde de zijkant van zijn hoofd tegen dat van Bruno aan, alsof hij Bruno omarmde en hem op de wang wilde kussen.

John had op het punt gestaan om tussenbeide te komen. Maar even had hij geaarzeld en was hij opgelucht dat hij zich er niet in gemengd had. Hij was ervan overtuigd dat hij Nejibs vriend voor zijn ogen een grootmoedig gebaar van verzoening zag maken.

Bruno was blijkbaar zo verrast door de zelfverzekerde benadering van de man en zijn ongedwongen omhelzing, dat hij niet gewelddadig reageerde. Alsof hij zich voorhield dat hij later nog een zee van tijd had om de dingen recht te zetten.

Toen kromp Bruno ineen en stootte een vreemd gegrom uit.

Nejibs kameraad deed een stap terug, liep naar de deur en opende die. Hij ging naar buiten en sloot de deur achter zich.

Bruno bleef een ogenblik staan met een doodsbleek gezicht, en zakte toen door zijn knieën. Hij bleef even geknield zitten, alsof hij in gebed was. Vervolgens tuimelde hij voorover op de houten vloer en lag roerloos. De hele ruimte trilde door de impact van zijn val.

Sabiha was de eerste die in beweging kwam. Ze gilde: 'Bruno!' Ze vloog naar voren, knielde naast hem en nam zijn hoofd in haar handen. Ze probeerde hem om te draaien. 'Bruno toch!' smeekte ze.

John besefte opeens dat het café was leeggestroomd. De laatste man die vertrok had de voordeur halfopen gelaten, en een vlaag ijskoude wind en regen kwam naar binnen. De enige die onbeweeglijk was blijven staan, was Nejib.

John keek hem aan. 'In godsnaam, Nejib! Wie is die man?'

Nejib stond neer te kijken op Bruno en Sabiha. Hij zei met een oneindige droefheid in zijn stem: 'Hij is mijn broer.'

•

De autopsie zou aantonen dat het mes dat Nejibs broer in zijn rechterhand verstopt had gehouden, geruisloos en trefzeker Bruno's buikslagader had doorgesneden. De dood was bijna onmiddellijk ingetreden. Precies zoals bij Dom Pakos, al die jaren geleden.

John was net terug van het politiebureau en had nog steeds zijn oude bruine overjas aan en zijn sjaal om. Hij stond zijdelings naar het slaapkamerraam toegewend en keek naar de straat beneden hem. De straat was nu rustig. De zwaailichten van de politiewagens en de ambulance waren verdwenen. Al degenen die met ongeduldige, luide voetstappen door het café hadden gestampt, waren allang vertrokken. Maar hij zág ze daar beneden nog steeds bezig. Hij draaide zich van het raam af en keek naar Sabiha, die op de rand van het bed zat in haar witte nachtpon en met blote voeten. Ze had zich in haar oude, blauwe deken gewikkeld en trok die met beide handen zo dicht mogelijk rond haar schouders. Ze zag eruit als een vrouw die van de verdrinkingsdood is gered, om vervolgens te horen te krijgen dat haar naaste familie het niet heeft overleefd.

Ze hief haar hoofd op en keek hem aan. 'Wat heb je tegen hen gezegd?'

'Ze wilden gewoon weten wat er gebeurd was. Ze hoefden mijn

mening niet te horen over het waaróm. Ik heb ze precies verteld wat ik gezien heb.'

Er viel een lange stilte tussen hen.

'Het grootste deel van de tijd heb ik op de gang van het bureau zitten wachten.'

Het koude, blauwe licht van de dageraad begon de nachthemel boven Parijs op te lichten, alsof iemand steels de deksel van een gigantische put optilde.

Ze hadden geen van beiden geslapen.

'Je weet nooit wat de politie ervan denkt,' zei hij. 'Ik kreeg het gevoel dat ze zelfs míj verdachten van de moord op Bruno. Ze verdenken iedereen. Ze zullen Nejib wel vasthouden tot ze zijn broer te pakken hebben.'

Weer was het een tijdlang stil in de kamer.

Hij zei: 'Ik had hem kunnen redden. Maar ik stond erbij en ik keek ernaar. Echt ongelooflijk dat ik niets heb gedaan. Ongelooflijk.'

Bruno's dood had alles veranderd. Ze zei: 'John, ik ben een slechte vrouw.'

Verbaasd keek hij haar aan. 'Hoe kom je daar nou bij? Ga alsjeblieft niet dat soort dingen zeggen. Zelfs niet voor de grap. Je bent hondsmoe. We zijn allebei hondsmoe. Waarom zeg je zoiets?'

Hij draaide zich weer om naar het raam en keek uit over de straat. De veegmachine reed knarsend en trillend langs de stoeprand. Hij moest denken aan een gewond paard dat probeert de weg naar huis te vinden, een geestverschijning uit de tijd van de oude abattoirs. Een dier dat nog steeds hier ronddoolt en terug wil naar zijn oude weiland. Op de plaats waar de slachthuizen van Vaugirard stonden toen John voor het eerst in Parijs kwam, was nu een park aangelegd. Een paard zou daar nu een grazig groen grasveld aantreffen, in plaats van een slachthuis.

Sabiha maakte een gesmoord geluid en hij draaide zich bliksemsnel om. Ze zat voorovergebogen met haar hoofd in haar handen. Hij liep met grote passen naar het bed, ging naast haar zitten, trok haar omhoog en nam haar in zijn armen. Hij hield haar stevig vast, terwijl het gele licht van de veegmachine over het plafond flitste.

Hij zei: 'Toen Nejibs broer zijn arm om Bruno heen sloeg dacht ik dat hij vrede met hem wilde sluiten. Het waren precies die één of twee seconden dat ik me ontspande. Omdat ik dacht, ik heb die man totaal verkeerd beoordeeld. Maar toen... ik heb Bruno in de steek gelaten. Ik heb hem helemaal niet geholpen. Ik zag het aankomen en ik heb niets gedaan om het te verhinderen. Ze moeten elkaar enorm gehaat hebben, die twee.'

Sabiha zei: 'Ik ben zwanger van Bruno.'

Hij bewoog zijn hoofd een stukje naar achteren en staarde naar haar.

Ze zei: 'Bruno was verliefd op me.'

'Zwanger?' Hij schudde haar zachtjes heen en weer. 'Dat kan toch niet?'

Ze keerde haar gezicht naar hem toe, haar donkere ogen stonden ernstig. 'Het kind is van Bruno.'

Hij maakte een ongeduldig wegwerpgebaar met zijn handen en stond op. Met een ruk draaide hij zich om. 'Waar ben je mee bezig? Wat bedoel je, zwanger? Hoe kun jij nu opeens zwanger zijn?' Hij deed twee stappen naar het raam en draaide zich weer om. 'Waarom zeg je dit allemaal?' zei hij. 'Waar stuur je op aan?'

Ze bleef hem standvastig aankijken. 'Mijn god,' zei hij zacht. 'Het is waar, hè?' Zijn lach klonk hol. 'Jezus christus! Ik dacht dat je in de overgang was.' Perplex staarde hij haar aan. 'Ben je zwanger? Dus dat is het? Jij... krijgt een baby? Jezus nog aan toe! Een baby van Bruno.' Hij draaide zich weer om, zocht in zijn jaszak en haalde een verkreukeld pakje sigaretten tevoorschijn. Fronsend stond hij ernaar te kijken. Achter hem lichtte de hemel langzaam op, waardoor even een regenboogkleurige stralenkrans zichtbaar werd rond zijn dunner wordende haren. Hij trok een sigaret uit het pakje, maar stak hem niet op. In plaats daarvan knoopte hij zijn jas los, deed hem uit en gooide hem op de grond.

'Ik kan het niet verdragen als je me haat,' zei ze hulpeloos.

'Natuurlijk haat ik jou niet. Denk je nou echt dat ik je opeens ga haten?' Hij rommelde in zijn broekzakken op zoek naar lucifers, kon ze niet vinden en gaf het op. Hij keek haar weer aan. 'Ik probeer dit gewoon te geloven, begrijp je? Hield je dan van Bruno? Hield hij van jou? Zit het zo? Hoelang ben je al zwanger? Probeer je nu te zeggen dat hij daarom stomdronken hier binnen kwam vallen, vanavond?' Hij gooide zijn handen in de lucht, geërgerd en machteloos. 'Jij en Bruno! Niet te geloven. Ik bedoel, waar dan? En wanneer? Jij en Bruno deden altijd zo stijfjes tegen elkaar. Hij behandelde je altijd zo hoffelijk en beleefd.' John stond hevig met zijn wenkbrauwen te fronsen. 'Dus... al die heisa! Die rare fratsen van Bruno en die buien van jou en je opgewonden gedoe, draaide het allemaal daarom? Maar Nejib en zijn broer dan? Wat hadden die er mee te maken?' Zijn stem haperde en hij staarde naar haar met een gepijnigde blik. 'Als je ook iets met Nejib had, dan zal ik je haten. Zeg me alsjeblieft dat je niet met Nejib hebt gescharreld. Néé toch, hè?'

'Natuurlijk had ik niets met Nejib,' zei ze.

'Natuurlijk, natuurlijk... mens, schei toch uit!' zei hij verbijsterd. 'Voor mij is er helemaal niets meer natuurlijk aan deze situatie. Ik bedoel, hoe zit het met ons? Waar zijn wij dan nog mee bezig, jij en ik? Bruno die hier in- en uitloopt, vervolgens helemaal wegblijft en dan dronken binnen komt stormen en volledig doordraait. Al die shit. En jíj, die vreemdgaat.' Hij keek haar aan. 'Ik kan het gewoon niet geloven van jou. Jíj, Sabiha! Heb jij dat echt gedaan?' Hij liep naar de toilettafel, pakte een doosje lucifers van het glazen schaaltje, streek een lucifer af en stak zijn sigaret op. Hij nam één lange haal en blies de rook uit.

Ze zei zacht: 'Jij vertrouwde me.'

Hij zei: 'Ik vertrouw je nog steeds, hoor.' Hij lachte even. 'Jij zit me hier te vertellen dat je een verhouding hebt gehad en ik zeg jou dat ik je vertrouw.'

'Het was geen verhouding,' zei ze. Ze zat ineengedoken onder haar deken alsof ze ergens pijn had, of dat iemand haar met een stok te lijf was gegaan. Ze keek naar hem op. Haar gezicht was grauw in het zwakke licht en haar dikke, zwarte haar hing in verwarde slierten rond haar gezicht. 'Ik wilde mijn kind.'

Hij voelde zich zowaar tamelijk kalm. Eigenaardig kalm, vanbinnen althans. Maar het leek hem noodzakelijk om een beetje een show te maken van zijn emoties. Vreemd genoeg was hij niet zo ontzettend verrast door dit alles. Dat was het gekke eraan. Net alsof hij dit al die tijd geweten had. Hij was er niet diep, ongelooflijk en buitensporig door geschokt. Hij was altijd rustig gebleven, wat voor soort noodsituatie zich ook voordeed. Vlak voor de moord had hij zich ook rustig gevoeld. Zelfs toen hij aan zag komen dat Bruno en Nejibs broer slaags zouden raken, bleef hij volkomen kalm. Alsof hij de situatie met gemak de baas kon. Alsof hij alles prima in de hand had. Maar dat was niet zo, bepaald niet, behalve voor zijn eigen gevoel. Hij had alleen zichzelf goed in de hand gehad, en daar was niemand mee geholpen. Niemand. En intussen zag Sabiha er zo wanhopig uit, alsof ze volstrekt aan zijn genade was overgeleverd. Ze zat erbij alsof ze verwachtte dat hij haar zonder omhaal op straat zou zetten, zwanger of niet.

Hij zei op zachtaardige toon: 'Dit is het kind dat je in je dromen altijd al had, nietwaar? Ja, ik weet het wel zeker. Vanaf de eerste dag dat we elkaar leerden kennen. Weet je nog, die dag in Chartres toen we in het gras lagen op de oever van de rivier? Toen heb je me al over je kind verteld. Je hoefde het niet eens met zoveel woorden te zeggen. Ik voelde het gewoon, die warmte die er van je uitging naar dat kindje. Dat gevoel zal ik nooit vergeten. Jouw warmte was niet te vergelijken met die van enige andere vrouw die ik ooit had ontmoet. Jouw warme lijf tegen het mijne aan gedrukt... ik weet het nog goed. Ik zag jou toen al als een moeder én als mijn lief.' Hij glimlachte en nam een trek van zijn sigaret. 'Ik weet dat je nooit de hoop op een baby hebt opgegeven, ondanks alles. Dat weet ik. Je hoeft me niets uit te leggen.' Hij kwam naar haar toe, ging naast haar zitten en sloeg zijn armen om haar heen. Zacht drukte hij haar tegen zich aan. 'Dit is jóúw kind, schat. Het is je gegund.' Zacht mompelde hij voor zich uit: 'Bruno!'

Sabiha was in tranen.

Ze zaten heel lang zwijgend tegen elkaar aan, terwijl Sabiha zachtjes huilde en John haar in zijn armen wiegde. Ten slotte zei hij: 'Als het een meisje is, noemen we haar Houria.'

Sabiha snikte gesmoord.

John was zo moe dat hij zich gewoonweg misselijk voelde. Hij probeerde zich de details van het dramatische voorval van de afgelopen avond voor de geest te halen. Wat had hij de politie ook alweer verteld? Het ene moment was het nog een gewone, vredige zaterdagavond in het eetcafé. Sabiha zong, Nejib begeleidde haar op zijn ud en de mannen waren stil en in de ban van de muziek, iedereen gelukkig. Een vreedzaam tafereel. Toen opeens was het hele café leeg en lag Bruno dood op de grond. Tijdens het politie-verhoor had hij gemerkt dat hij in de war raakte en zichzelf af en toe tegensprak. Hij kreeg het idee dat ze hem niet geloofden en dat stoorde hem. Hij had zich aan die lui geërgerd. De politie-mensen waren achterdochtig en onbeleefd geweest. Ze hadden hem uren laten wachten, door hem afwisselend de kamer uit te sturen en hem een tijd later weer terug te roepen. Terwijl hij daar in de kille gang zat te wachten tot ze hem terugriepen voor ver-dere ondervraging had hij zich afgemat gevoeld.

Hij zei: 'We moeten proberen wat te slapen.'

Hij sloeg het beddengoed terug, trok de blauwe deken van haar schouders en hielp haar weer in bed. Hij boog zich over haar heen, stopte haar in en gaf haar een zoen.

Ze keek naar hem op.

Hij legde zijn vinger op haar mond. 'Stil maar, meisje. Ik kom ook naar bed. Gebeurd is gebeurd. We moeten nu zien dat we nog wat slaap krijgen.' Hij liep naar het raam, trok de gordijnen dicht en sloot het daglicht buiten. 'Met Chez Dom is het over en uit,' zei hij. 'Niemand van onze gasten zal zich hier nog laten zien, daar kun je wat om verwedden. Ik weet niet eens of de politie ons nog toestemming geeft om weer open te gaan. Misschien had ik een beetje aardiger tegen ze moeten doen. En Sonja zullen we maandag ook niet nodig hebben. Ik kan haar maar beter even bellen. Welke dag is het vandaag?' Hij stond midden in de kamer en probeerde na te denken. 'O, ja. Het is zondagochtend. Ik zal haar later vandaag wel thuis opbellen. Hoe is het mogelijk, dat

Bruno ineens dood is? Onvoorstelbaar.' Hij dacht aan Angela en haar elf kinderen. Wat hadden die moeten doormaken, de afgelopen nacht?

Hij kleedde zich uit, stapte naast haar in bed en hield haar tegen zich aan. 'Als jij terugkomt uit El Djem gaan we naar huis, naar Australië. We hebben hier niets meer te zoeken. We gaan een nieuwe start maken.' Hij zoende haar op de wang. 'Maak je geen zorgen, we zullen Bruno niet vergeten. We vinden wel een manier om hem te gedenken.'

Buiten klonk het dichtslaan van een autoportier en het geluid van een startende motor. De straat werd geleidelijk wakker. Uit het steegje klonk het droevige gejank van Tolstoj die de nieuwe dag begroette – een dier dat uit zijn dromen ontwaakt en beseft dat hij moederziel alleen is achtergebleven op de besneeuwde steppen van zijn voorouders.

'Ik heb ook dingen voor jou achtergehouden,' zei John. 'Niet zoiets als dit, natuurlijk. Maar wel stukken van mezelf, denk ik. Mijn ambities, bijvoorbeeld. Misschien wordt het allemaal duidelijker voor me wanneer we in Australië zijn. Er bestaan vast eigenschappen die een mens alleen maar bij zichzelf kan ontdekken als hij ergens thuis is.' Hij was afgedraaid, maar voelde zich niet slaperig. Hij zou terugkeren naar Australië, na zestien jaar in Frankrijk. Hij had hier niets bereikt. Wat had hij eigenlijk gedaan? Zijn hoofd tolde.

'Agressieve kerels die bonje maken,' zei hij. 'Zo dom. Die smerissen zien dat natuurlijk dag in dag uit.' Hij zweeg even en luisterde naar de straatgeluiden. 'Ik heb altijd graag vader willen worden,' vervolgde hij. Hij wist dat het hem niets uitmaakte dat hij niet de biologische vader was, hij zou de vader worden. Hij zou voor hen allebei zorgen, voor Sabiha en de kleine. En hij zou wel iets verzinnen om de nagedachtenis van Bruno een waardige plek te geven in het leven van hun kind. Daar konden ze niet omheen. Op een dag zou hij het kind vertellen over Bruno, de echte vader. Hij drukte Sabiha dicht tegen zich aan, voelde haar warme lichaam, en dacht aan het piepkleine baby'tje dat in haar buik groeide. Die volmaakte onwetendheid, de totale onschuld van dat wezentje. Helemaal opnieuw beginnen! Vanaf dag één. Dat minuscule begin van een nieuw leven. Zijn eigen leven was zo'n verspilling geweest.

Hij begon weg te dommelen, maar beelden van de vreselijke nacht schoten nog steeds door zijn hoofd. André, Simone en hun dochter, alle drie volkomen van streek. Ze stonden op een kluitje op de natte straat, beschenen door de koplampen van de politie-auto's. Als vluchtelingen die uit hun huis waren geschopt. De oude Arnoul Fort en de Kavi-broers met hun klanten. Ze hadden in een slordige halve kring voor het café gestaan en in stilte toegekeken. Hun ogen lichtten op in de felle lichtbundels, waar de regen doorheen viel. Die onheilspellende stilte, met een onderstroom van opwinding. En nergens een Arabier te bekennen. De zinloosheid van dit alles.

Sabiha's been schoot uit in een nerveuze kramp en maakte hem half wakker. Wat zou hij deze nacht graag over willen doen en een nieuwe kans krijgen om Bruno te redden. Hij stelde zich voor hoe hij Nejibs broer rustig het mes afhandig zou maken, en hem vragen Chez Dom te verlaten. Alles weer normaal. Sabiha die weer verder kon zingen. Bruno die nuchter werd en iedereen zijn excuses aanbood... Sabiha lag te slapen. Hij zou een voorschot moeten aanvragen op zijn creditcard om hun terugreis te betalen... Hij droomde dat het gejank van Tolstoj een gierende sneltrein was die op hem af kwam denderen. De trillende lichten verblindden hem. Het lukte hem niet om van de rails af te komen, terwijl de trein hem uit de duisternis tegemoet snelde. Hij dwong zichzelf wakker te worden, rukte zich los uit de droom en lag hijgend op zijn rug in bed. Zijn hart bonkte. Opeens huilde hij. Hij kon er niet mee stoppen. Hij huilde om alles.

*O*p een dinsdag kwam Sabiha thuis van de begrafenis van haar vader. Het eetcafé was stil en verlaten. De stoelen stonden omgekeerd op de tafels in het eetzaaltje. De gordijnen waren dicht – dat was nooit eerder vertoond. Even na twaalven stond Sabiha in de keuken de lunch klaar te maken voor haar en John, toen er een schaduw op de muur voor haar viel. Ze draaide zich om. Er stond een jongeman van tussen de achttien en twintig jaar in de deuropening naar het steegje. Hij leek zo sprekend op Bruno dat het griezelig was. Hij droeg een kist tomaten in zijn armen.

'Goedemorgen, Madame Patterner,' zei hij. 'Ik ben Bruno, de zoon van Bruno Fiorentino. Ik zet zijn zaak voort, zoals hij dat gewenst zou hebben.' Hij was ontzettend zenuwachtig en stak zijn verhaal af alsof hij het had ingestudeerd. 'Mijn vader had heel veel respect voor u en Monsieur Patterner. Mijn familie geeft u of uw man op geen enkele wijze de schuld van het drama dat ons is overkomen. Ik heb gehoord dat u zojuist uw eigen vader hebt begraven. Daarmee wil ik u namens ons hele gezin condoleren. Zo'n verlies is verschrikkelijk.' Hij deed een stap de keuken in. 'Deze kist tomaten is een cadeau voor u, van onze familie. Ik neem de zaak van mijn vader over. Dat zou hij zo gewild hebben.' Hij boog zich voorover, zette de kist tomaten op de vloer bij de deur en richtte zich op.

Sabiha kon haar ogen niet van hem afhouden. Ze stond met één hand tegen haar keel gedrukt en het verdriet welde op in haar borst. Zou ze deze jongen te woord kunnen staan zonder in tranen uit te barsten?

'Dat kan ik niet van jullie aannemen,' zei ze. 'En het heeft ook geen zin dat je hier nog terugkomt. Wij hebben geen klanten meer over. Ze zijn gevlucht voor de politie en houden zich ergens schuil, of ze zijn teruggegaan naar Tunesië.'

'Er komen heus wel nieuwe klanten,' zei hij. Hij glimlachte. 'Uw kookkunst is beroemd.'

Toen hij naar haar glimlachte zag ze alleen nog maar de oude Bruno in zijn ogen. 'Chez Dom is voorgoed gesloten,' zei ze en ze moest zich van hem afwenden om haar tranen te verbergen. 'Wij gaan naar Australië. Ga nu maar, alsjeblieft,' drong ze zachtjes aan. 'Ga maar.' De tranen stroomden over haar wangen. Ze veegde ze niet weg. 'Het spijt me zo verschrikkelijk. Maar ik kan niets voor je doen.' Ze draaide zich weer naar hem toe, keek hem aan en herhaalde vriendelijk: 'Ga nu maar Bruno, alsjeblieft!'

Hij keek neer op de kist tomaten en mompelde hulpeloos: 'Maar het is een cadeau van ons gezin, Madame.' Hij pakte de kist weer op en hield hem vast, met zijn ogen op haar gericht.

Ze zag dat hij gekrenkt was. Ze ging naar hem toe en legde haar hand op zijn arm, zoals een moeder haar zoon zou aanraken vóór hij een lange reis gaat maken. Ze bleef maar huilen en kon geen woord uitbrengen.

Zes

*T*oen ik gisteren terugkwam van een afspraak met John in het Paradiso, had ik er de hele wandeling naar uitgekeken om thuis in alle rust een glaasje te drinken. Ik had wel wat tijd voor mezelf nodig om zijn relaas te laten bezinken. John had me verrast. Sterker nog, hij had me geschokt en ik wist nog niet precies wat ik met zijn onverwachte informatie aan moest.

Toen ik de keuken binnenkwam, zaten Clare en haar vriend samen aan de borrel. Een van die walgelijke cd's van hem stond oorverdovend hard aan. Clare stond tegen het fornuis geleund met een glas wijn in haar hand. Ze was een beetje verfomfaaid en had een felrode blos op haar wangen, alsof ze al een paar glazen ophad. Ze oogde niet fris, en ik kon het haast niet aanzien. Haar vriend, Robin Honkbalpet, zat op zijn gebruikelijke manier aan tafel, met zijn stoel ver naar achteren geduwd en zijn hoofd op het tafelblad. Zijn kin lag op zijn linkerarm en uiteraard had hij zijn onafscheidelijke pet op. Hij tuurde met halfdichte ogen langs zijn uitgestrekte arm naar een blikje Foster's Lager, dat hij in zijn vuist geklemd hield. Stubby lag onder de tafel, eveneens met zijn kop op zijn voorpoten. Dat was zijn gewone houding. Deed Honkbalpet soms een imitatie van onze hond? Was dat iets wat een stand-upcomedian serieus zou oefenen? En wat te denken van een stand-upgrappenmaker die zijn vrije tijd grotendeels horizontaal gestrekt op een keukentafel doorbracht?

Ik bleef staan, net als Clare. Trouwens, ik kon moeilijk gaan zitten: Honkbalpet had zijn lijf over de hele tafel uitgespreid. Ik begroette hen en Clare zei: 'Hoi, pap,' alsof ze haar best deed om jonger te klinken dan ze was. Normaal gesproken zeggen we nooit hoi tegen elkaar. Ik hoorde ook geen begroeting van de kant van Honkbalpet. Maar goed, mijn gehoor is niet meer wat het geweest is en de muziek daverde snoeihard door de keuken, dus misschien had ik iets gemist. Ik wil niet onbillijk zijn tegenover hem. Een mens moet nu eenmaal zijn vooroordelen opzijzetten. Heb ik daar niet mijn halve leven over geschreven? Jazeker, in feite vormt de kwestie van onterechte vooroordelen altijd een centraal punt in mijn boeken. Al decennialang. Ik schonk mezelf een glas wijn in en dronk er staande van, neerkijkend op Honkbalpet. Hij beantwoordde mijn blik, met zijn hoofd nog altijd op tafel. Hij glimlachte naar me.

Ik hief mijn glas naar hem op en riep zo hard als ik kon: 'Proost!'

Clare gilde boven de muziek uit: 'Proost, papa!'

Toen ik haar aankeek, wierp ze me een smekende glimlach toe.

Honkbalpet keek naar me op van onder zijn versleten klep. Hij schreeuwde me toe: 'Zeg Ken, wat deed jij vroeger voor werk?' Schreeuwen scheen hem geen moeite te kosten. Het zou wel noodzakelijk zijn in dat huis waar hij met een stel vrienden woonde die allemaal loeiharde rapmuziek of zoiets op hadden staan. Niet dat ik daar verstand van heb. Waar ik verstand van heb, dat zijn de strijkkwartetten van Sjostakovitsj. Vooral het zesde. Daar heb ík verstand van.

Even keek ik naar Clare. Ze had hem dus niet vol trots verteld dat haar papa een beroemde romanschrijver was. Dat raakte me. Maar waarom zou ze het eigenlijk hebben moeten vertellen? Ze zag dat ik gekwetst was, boog zich voorover en zette de muziek zachter. Ach wat, dat schrijverschap van mij was immers verleden tijd. 'Vroeger was ik schrijver,' zei ik. 'Tot ik met pensioen ging.'

'Boeken of zo?'

Hij zat nog steeds zijdelings naar me op te kijken, merkbaar geïntrigeerd door dit ongewone perspectief op mijn gezicht.

'Romans,' zei ik kortaf.

'Fictie, dus?'

'Ja, precies.'

'Misschien ga ik er wel een lezen,' zei hij. Hij bestudeerde het bierblikje in zijn hand met grote interesse, alsof hij nog nooit eerder een blikje Foster's Lager had gezien.

Die jongen lijkt mij geen lezer. En ik zie het al helemaal niet gebeuren dat hij een van mijn boeken gaat lezen. Ook aan mijn voorstellingsvermogen zitten grenzen, tenslotte. Honkbalpet leeft in een wereld zonder boeken, of het nu romans betreft of fictie in het algemeen, of wat voor tekst in boekvorm dan ook. Niet dat Clare overigens zo dol op lezen is. Ik denk dat ze één boek van mij heeft doorgeploegd toen ze op de middelbare school zat, meer niet. En wie weet heeft ze het niet eens helemaal uitgelezen. Ik herinner me nog dat ze het heel lang met zich meesjouwde in haar schooltas. Af en toe hield ze het even demonstratief naar me op en glimlachte bemoedigend naar me.

Clare zei: 'De Hawthorns hebben gewonnen, pap.'

Honkbalpet kwam overeind en hief zijn blikje bier op. 'We

hebben Collingwood gewoonweg verpletterd! En ík was erbíj, Ken!' Hij nam een grote slok uit zijn blikje en zette het voor zich neer op tafel. 'We staan nu op de derde plaats.'

Ik realiseerde me dat hij op een reactie van mij zat te wachten. Ik zei: 'Fantastisch, Robin! Die goeie ouwe Hawthorns! Hoera voor de Hawks!' Ik boog me naar hem toe en klonk met mijn wijnglas tegen zijn bierblikje. 'Op onze Hawks!'

Door die twee voel ik me een slome ouwe zak, die nauwelijks meer uit zijn woorden kan komen. In hun aanwezigheid laat mijn grip op de taal me in de steek en stuntel ik maar wat aan, totaal hulpeloos. En zij kijken toe, absoluut niet verbaasd door mijn onhandigheid, mijn kwetsbaarheid, of het feit dat mijn opmerkingen nergens op slaan. Het ontbreekt me kennelijk aan enig begrip van wat er zoal speelt in de echte wereld. En ze verwachten niets anders. Dat is de ellende. Als ik naar John zit te luisteren, voel ik me jeugdig en optimistisch. Dan voel ik me als vanouds. Ik kan mezelf zijn en heb het allemaal onder controle. Maar bij dit stel ervaar ik mezelf als een hoogbejaarde grijsaard, en zij verstaan de kunst om me dat op alle mogelijke manieren te laten merken, behalve door het letterlijk tegen me te zeggen. En waarom zouden ze het ook voor me uitspellen? Ze denken er niet eens bij na.

•

Woensdagavond komen ze allemaal bij ons eten. Ja, ik weet het, dat had ik mezelf niet aan hoeven doen. Maar ik doe het toch, want ik ben er nu eenmaal op gebrand om Sabiha hier aan onze oude eettafel te zien zitten als een tragische, exotische prinses. Het is een volstrekt egoïstische behoefte van mij. Ze zal een van onze antieke kristallen bokalen vasthouden, met rode wijn die glanst als stierenbloed in het kaarslicht... Ik wil dit perfect ensceneren. Haar ongemerkt laten poseren, alsof ik een portretschilder ben. Zoals Max Ernst zijn model neerzette om *Het kleden van de bruid* te schilderen. Wat een schilderij is dat! Die zuivere, onverdorven erotiek. Wat zou Sabiha daarvan vinden? Dat zou ik wel eens willen weten. Het schilderij hangt in Venetië, dus alweer een goede reden om daarheen te gaan. We hebben in onze eetkamer al heel lang geen etentje meer gehad. De laatste keer was jaren voordat Marie stierf. We zijn gewoon gestopt met dat soort dingen. Maar hoe dwaas kun je zijn om Sabiha op deze manier te willen zien? Is dat niet typisch iets voor een oude sukkel als ik? Ik zou mijn fantasie in ieder geval voor geen goud aan mijn dochter opbiechten. We hebben allemaal onze geheimen.

Woensdag schijnt de enige dag te zijn waarop Sabiha 's avonds tijd heeft. Ik maak me echt druk om dat etentje. Maar waar maak ik me de laatste tijd eigenlijk niet druk om? Er zit geen enkele vaart meer in mijn leven, dat is de narigheid. Dus wordt iedere knoop die ik moet doorhakken een onneembare hindernis. Ik kan maar niet beslissen hoe ik het aanstaande woensdag zal aanpakken. Gewoon informeel, met z'n allen in de keuken zitten met wat hapjes en een kratje bier? Of zal ik er juist veel werk van maken, en bij wijze van spreken de rode loper uitrollen naar onze stijlvolle eetkamer? Zodat ze begrijpen hoeveel respect ik voor ze heb? Ach, eigenlijk is het niet zo moeilijk. Wat de eetkamer betreft kom ik niet verder dan mijn grandioze fantasie. Clare heeft niet aangeboden om te koken, en ik heb het haar ook niet gevraagd. Maar Honkbalpet zal natuurlijk van de partij zijn, zoals altijd met zijn hoofd op tafel, vrees ik. Ik vroeg Clare een keer: 'Waarom kan hij niet gewoon rechtop aan tafel zitten, net als iedereen?' Ze zei: 'Pápa!' Dus ik liet het erbij. Zijn benen nemen alle ruimte onder de keukentafel in beslag en zijn armen slingeren over het hele tafelblad. Hij schijnt niet op te merken dat er dingen op tafel staan die hij wel eens om zou kunnen gooien. Hoe slapen die twee samen in één bed? Clare zal wel ergens opgevouwen in een hoekje liggen. Ik durf niet meer aan tafel te gaan zitten als hij hier is. Stel dat ik hem per ongeluk aanraak.

En hij is altijd hier. Ik denk dat hij hier ingetrokken is. Hoewel, ik weet het niet zeker. Ook dat heb ik aan Clare gevraagd, maar ik werd geen steek wijzer van haar antwoord. Ik begrijp hen niet. We leven niet meer in een en dezelfde wereld. Venetië lonkt naar me. Ik vind het niet grappig meer, en dat is het nooit geweest ook. Voor mijn part mogen ze het huis hebben. Wat moet ik tenslotte met een huis, op mijn leeftijd?

Toch is het niet uitsluitend Robin Honkbalpet met wie ik moeite heb. Nee, het gaat niet alleen om hem. En het doet de zaken geen goed om hem de schuld te geven. Hij is per slot van rekening niet doelbewust onbeschoft. Hij is niet agressief. En het lijkt erop dat hij echt van mijn dochter houdt. Meer dan eens heb ik gezien dat zijn gezichtsuitdrukking zachter wordt wanneer hij naar haar kijkt. Is dat liefde, of niet? Voor zover ik me herinner, is dat liefde. Ik zou dankbaar moeten zijn. Ik heb hem nog nooit meer dan twee blikjes bier zien drinken en hij gebruikt geen drugs. Tenminste, niet dat ik weet. Maar hoe het ook zij, Clare moet haar eigen leven leiden, of het nu in mijn huis is of ergens anders. Ze heeft het recht om te kiezen met wie ze naar bed gaat. Bovendien, over dat aspect wil ik echt niet nadenken. Nee, het probleem zit hem niet in Robin. Dit gaat veel dieper voor me dan de partnerkeuze van mijn dochter.

Ik had net het plan opgevat een degelijk begin te maken met het verhaal van John en Sabiha. Maar voor ik daadwerkelijk aan de slag kon, stond er nog een afspraak met John in het Paradiso op de agenda. Inderdaad, ik had besloten om mijn pensioen op te schorten en nog één laatste kans te wagen. Dat is voor niemand een verrassing, dat besef ik wel. Toch was mijn wens om te stoppen met schrijven oprecht geweest. Maar het verhaal van John en Sabiha leek mij zo'n godsgeschenk dat ik het gewoon niet kon laten schieten. Ja, een godsgeschenk – van Sabiha's oude goden, ongetwijfeld. Die speelse wezens die in hun vuistje lachen. Dus waarom liet ik het dan toch schieten? Dat kon ik voor mezelf niet verklaren, laat staan dat ik het kon goedpraten. Ik wist zelfs dat ik het tot het einde van mijn dagen zou betreuren als ik hun verhaal door mijn vingers liet glippen zonder een poging te doen er iets van te maken. Dus een paar dagen terug had ik een avond aan mijn bureau doorgebracht en mijn aantekeningen van begin tot einde doorgelezen. Ik wilde precies weten wat ik in handen had. En... het zat er allemaal in. Ik kon zo aan het werk.

•

Het was een prachtige herfstdag in Melbourne. De herfst is in deze stad de beste tijd van het jaar. De benauwde hitte van de zomer is verdwenen, en de zon verwarmt de lucht precies voldoende om het leven aangenaam te maken zonder jas of vest. Er staat geen wind en er drijven hooguit een of twee onschuldige witte wolkjes voorbij. Dat moet je eenvoudigweg zelf meemaken. Op dagen zoals deze zijn de mensen hier het gelukkigst. Onbekenden zeggen zomaar hallo, en zelfs jonge vrouwen glimlachen me toe. En niemand heeft haast. Het is zo'n dag waarop Chinese studenten uit zichzelf opstaan in de tram om me hun zitplaats aan te bieden.

Na lunchtijd zaten John en ik aan een tafeltje op het trottoir voor het Paradiso. Alle tafels waren bezet. Overal om ons heen klonk gekwebbel en gelach, in zo'n drie verschillende talen. John vertelde me dat hij Australië niet meer terugkende toen hij thuiskwam. Alles was enorm veranderd, maar niet op de manieren die hij had verwacht. Hij lachte en zei: 'Sabiha voelde zich eerder thuis in Carlton dan ik.' Nu en dan dwarrelde een groot droog blad omlaag van de plataan waar we onder zaten. Een van de jonge vrouwen aan de tafel naast ons probeerde lachend de bladeren op te vangen. Terwijl ik dat meisje naar een dansend blad zag graaien schoot me een herinnering te binnen. 'Als je een vallend blad opvangt, mag je een wens doen,' had ik Clare ooit verteld toen ze nog klein was. Wat hebben we gerend met z'n tweeën, dwars door het eikenbosje in de Botanische Tuinen, op jacht naar vallende bladeren. Marie zat in het gras bij onze picknick naar ons te kijken, of te tekenen in een schetsboek dat op haar knieën lag. Marie gaf haar omgeving altijd vorm door haar tekeningen. Ze deed nooit mee met onze spelletjes, maar ze vond het heerlijk om mij en Clare te zien rondrennen en pret maken. Het was een fantastische periode voor ons drieën. Clare was in die tijd ongeveer even oud als de kleine Houria nu is. Een klein meisje, boordevol zelfvertrouwen. Ik vond het altijd zo aangrijpend om haar over het gras te zien rennen, met haar dunne beentjes die zo snel als van een houten trekpoppetje heen en weer scharnierden. Wanneer ik tegenwoordig kinderen zo zie rennen, sta ik stil om naar ze te kijken. Dan krijg ik soms een brok in mijn keel. Over het algemeen vind ik het niet vervelend om oud te zijn, zelfs niet om steeds ouder te worden. Maar als ik de schoonheid van kinderen zie, kan het me werkelijk verdriet doen dat ik niet zoveel tijd meer overheb. Dat ik straks niet meer op deze wereld zal zijn. Het is een droog soort verdriet, zonder tranen. Maar de pijn is er niet minder om.

Ik dacht dat John zijn verhaal helemaal gedaan had. Het laatste wat me was bijgebleven was het aangrijpende beeld van Sabiha met de zoon van Bruno in de keuken van Chez Dom. De trieste sfeer van het eetcafé dat voorgoed was opgedoekt; het einde van een tijdperk. En dan die jongeman die zijn best deed om wat er gebeurd was een plaats te geven, de nagedachtenis van zijn vermoorde vader waardig. Daarna verwachtte ik niet veel meer. Ik zat nog met een paar vragen. Bijvoorbeeld, had de politie Nejibs broer ooit nog te pakken gekregen? Dat soort dingen. Maar ik vond dat die kwesties wel konden wachten tot een andere keer.

We zaten stil tegenover elkaar. Ik luisterde naar het gesprek in het Spaans aan de tafel naast ons. De taal van Lorca! Wat een genot om naar te luisteren. Ik dacht niet meer aan mezelf. Er speelden tussen John en mij geen onuitgesproken verwachtingen. De stilte tussen ons was ontspannen. Ik dacht dat we klaar waren voor die dag. Dat we sowieso klaar waren. Om ons heen ging het leven door en er lag een nieuw verhaal op me te wachten, klaar om geschreven te worden.

Toen besefte ik dat John me al een tijdje ernstig zat aan te kijken, met een glimlach in zijn ogen. Hij zei: 'Ik wil je bedanken, Ken.'

'O, dat is helemaal niet nodig,' zei ik. 'Ik moet jóú juist bedanken.'

'Nee, ik meen het,' zei hij. 'Je hebt geen idee wat je voor me hebt gedaan. Ik kwam hier na zestien jaar aan uit Frankrijk, en ik kon niets laten zien. Ik had niets gepresteerd. Helemaal niets. Ik had het gevoel dat de talenten en ambities die ik misschien ooit had gehad, niets meer voorstelden. Ik voelde me schuldig dat ik zo gefaald had om iets van mijn leven te maken. Toen we aankwamen in Australië was ik zo dom om Sabiha mee te nemen naar Moruya. Ik dacht, wat hebben we in Melbourne te zoeken? Ik kon gewoon niet geloven dat ik nog bij het onderwijsdepartement in Victoria terechtkon voor een baan, na al die tijd dat ik weg geweest was. Dus ik probeerde het niet eens. Ik ging naar huis in Moruya om mijn vader en moeder te bezoeken. Mijn moeder was in een vergevorderd stadium van Alzheimer en heeft nooit begrepen dat Sabiha mijn vrouw was. Maar mama scheen haar wel aardig te vinden, ook al kon ze haar niet plaatsen. Sabiha was lange tijd gedeprimeerd. Ze treurde om Bruno. Ik heb zeker een jaar lang gedacht dat ze er niet overheen zou komen. Volgens mij zal ze hem nooit echt kunnen vergeten. Maar ze kan er nu mee leven. We praten er nooit over. Wat ze nu voelt, dat is haar verdriet. Daar mag ik me niet in mengen. We hebben in Moruya vijf nogal moeilijke jaren gehad. Toen hoorde ik over het lerarentekort in Melbourne. De rest weet je intussen.'

Hij zweeg weer. Ik dacht: dat was het dan, definitief. Ik stond op het punt om hem te vragen of Sabiha wist dat hij me hun hele verhaal had verteld, toen hij naar me opkeek en zei: 'Toen je bij ons in de winkel kwam op de zaterdagen en ik je daarna in de bibliotheek zag, wist ik helemaal niet wie je was. Maar een tijdje later zag ik je op tv in een herhaling van *De Boekenshow*. Ik realiseerde me dat je schrijver was. Ik had wel van je gehoord, maar nog nooit een boek van je gelezen. Die zaterdag, toen ik je toevallig in het zwembad trof en we allebei tegelijk opstonden, heb ik maar besloten om dat als een teken te beschouwen. Dat was het moment dat ik je gevraagd heb om samen koffie te drinken, weet je nog?'

'Ja, chloorwaterkoffie,' zei ik. 'Zeker, dat weet ik nog.'

'Ik was van plan om gebruik van je te maken.'

'Hoe bedoel je?' vroeg ik. Maar ik dacht dat ik al wist wat hij bedoelde. Johns behoefte om zijn verhaal aan iemand te doen en ermee in het reine te komen, was overduidelijk geweest.

'Ik had helemaal niet gedacht dat er iemand geïnteresseerd zou zijn in onze geschiedenis. Maar het was alles wat ik had. Alles wat ik had meegebracht naar huis na zestien jaar Parijs, plus de vijf jaar die we verdaan hebben in Moruya. Ik besloot om ons verhaal op jou uit te proberen. Zoals je al zei, was jij de perfecte toehoorder. Jouw belangstelling heeft mij de moed gegeven om het allemaal op papier te zetten. Iedere keer wanneer ik thuiskom na een afspraak met jou ben ik uren bezig om op te schrijven wat ik je heb verteld.' Hij wachtte op mijn reactie.

Ik zei niets.

'Soms blijf ik tot twee of drie uur in de nacht op om te schrijven. Als je eenmaal begint dan ligt het allemaal zo voor het grijpen, ken je dat? Ik heb nu min of meer een kladversie van het hele verhaal.'

'Goed van je,' zei ik. 'En het is erg in tegenwoordig. Iedereen schijnt opeens zijn memoires te willen schrijven.'

'Ik ben schrijver geworden, Ken.'

Ik zag dat het hem menens was.

'Nu geef ik eindelijk zin aan mijn leven. Daar wil ik je voor bedanken.'

Ik zei: 'Ik heb alleen maar geluisterd.'

'Ons verhaal lag al kant-en-klaar te wachten, bij mij vanbinnen. Maar ik had het vertrouwen nodig om het op te schrijven. Dat heb jij me gegeven.'

Hij was heel serieus. Ik zei zoiets als: 'Nou, dat is geweldig nieuws, John. Veel succes ermee.' Ik schudde hem de hand.

John zei: 'Ik ga jou niet vragen om je contacten te gebruiken om het gepubliceerd te krijgen, hoor. Daar zorg ik zelf wel voor. Het is nog niet af. Ik draag het op aan jou.' Hij grinnikte. 'Vind je dat oké?'

Ik zei dat ik me gevleid voelde.

'En jij? Je bent vast alweer druk bezig met een nieuw boek?'

'Ik heb er wel een idee voor,' zei ik.

'Heb je er al veel werk in gestopt?'

'Tamelijk veel.'

'Ik vind het prima als je er met mij over wilt praten. Ik ben misschien niet de perfecte toehoorder, maar je zou het erop kunnen wagen.'

'Dat is heel aardig van je,' antwoordde ik. 'Maar als je het niet erg vindt, dan heb ik het er op dit moment liever niet over.' Ik keek hem aan. 'Mijn ervaring is dat een roman er niet sterker op wordt als je er van tevoren over praat. Dat brengt je van je verhaal af.'

Hij lachte ongemakkelijk. 'Maar ik ben juist op mijn verhaal gekomen door erover te praten.'

Ik zei niet: we zullen zien, maar dat ging wel door mijn hoofd.

We waren even stil en toen zei hij: 'Jij weet nu bijna alles wat er over mij te weten valt. Maar ik weet nauwelijks iets over jou.'

Ik zei: 'Ach, over mij is weinig interessants te melden. Mijn leven vindt plaats in mijn boeken.' Ik stond op, ging het café in en betaalde onze koffie.

*V*anmiddag stond ik in de patisserie op mijn beurt te wachten en keek vergenoegd toe hoe Sabiha haar klanten bediende. Wat beweegt ze zich rustig en bevallig. En ze vertoont die zeldzame combinatie van gepaste terughoudendheid en warme vriendelijkheid. Ik vind het heerlijk om haar gade te slaan, terwijl ik haar geheime kracht en haar tragische geheim ken. Wat heeft ze veel moeten doorstaan. Ze had de moed en het uithoudingsvermogen om de leeuw tegemoet te treden. Sabiha is mijn heldin. Ik bewonder haar in stilte en wat meer is, heimelijk hou ik zielsveel van haar. Ik heb altijd alleen maar kunnen schrijven over mensen van wie ik hou. Ook al is mijn gevoel van eigenwaarde soms tot het nulpunt gedaald; bij haar in de winkel kom ik tot mezelf. En zodra ik weer buiten sta, ben ik overtuigd van mijn doel.

Terwijl Sabiha een klant hielp, wendde ze haar hoofd even af en keek uit het raam. Ik draaide me om en keek in dezelfde richting als Sabiha, net als de vrouw die ze bediende. Het verkeer was druk op dat tijdstip in de middag. Alles wat ik kon zien was de gebruikelijke rij wachtende auto's en vrachtauto's achter een bus, terwijl de hitte van hun motorkap afstraalde. De vrouw die een bestelling had gedaan, ergerde zich kennelijk niet aan de vertraging. Ook zij bleef naar buiten kijken, naar het verkeer en de voorbijgangers in de middagzon, alsof ze Sabiha's interesse voor het schouwspel op straat volledig deelde. Dat waren de charmes van Sabiha en haar winkel. Het ontbreken van haast. De rustige beleefdheid waarmee de klanten elkaar behandelden. Het was de kracht van haar aanwezigheid, die dit bewerkstelligde.

Gedachteloze mensen, jachtig binnenstuivende mensen, jonge vrouwen in zwarte broekpakken met rusteloze ogen van wie de nieuwe Audi dubbel geparkeerd stond buiten, ze ondergingen allemaal dezelfde transformatie. Ze waren nog geen vijf minuten in de patisserie of ze ontdekten al de vreugde van innerlijke rust en prettige omgangsvormen. Dat ze dat bereikte door hier gewoon te zijn, daar was ik Sabiha dankbaar voor. Ik zou haar verhaal opschrijven, en ik zou haar vriend en stille bewonderaar blijven. En de vriend van haar echtgenoot en hun prachtige dochter die, zo klein als ze was, als twee druppels water op haar moeder leek. De komst van Sabiha en haar bakkerswinkel maakte een wereld van verschil voor mijn buurtje in Carlton. De patisserie was een hoopgevend baken van warmte en vriendelijkheid vergeleken met de verlaten stomerij en troosteloze supermarkt, waar we het jarenlang mee moesten stellen. Dankzij Sabiha was Carlton weer mijn werkelijkheid geworden. Ik dacht niet langer om de haverklap aan terugkeren naar Venetië, om daar op een zomermiddag ongemerkt uit het leven weg te glijden, zoals Aschenbach in zijn ligstoel. Nu droomde ik van het Parijs van Chez Dom. Dat was mijn fictie, en daar zou mijn ware leven zich gedurende een of twee jaar afspelen. Venetië kon wachten.

Het verkeer kwam in beweging. Toen de bus voorbij was, zag ik John en Houria bij de stoeprand staan. Ze wachtten op een kansje om over te steken naar onze kant van de brede straat. Ik hou eigenlijk niet van nostalgische uitweidingen, maar nu moest ik toch weer denken aan Clare toen ze klein was. Hoe ik haar afhaalde van de kleuterschool, vroeger. Dat leek wel een mensenleven geleden. Een uitgelezen thema om nostalgisch over te worden. Toch zag ik het niet zo. Het was geen heimwee naar het verleden, ik wilde niet terug naar de tijd dat mijn dochter nog klein was. Nee, juist in het hier en nu beleefde ik er een intense vreugde aan dat deze dingen nog steeds bestonden. Ik ben wel eens in de verleiding geweest om het uit te schreeuwen van wanhoop dat alles zo veranderd is en alle goeds is weggevaagd uit het moderne leven. Maar dat is de vooringenomenheid van oude mensen. Daar moet je echt niet aan toegeven. De waarheid, als ik me daar even mee mag bezighouden, is dat het allerbeste en het allerslechtste, die primaire dingen die ons menselijk maken, onveranderd zijn gebleven. Zowel het goede als het kwade.

Houria stond met een geestdriftig gezicht naar haar vader op te kijken. Het was duidelijk dat ze hem iets vroeg wat belangrijk voor haar was op dat moment. Haar blauw met gele kinderrugzakje stuiterde op haar rug terwijl ze enthousiast uitlegde waar het haar om te doen was. John keek op haar neer en luisterde naar haar. Toen zag ik hoe hij zich vooroverboog, haar optilde en haar tegen zijn borst drukte. Ze was groot voor haar leeftijd en Johns bultige leren schoudertas die langs zijn heup schuurde, maakte zijn manoeuvre er niet makkelijker op. Daar stond hij met Houria in zijn armen. Fronsend speurde hij links en rechts de straat af, klaar om het erop te wagen zodra er een gaatje in de verkeersstroom kwam. Ik voelde mijn oude angst opkomen wat kinderen, brede straten en druk verkeer betreft. Ik durfde niet meer naar ze te kijken en richtte mijn blik weer op Sabiha.

Sabiha lachte om iets wat de vrouw bij de toonbank tegen haar zei, en zocht pasteitjes uit met de lange metalen tang. Ze deed het op dezelfde weldoordachte manier die mij was opgevallen die eerste keer dat ik in haar winkel kwam. Ze hield de papieren zak open en liet de pasteitjes er met zorg in glijden, voorzichtig om het dunne korstdeeg niet te beschadigen.

Toen ik weer uit het raam keek, hadden John en Houria het gehaald tot de vluchtheuvel midden op de straat. John zette Houria op de grond, greep haar hand en samen stonden ze te wachten tot de auto's voorbij zouden zijn. Er ging nu niet veel verkeer meer richting centrum en het duurde maar even voor ze veilig de tweede strook konden oversteken. Houria liep niet, ze sprong. Ze probeerde in één keer zo ver mogelijk te springen, met haar hand in die van haar vader geklemd. Hij keek naar haar, moedigde haar aan en tilde haar steeds een extra stukje op, zodat haar voeten nog iets verder neerkwamen.

De vrouw zei: 'Doet u er ook maar wat van deze bij.' Ze wees naar de piramide van honingbriouats op het schap achter Sabiha. 'Hoe spreek je dat ook weer uit in het Frans? Ze zien eruit om te watertanden. Ik ben al tijden van plan om ze eens te proberen.'

Sabiha pakte de lange tang weer op, koos de twee bovenste briouats uit en deed ze een voor een in een papieren zak. Ze zette hem op de toonbank naast de zak met pasteitjes. 'Die zijn om te proeven. Nee, voor deze hoeft u me niet te betalen. Ze zijn gewoon voor u om uit te proberen.'

'Wat aardig van u,' zei de vrouw. 'Frank zal ze heerlijk vinden. Ik mag al van geluk spreken als ik er een hapje van krijg.'

Ik keek naar Sabiha en vroeg me af of die nacht dat Bruno was vermoord nog steeds door haar hoofd spookte, als ze wakker lag naast John. Pijnigde ze keer op keer haar geheugen om alle bijzonderheden op te roepen? Beleefde ze steeds opnieuw de verschrikking van dat moment? Werd ze nog altijd gekweld door schuldgevoel en wroeging om wat ze die man had aangedaan? John had verteld dat ze een manier had gevonden om ermee te leven. Maar niemand van ons kan zijn eigen dromen beheersen, of zijn nachtelijke angsten wegwuiven. Toen ik haar zo zag glimlachen en praten tegen de klant, viel het me moeilijk om Sabiha als een gekwelde vrouw te beschouwen. Toch herinnerde ik me de dag waarop ik haar voor het eerst zag maar al te goed. Die glimp van ondoorgrondelijk diepe, oude pijn in haar ogen. Die had ik toen wel degelijk gezien. Ik had me afgevraagd wat daar de reden voor zou kunnen zijn. Nu kende ik haar verhaal. Maar een verhaal kennen is één ding, het opschrijven is iets totaal anders. Hoe zou ik het aanpakken om uitdrukking te geven aan die netelige, gecompliceerde gevoelens en situaties? De dingen die Sabiha's geschiedenis gewicht, diepte en schoonheid moesten verlenen? Het ging juist om wat vluchtig leek, maar wezenlijk was. De zaken die ons het gemakkelijkst ontglippen.

Sabiha wendde zich tot mij en ontmoette mijn blik, alsof ze de vragen zag die door mijn hoofd speelden. 'Hallo Ken,' zei ze en glimlachte. Ik was me bewust dat John en Houria achter me de winkel in kwamen. Houria's hoge stemmetje drong tot me door, opgewonden over iets wat ze aan iedereen wilde vertellen. Van wie was het idee geweest, vroeg ik me af, om de patisserie *Figlia Fiorentino* te noemen?

315

Sabiha zei: 'Ik neem het koken op me voor het etentje aanstaande woensdag. Wat ik ga maken, hebben Clare en jij vast nog
nooit geproefd.' Ze lachte.

'Maar Sabiha, dat is niet de bedoeling,' protesteerde ik. 'Jullie
zijn bij mij te gast.'

'Het is iets Tunesisch,' zei ze. 'Een verrassing.' Ze keek me aan.
'Wij koken graag voor onze vrienden, Ken. We vinden het leuk
en we kunnen het. Het is nu eenmaal ons vak. Jij en Clare zijn
zo gastvrij ons uit te nodigen in jullie prachtige huis. Wij doen
de rest.' Ze hield mijn blik vast en ik zag dat ze nog iets wilde zeggen, maar ze aarzelde. 'Jij maakt nu deel uit van ons verhaal,' zei
ze ten slotte.

Ik was ontroerd. Maar Houria trok intussen aan mijn mouw
en riep aldoor mijn naam: 'Ken! Ken! Ken!' Ik draaide me om en
ging op mijn hurken zitten om haar aan te kijken. 'Zeg het eens,
liever?'

Ze had een vel papier in haar hand en hield het voor mijn
neus. Ik zag een kleurige kindertekening.

'Ik heb mama getekend, en ik heb er een prijs voor gekregen!'
Ze was buiten adem van opwinding. Ik had ternauwernood de
tijd om haar tekening te bekijken voor ze hem weer weggriste,
langs me heen rende tot achter de toonbank en haar kunstwerk
omhooghield voor Sabiha. 'Mama! Kijk! Ik heb er een prijs voor
gekregen!' Sabiha tilde haar op en knuffelde haar. Houria spartelde
in haar armen en riep: 'Kijk nou naar mijn tekening, mama!'

Toen Sabiha in verwachting raakte van Houria was ze ongeveer
even oud als Clare nu is. Was het echt mogelijk dat Clare ook nog
een kind zou krijgen? Clare had nooit dat overweldigende verlangen naar het moederschap gehad, zoals Sabiha. Ik sloeg hen gade,
moeder en dochter. Houria die honderduit kwetterde, en die haar

moeders pogingen om haar tekening te interpreteren onvermoei-
baar verbeterde. 'Nee, dat is je neus, niet je oog!' Italiaanse klanten
vroegen Sabiha regelmatig waarom ze haar patisserie een Italiaanse
naam had gegeven, terwijl zij en John toch niet Italiaans waren.
Sabiha's antwoord luidde dan standaard: 'Signor Fiorentino heeft
ons ooit iets heel kostbaars gegeven, iets wat we hem nooit kunnen vergoeden. Vandaar.' Maar natuurlijk vertelde ze er niet bij
wat dat kostbare cadeau van Signor Fiorentino daadwerkelijk was.

John en ik begroetten elkaar. Hij hief zijn uitpuilende tas op.
'Een heleboel huiswerk Engels om na te kijken,' zei hij. 'Wie
weet hoef ik dat niet zo lang meer te doen.'

Ik antwoordde: 'Zeg nog maar niet meteen je baan op, hoor
John.'

*B*uiten begint het donker te worden. Ik heb het licht in mijn studeerkamer nog niet aangedaan. Ik zit aan mijn bureau en kijk over de weg heen naar de laatste zonnestralen die door de takken van de iepen in het park vallen. Ik weet nu dat ik Sabiha's zegen heb, haar toestemming. Op een dag zullen zij en ik over mijn roman praten. Over mijn versie van hun verhaal. Het is stil in huis. Op mijn werkblad staat naast mijn schrijfblok een doos met pas geslepen potloden. Ik gebruik geen computer. Ik vind het fijn om breeduit op mijn bureau te leunen, mijn schrijfblok rond te draaien, op mijn potlood te kauwen en naar de iepen te kijken. Een beeldscherm voor mijn neus zou mijn dromen alleen maar verstoren. Schrijven is mijn manier om het Venetiaanse alternatief te vermijden, niet om het over me af te roepen.

Stubby duwt zachtjes zijn neus tegen mijn been, terwijl ik naar het laatste zonlicht kijk. Het is een prachtige zonsondergang. Toen ik Clare vertelde dat John bezig was zijn verhaal op te schrijven, zei ze: 'Ik heb je toch gezegd dat hij dat zou doen.' Ik antwoordde: 'Ja, en de titel luidt waarschijnlijk *Moord in de Rue des Esclaves.*' Ze zei: 'Wie weet overtreft hij al jouw verwachtingen.' Ik zei: 'Ja, wie weet.' Toen vroeg ze me: 'Hoe ga je jouw versie noemen?' Ik antwoordde: 'Dat zien we nog wel.' Ik ben niet zo overtuigd door Johns bewering dat hij van de ene op de andere dag schrijver is geworden. Hij staat weliswaar uiterst vergevingsgezind tegenover Sabiha, maar misschien heeft hij daarmee de deksel op een lastige, gevaarlijk borrelende put gelegd. En dat is nu precies de bron die voor een schrijver altijd open moet blijven om authentiek te kunnen zijn. Nee, ik kan me domweg niet voorstellen dat hij de essentie te pakken krijgt. 'Ga je mee, Stubbs,' zeg ik en ik kom overeind. 'Laten we onze wandeling maken nu we nog een klein beetje licht hebben, daarbuiten.' Sabiha's verhaal is via John naar buiten gekomen en bij mij beland. Nu, nadat ik er een tijdje bezitterig op heb zitten broeden, zal ik het weer doorgeven aan anderen. En uiteindelijk laat ik het los en ben ik er klaar mee, net als met alle andere verhalen die ik bij me heb gedragen.

Dankbetuiging

Mijn oprechte dank gaat uit naar mijn redactrice, Annette Barlow, naar het team van Allen & Unwin, en naar Ali Lavau.